Car si l'on nous sépare

LISA STRØMME

Car si l'on nous sépare

Traduit de l'anglais (Royaume-Uni) par
SEVERINE BEAU

Harper
Collins
POCHE

Titre original :
THE STRAWBERRY GIRL

Ce livre a été publié sous le titre THE STRAWBERRY GIRL par Chatto & Windus, une collection de Vintage Publishing. Vintage Publishing appartient au groupe Penguin Random House.

HARPERCOLLINS FRANCE

83-85, boulevard Vincent-Auriol, 75646 PARIS CEDEX 13
Tél. : 01 42 16 63 63

www.harpercollins.fr

ISBN 979-1-0339-0215-7

Pour Dagfinn,
la palette sur laquelle je mélange mes couleurs.

ÅSGÅRDSTRAND
1893

1

Toile vierge

La plus grande clarté, à condition qu'elle ne soit pas aveuglante, agit à côté de l'obscurité complète.

Traité des couleurs,
JOHANN WOLFGANG VON GOETHE[1].

Je me cachais dans le tableau, dans l'espoir qu'elle ne voie pas celle que j'étais devenue. J'y parvenais parfois. Les yeux fermés, je pensais aux fraises et je sentais alors les fils déchirés de la robe chatouiller mon épaule nue, tandis que Herr Heyerdahl balayait la palette de son pinceau et enduisait la toile. A force de concentration, je retrouvais l'expression à la fois renfrognée et docile qu'il avait su saisir ; je pouvais même sentir entre mes doigts l'entrelacs des tiges de jasmin, délicat comme une toile d'araignée. Mon autre main, crispée sur le bol, tremblait de fatigue. L'épaule me démangeait, mais je gardais la pose — surtout ne pas bouger, ne pas parler, rester parfaitement immobile.

L'hiver, en l'absence de visiteurs, elle me voyait telle que j'étais alors : une enfant de dix ans, simple et

1. Toutes les citations du *Traité des couleurs* de Goethe (à l'exception du chapitre 20) sont extraites de la traduction d'Henriette Bideau aux Editions Triades (2011). (NdT)

serviable. Mais à seize ans, il devenait de plus en plus difficile d'incarner la Cueilleuse de fraises, une étiquette qui me rendait invisible. Dès lors que le tableau avait été achevé et exposé au Grand Hôtel, offert à l'admiration des estivants venus de Kristiania, le titre m'avait figée, recouverte de son vernis. Enfant, je l'avais porté avec une fierté appliquée. Aujourd'hui, c'était lui qui me portait — mais le vernis commençait à craqueler et à s'écailler comme une peinture défraîchie.

Mère, à genoux devant le fourneau, rinçait sa serpillière presque tendrement. A ma vue, elle l'essora d'un tour de main énergique.

— Johanne, dépêche-toi, fulmina-t-elle. Comment peux-tu traîner ainsi alors qu'il y a tant à faire ? C'est le début de la saison, pour l'amour du ciel ! Les Heyerdahl arrivent cet après-midi. Tu sais combien Monsieur aime que la maison soit lumineuse, bien aérée, et… ?

Sa voix monta, interrogative :

— Et ?

— *Impeccable*, répondis-je entre mes dents.

— Pas d'insolence, jeune fille.

Elle retroussa ses manches.

— Il apporte ses toiles, ses couleurs, tout son matériel… Si tout n'est pas impeccable, comment veux-tu qu'il travaille ?

Hans Heyerdahl n'était pas sensible à ce genre de détails. C'était un peintre, et il créait à lui seul plus de désordre que nous quatre réunis.

J'esquissai un dessin du bout du doigt sur le mur.

— Eh bien, ne reste pas plantée là sans rien faire, s'exclama-t-elle. Je t'ai lu la lettre, n'est-ce pas ?

— Oui, Mère. Le bateau, puis le chariot. Père et Andreas doivent aller à leur rencontre.

— Alors il est grand temps de s'y mettre.

Elle se dressa sur la pointe des pieds pour atteindre l'étagère du haut, me frôlant au passage, puis posa brutalement un bol en bois sur le fourneau.

— Va donc chercher des fraises. Un bol bien plein, et ne tarde pas. A ton retour, tu passeras le balai et tu secoueras les draps.

— C'est trop tôt pour les fraises, il n'y en aura pas. Pas avant quelques semaines.

— J'ai dit pas d'insolence. Allez ouste, file, un tour dans la forêt ne te fera pas de mal.

Elle claqua dans ses mains juste sous mon nez.

— Et si jamais ce Thomas vient te courir après, dis-lui de ne pas se fatiguer à faire le joli cœur. C'est bien compris ?

— Oui, Mère.

— Et ne traîne pas près de la maison de l'autre peintre, le dépravé. Fru Jørgensen m'a dit qu'il était arrivé hier soir. Le voilà de retour avec ses diableries ! Cela ne tourne pas rond chez lui, dit-elle en se tapotant le front, rien à voir avec notre Herr Heyerdahl. Ah non, cela ne tourne pas rond là-dedans. Tu passes devant la maison sans t'arrêter, sans même jeter un coup d'œil au jardin. Tout le monde sait qu'il y laisse sécher ses horribles peintures. Quel scandale ! Exposer ainsi les preuves de sa nature perverse, comme s'il y avait de quoi être fier. Garde bien la tête baissée, Johanne Lien ! Pense à l'honneur de notre famille, pense à ta réputation. Et maintenant, va chercher des fraises pour les Heyerdahl.

Elle me planta le bol entre les mains et me chassa hors de la maison, pestant à la vue de mes pieds nus et de mes cheveux en désordre. Je m'élançai dans le soleil vif du matin en laissant derrière moi l'écho de ses reproches et de ses plaintes.

Je savais qu'il n'y aurait encore que des bourgeons, des petits poings fermés, durs et blancs. La nature avait déjà mélangé ses couleurs sans les avoir encore étalées sur sa toile. Pour que les fruits et les fleurs puissent s'épanouir, il leur fallait de la lumière et de la chaleur, mais Mère semblait penser que je pouvais les obliger à mûrir comme par magie, simplement parce que j'étais la Cueilleuse de fraises. Elle n'associait pas le titre du tableau à mon activité mais au prestige de l'œuvre. C'était une monnaie d'échange, le pont qui nous reliait au beau monde, ces riches vacanciers venus de Kristiania[1] qui recherchaient les toiles de Herr Heyerdahl et envahissaient Åsgårdstrand chaque été.

Le tableau était le portrait fidèle de l'enfant que j'avais été. Les bleus mêlés aux jaunes esquissaient la silhouette d'une petite fille dépenaillée vêtue d'une robe froissée, aux fronces et aux plis creusés d'ombres. La manche déchirée au niveau de l'épaule laissait voir un éclat de peau propre, alors que je revenais toujours couverte d'égratignures de mes excursions en forêt. Je ne voyais pas comment le tableau pouvait nous relier aux belles dames qui paradaient en ville, avec leurs élégantes robes blanches, leurs chapeaux et leurs rubans. Et pourtant c'était dans notre humble maison que Herr Heyerdahl choisissait de séjourner : ce n'était pas rien, tout de même. Le tableau nous distinguait des autres. Ce tourbillon de formes, de courbes, de couleurs et de lumière avait le don de me transformer en princesse aux yeux des gens de la capitale. Il n'en fallait pas plus à ma mère pour nous croire presque des leurs.

Il n'y avait qu'un seul pied de fraises susceptible d'être mûr : idéalement situé sur une colline, adossé à un mur, il était facile d'accès et baigné de soleil même à cette période de l'année. Le seul problème, c'est qu'il se trouvait dans *son* jardin.

Si Hans Heyerdahl était un dieu pour ma mère, le « dépravé », comme elle l'appelait, représentait le diable. Andreas et moi n'avions pas le droit de prononcer son nom. Le simple fait de penser à lui était déjà une trahison.

Ma mère ignorait tout du cadeau qu'il m'avait fait,

1. Christiania (puis Kristiania), ancien nom d'Oslo jusqu'en 1925. (NdT)

des conversations que nous avions échangées, de nos rencontres fortuites au détour de la forêt.

L'homme n'était ni distingué ni prospère et faisait figure d'original dans notre petite ville. Il était le voisin que les gens du coin apprécient le temps d'un été, sans vraiment le comprendre. Aussi pauvre que nous, il avait juste de quoi payer le loyer de sa petite maison de pêcheur ; si bien que personne au village ne se donnait la peine de le traiter en homme bien né et de l'appeler « Herr Munch ».

Ses étranges tableaux n'amélioraient en rien sa réputation, et on le disait fou, l'esprit embrumé par l'alcool. Les gens du beau monde auxquels ma mère cherchait tant à plaire l'ignoraient totalement. On conseillait aux dames de détourner les yeux de ses tableaux et d'utiliser leurs ombrelles pour se protéger de cette exhibition de vulgarité.

Je me mis au défi de prononcer son nom au grand air, marchant avec vigueur pour assourdir le son de ma voix. Je commençai par murmurer tout doucement ces deux mots qui sentaient le soufre. Puis je lâchai son nom à voix haute.

« Edvard Munch. »

Un craquement se fit aussitôt entendre. Avais-je déjà attiré sur moi les foudres du Ciel ? Je fis volte-face pour découvrir Thomas qui surgissait, l'air de rien, d'un bosquet de bouleaux le long de la route. Son expression ouverte et souriante, l'éclat de ses yeux bruns illuminaient ses traits : même à contre-jour, je pouvais lire clairement dans ses pensées.

— Johanne ! Arrête-toi ! Où vas-tu ainsi ?

— Je dois cueillir des fruits pour les Heyerdahl.

— As-tu besoin d'aide ?

Je fis signe à Thomas de se joindre à moi, en jouant l'indifférente, et lissai d'un geste rapide l'étoffe de mon corsage.

— Combien de temps as-tu devant toi ? me demanda-t-il en m'arrachant le bol des mains.

— Rends-le-moi !

Je tentai de l'attraper, mais déjà Thomas hissait le bol au-dessus de sa tête en reculant vers les arbres pour m'inciter à le rejoindre.

— Thomas ! Je n'ai pas de temps à perdre, pas aujourd'hui. Rends-le-moi.

— D'accord, d'accord. Mais viens au moins avec moi jusqu'à la plage pour te tremper les pieds. Rien qu'un petit détour.

Il détala, me laissant seule face à la mer, le corps gonflé d'un désir familier. L'immense étendue d'eau dominait ma vie et m'ensorcelait. Elle semblait si vaste que j'avais peine à croire à l'existence des horizons décrits par les pêcheurs, là où le fjord rencontre le grand large. Partout dans Åsgårdstrand, on voyait ce bleu qui s'étirait à l'infini, seulement ponctué par l'île de Bastøy et les nombreux bateaux qui traversaient notre baie. La ville semblait taillée dans le flanc escarpé de la colline, comme un défi lancé par ceux qui avaient voulu y jeter l'ancre.

Thomas s'éloignait sans m'attendre. L'eau m'appelait — il n'en fallait pas plus pour me convaincre. Impossible de descendre prudemment la pente raide : je dévalai Nygårdsgaten à sa suite. Nos pas nous entraînèrent vers les cabanes de pêcheurs que nous allions habiter le temps d'un été, pendant que les Heyerdahl occuperaient notre maison. Je détournai les yeux par habitude quand nous atteignîmes la dernière, la maisonnette jaune moutarde que Munch louait à Fru Jørgensen. Accélérant soudain, nous descendîmes en courant Havnagata dont les pavés nous guidèrent jusqu'à la jetée et au pavillon des bains, sur la côte rocheuse envahie par les eaux du fjord. Je pus enfin respirer à pleins poumons le parfum frais de liberté charrié par l'air du large.

Retroussant son pantalon jusqu'aux genoux, Thomas s'élança dans l'eau. Je soulevai ma jupe et mon jupon, les pieds bientôt dans la vase. Les bateaux à voile dérivaient au loin, bercés par les vagues comme dans un rêve. La plage était tranquille. Un groupe de petites filles jouaient avec des galets au bord de l'eau, sous l'œil attentif de leurs mères assises sur un rocher à l'ombre d'un parasol. Plus loin, un vieux pêcheur grattait la coque retournée de son bateau, tandis que, debout derrière lui, un homme barbu faisait des nœuds de cordage. Ils ne prêtèrent pas attention à nous, et j'en fus soulagée.

— Allons, jusqu'aux genoux ! me lança Thomas qui avançait à grandes enjambées. Si tu l'oses !

Je posai le bol sur une pierre et le suivis, m'éclaboussant de cette eau fraîche dont le niveau atteignait déjà mes chevilles. Il se dirigeait vers des rochers qui dépassaient de l'eau et sur lesquels, petite fille, j'aimais à m'asseoir et jouer à la sirène.

— Je ne peux pas aller plus loin, pas aujourd'hui, criai-je, en pensant au livre dans ma poche. Pas sans mon costume de bain.

— Espèce de rabat-joie, me lança-t-il.

Il prit de l'eau dans le creux de ses mains et souffla dessus pour m'asperger.

— Thomas ! m'écriai-je d'une voix aiguë.

Sans le livre, je l'aurais mis à l'eau. Mais je me contentai de m'éloigner en pataugeant, à la recherche de trésors. Quelques instants plus tard, il surgit derrière moi, son bras autour de ma taille, sa poitrine pressée contre mon dos.

— Regarde, dit-il en désignant un point à l'horizon. Un jour, je t'emmènerai là-bas, Johanne.

Je sentais son souffle me chatouiller l'oreille, et mon ventre palpiter et se resserrer sous l'effet de ses lèvres qui effleuraient ma peau ; Thomas ne se lassait jamais de me raconter cette histoire.

— Je t'emmènerai loin d'ici, à l'aventure, poursuivit-il en frôlant mon cou de sa bouche. Je serai capitaine au long cours.

— Et où m'emmèneras-tu ? lui demandai-je, feignant de ne pas savoir où il voulait en venir.

— Nous prendrons la mer jusqu'au Danemark, puis vers la France et même l'Egypte. Nous trouverons des trésors et nous rentrerons au pays couverts d'or et de bijoux. On nous appellera « le roi et la reine d'Åsgårdstrand ».

— On croirait entendre Peer Gynt[1], et regarde où l'ont mené ses aventures en mer.

— Au moins, il était riche, à la fin.

Je me dégageai en me tortillant et me retournai pour lui faire face.

— Pas du tout. C'était un égoïste qui a fini par tout perdre.

Il haussa les épaules.

— Mais tu viendras avec moi un jour, n'est-ce pas, Johanne ? s'enquit-il, son assurance semblant fuir comme l'eau d'un seau percé.

— Tu crois cela ?

— Tu n'as pas envie de voir ce qu'il y a ailleurs ? dit-il en prenant ma main entre les siennes. *D'explorer le monde ?*

Le mugissement d'une sirène retentit à travers le fjord et je découvris le *Jarlsberg* qui s'approchait de la jetée, pavillon au vent, pour annoncer son arrivée.

Soulevant ma jupe dont je secouai l'ourlet trempé, je me hâtai en direction de la plage pour récupérer mon bol.

— Attends ! s'écria Thomas. Johanne, reviens !

— Je n'ai pas le temps.

— Mais attends donc, Johanne ! Arrête-toi !

J'étais déjà en chemin, pressée.

— Il y a un bal ce soir, au Grand Hôtel, me cria-t-il. Dis-moi que tu viendras !

— Peut-être, lançai-je par-dessus mon épaule.

Peut-être, si jamais ma mère ne m'a pas tuée d'ici là.

1. Peer Gynt est un personnage de conte norvégien, dont Henrik Ibsen s'est inspiré. C'est un anti héros prétentieux qui part à l'aventure et rate tout ce qu'il entreprend. (NdT)

*
* *

Je traversai la plage en courant, enjambant rochers et paquets d'algues. Mes pieds connaissaient les lieux et trouvaient d'eux-mêmes le doux chemin creusé par des générations de baigneurs. Je saisis le bol et longeai le rivage à la hâte, dépassant le Grand Hôtel pour parvenir au chemin qui menait à la forêt de Fjugstad. Le sentier bordait le terrain de Munch, au pied de la colline escarpée sur laquelle se trouvait sa maison. De l'autre côté de la clôture, buissons et arbres fruitiers m'appelaient à eux.

La clôture ne m'avait jamais arrêtée jusqu'ici. Je posai le bol en équilibre sur le poteau et soulevai ma jupe jusqu'aux genoux, tout en jetant un coup d'œil aux fenêtres voisines pour vérifier qu'il n'y avait pas de témoin à mon crime. Je ne vis ni n'entendis rien d'autre que le cri des mouettes qui tournoyaient au-dessus de ma tête. Je posai le pied sur le fil de fer qui se mit à ployer sous mon poids, manquant me faire perdre l'équilibre. Je m'élançai, mais ma jupe s'accrocha à un éclat de bois et se déchira.

J'atterris dans les hautes herbes en parvenant à éviter les orties et me mis au travail, à la recherche de fruits parmi les buissons. Je poussai du pied les brindilles, j'écartai les délicates fleurs blanches et les feuilles dentelées des pieds de fraises, sans succès. Je me mis à quatre pattes, au ras du sol, pour mieux chercher. Je plongeai dans l'enchevêtrement des buissons et ne parvins qu'à récolter des égratignures aux mains et aux avant-bras, jusqu'à ce que ma peau soit zébrée de rouge.

— Et zut ! Maudits Heyerdahl ! m'écriai-je, le visage enfoui dans les broussailles.

— Tu perds ton temps.

La voix entrouvrit une porte dans ma mémoire.

Je lâchai les feuillages, figée sur place, un frisson le long de l'échine.

Les bras en feu, je me retournai et vis Munch me

dominer de toute sa hauteur. Il portait une veste sombre trop grande pour lui, qui semblait avoir appartenu à un frère plus âgé. Un gilet gris lui serrait la taille. Je notai non sans honte sa bouche bien dessinée et sensuelle. Sa lèvre supérieure, arrondie et charnue, était ourlée d'une fine moustache, et sa lèvre inférieure légèrement proéminente, comme celle d'un enfant boudeur. Il avait la mâchoire carrée et des yeux songeurs, bleu pâle, d'où s'échappait une petite musique triste. Saisie, je perçus que cette tristesse, loin d'être passagère, était ancrée au plus profond de son âme.

— Johanne ? dit-il avec un demi-sourire.

— Oui, c'est moi.

J'arrangeai ma jupe déchirée.

— Mère m'a demandé de rapporter des fraises pour les Heyerdahl.

— J'ai déjà ramassé les fruits mûrs avec ma sœur ce matin. Tu n'as qu'à passer à la maison.

Je voulus refuser. Ma mère allait m'écorcher vive si elle apprenait que j'avais été surprise en train d'essayer de voler des fraises, qui plus est chez lui. Mais je ne pouvais pas rentrer les mains vides, et malgré son air sévère, il y avait de la douceur dans son regard.

— Il ne faudrait pas priver ce cher Hans, n'est-ce pas ? dit-il dans un sourire en saisissant mon bol sur le poteau.

Il tenait un carnet de croquis dont la couverture beige aux bords effilochés était couverte de gribouillages et de taches de café. Il le prit sous le bras et entama l'ascension de la colline. Je mis mes pas dans les siens, posant mes pieds sales là où ses bottes avaient aplati les herbes. Quand je levai la tête au sommet de la colline, je fus tout de suite frappée par les tableaux.

Tout près se dressaient deux grandes toiles, presque aussi hautes que moi. Elles semblaient prendre un bain de soleil, adossées au mur rouge foncé du local qui lui servait d'atelier. Les images étaient si puissantes que je ne pouvais en détacher mon regard. L'une représentait une femme, une simple silhouette noire à l'air mélancolique, face à son ombre. Elle dégageait une telle impression de désespoir que j'en eus le cœur serré et la gorge nouée par une vague de tristesse.

Le second tableau représentait un homme et une femme qui se reposaient près d'un arbre, au sein d'une nature luxuriante. La femme portait un tablier bleu clair et tenait une jatte de fruits rouges dont la vue attisa ma curiosité et accrut ma tristesse. J'eus envie de tendre la main vers le couple, de les toucher. Tous deux semblaient souffrir.

Munch, arrivé à la maison, appela sa sœur :

— Inger ! Johanne cherche des fraises.

Je restai dehors tandis qu'il grimpait les marches menant à la porte arrière de la maison.

Je retournai au couple du tableau et remarquai que la femme qui portait les fruits rouges attendait un enfant : on devinait l'arrondi de son ventre. L'arbre, un cerisier, était mûr, abondant, généreux, tout comme elle. Mais l'homme semblait las, accablé par un fardeau. Il se tenait voûté, assis sur une souche, une canne à ses côtés. Au centre de la peinture, le trou laissé par une branche fraîchement coupée défigurait le tronc et semblait priver le couple de son bonheur.

Inger me salua depuis le pas de la porte.

Je m'obligeai à quitter les toiles des yeux et lui adressai un sourire figé. Elle était habillée en noir des pieds à la tête, à l'exception d'un col blanc à dentelle. Ses cheveux bruns étaient réunis en un chignon sévère à l'arrière de la tête.

— Nous les avons ramassées ce matin, expliqua-t-elle en me présentant un bol, comme si les fruits m'étaient dus. Nous ne savons qu'en faire.

Je regardai la maigre récolte de fraises, consciente que c'était tout ce qu'ils avaient.

Inger ressemblait à Munch, mais son visage était plus ouvert, ses yeux plus sombres, moins étroits. Elle me faisait un peu penser à la femme du tableau, tourmentée par son ombre.

— C'est pour les Heyerdahl, lui dis-je d'un air coupable.

— Oui, j'ai aperçu le bateau. Nous avons une vue splendide d'ici, répondit Inger qui me tendit le bol en souriant. Tu es la Cueilleuse de fraises, n'est-ce pas ? Tu as grandi depuis l'été dernier.

Munch émergea de la maison.

— Les sujets des tableaux grandissent et changent, Inger, comme la vie elle-même. Ils *sont* la vie. Ils évoluent avec nos humeurs, selon l'heure du jour. Ils sont différents chaque fois que nous les regardons.

Je regardais ses mains ciseler des images abstraites, aériennes, tandis qu'il parlait.

— Où en es-tu avec tes tableaux, Johanne ? me demanda-t-il.

— Oh ! ce sont de simples esquisses. Je n'ai pas de peinture, Mère trouverait cela trop sale. Mais je lis tous les jours le livre que vous m'avez donné.

— Pourquoi ne reviendrais-tu pas demain ? Tu pourrais utiliser mes couleurs. J'allais justement commencer à en mélanger en utilisant…

Sa voix douce se perdit dans un soupir et il esquissa un geste vague, comme pour terminer sa phrase.

— Mère ne me laissera jamais faire.

— Et pourquoi devrait-elle être dans la confidence ? demanda-t-il en fixant d'un air entendu les fraises que je tenais.

— Vous avez peut-être raison.

— A demain, alors. Je te mettrai une toile de côté.

Je remontai Nygårdsgaten en courant. Le soleil me brûlait le dos, me rappelant que j'étais attendue depuis longtemps déjà. Avec ma jupe déchirée et mes bras sales, je ressemblais à un premier jet qu'on aurait froissé et rejeté, une idée raturée. Mais je n'avais qu'une chose en tête : demain. Demain, j'allais le revoir. Demain, j'allais peindre.

Fru Berg, l'amie de ma mère, se tenait devant chez nous quand j'atteignis le haut de la colline. Avec ses rondeurs et ses bonnes joues, elle semblait aussi fatiguée après quelques pas que je l'étais après avoir monté la colline en courant. Sa poitrine plantureuse reposait tant bien que mal sur la clôture tandis qu'elle s'adonnait à sa séance quotidienne de commérages avec ma mère. Je ralentis le pas.

— Bonté divine, Johanne, qu'est-ce que c'est que cette allure ? s'exclama Fru Berg en fixant ma robe et mes pieds sales. Tu reviens d'un champ de bataille ?

C'était une blanchisseuse, obsédée comme ma mère par les cols empesés et les jupes *impeccables.* Des vêtements tachés ou négligés reflétaient selon elle une souillure de l'âme ; à ses yeux, je devais être un cas désespéré.

Mère jaillit hors de la cuisine. Elle s'était changée et portait sa jupe rayée des grandes occasions et le corsage blanc qu'elle ne mettait qu'à l'église. La nervosité qui tendait son corps menu ne fit que s'accentuer lorsqu'elle me vit.

— Mais où étais-tu, Johanne ? Il est midi passé. Ils vont arriver d'une minute à l'autre. J'ai dû m'occuper du sol et des draps toute seule.

Soudain, elle remarqua l'accroc à ma jupe.

— Comment as-tu donc… ? Non mais regarde-moi l'état dans lequel tu es ! s'exclama-t-elle d'une voix haut perchée et pleine d'aigreur.

— Tu m'avais demandé un bol entier.

Sa bouche se pinça et ses joues se gonflèrent sous l'effet de la colère. Si nous avions été seules, elle m'aurait giflée, mais le regard perçant de Fru Berg fit retomber sa rage.

— Tu vois, Benedikte, c'est pour cela qu'il lui faut un travail. Elle passe son été à vagabonder comme une sauvageonne. Vendre des fruits, c'est bien beau, mais elle nous sera plus utile comme servante.

— Comment cela ? demandai-je.

— Avec Fru Berg, nous t'avons trouvé du travail. Tu vas entrer au service de l'amiral Ihlen et de sa famille à Borre.

— Mais je cueille des fraises, moi, répondis-je, incrédule.

— Et rien ne t'empêche de continuer. Quand tu auras du temps libre. Mais du lundi au samedi, tu seras domestique. Tu commences demain.

2

Apprêt

Pendant que l'on coloriait, l'image en quelque sorte lavée qui se trouvait en dessous continuait d'agir.

Traité des couleurs,
JOHANN WOLFGANG VON GOETHE.

J'étais en train de me laver les pieds à la pompe quand ils arrivèrent. Des sabots résonnèrent sur la route poussiéreuse et, levant la tête, je vis un poney à la robe tachetée qui tirait péniblement une voiture trop chargée. Le petit cheval encensait, comme pour puiser des forces dans les muscles de son cou, sa robe couverte de sueur.

Mon père ne semblait pas à sa place : il fabriquait des voiles de bateau et ne se déplaçait jamais à cheval ou en charrette. Il préférait le doux bercement de la mer aux secousses des attelages. La voiture appartenait à Svein Karlsen, un ami de Père, mais c'était mon frère Andreas qui maniait adroitement les rênes, encadré par Père et Herr Heyerdahl. Il fit ralentir le cheval fatigué et marqua l'arrêt. Notre mère l'avait obligé à porter ses habits du dimanche et il avait l'air mal à l'aise dans son gilet noir et sa chemise blanche. Même sa casquette avait été lavée.

— Bravo, mon garçon, le félicita Herr Heyerdahl de sa voix puissante, tout en lui tapotant le genou.

A treize ans, Andreas était d'une timidité maladive,

et il ne pipa mot. Il sauta à terre, le menton rentré, et attacha les rênes à la clôture.

Herr Heyerdahl avait pris de l'embonpoint depuis l'an passé. Il descendit laborieusement de son siège, en soutenant son ventre rond qui semblait lutter contre les boutons de son gilet. Sa barbe et sa moustache, plus longues qu'autrefois, s'allongeaient sous le menton en une pointe soignée. Père avait déjà fait le tour du chariot pour offrir son aide à Fru Heyerdahl, une femme un peu guindée qui portait un bonnet à fleurs. Elle se trouvait écrasée entre les malles et de grandes toiles qui menaçaient de s'écrouler sur elle à chaque instant. Les deux enfants, Sigrid et Hans, descendirent de voiture et s'égaillèrent dans le jardin comme des oiseaux relâchés en liberté.

Mère arriva au petit trot pour saluer ses hôtes.

— Bienvenue à Åsgårdstrand, annonça-t-elle d'une voix mielleuse.

J'actionnai la pompe avec plus de vigueur pour noyer ses platitudes.

— Sara, quel plaisir ! répondit Herr Heyerdahl. D'après Halvor, vous vous êtes encore mise en quatre pour nous. Vous ne devriez pas vous donner tant de peine.

— Oh ! ce n'est rien, minauda Mère, débordante de fierté. J'espère que tout sera à votre convenance.

Elle continuait ses ronds de jambe et je vis que l'attention de Herr Heyerdahl commençait à fléchir. Seule sa bonne éducation le forçait à sourire. Il jeta un coup d'œil par-dessus l'épaule de Mère et accrocha mon regard comme un homme à la mer saisit une main secourable.

— Johanne ! s'exclama-t-il.

— Elle revient de sa cueillette, elle n'a pas encore eu le temps de s'arranger, bafouilla ma mère. Ne prêtez pas attention à…

— Mon Dieu, ce que tu as grandi, coupa-t-il. Mais tu es toujours blonde comme les blés, avec ces beaux yeux bleus.

Je secouai un pied, puis l'autre, pour les faire sécher, les yeux baissés.

— Bonjour, Herr Heyerdahl.

Ma mère et moi avions nos différences, mais je connaissais les bonnes manières.

— Tu ramasses déjà des fruits ? Si tôt dans la saison ? Qu'as-tu trouvé ?

Il me dévisageait de son œil de peintre. Le rouge me monta aux joues.

— Des fraises, répondis-je sous le regard affreusement pesant de ma mère.

— C'est un peu tôt, intervint-elle sèchement, mais elle ne manquera pas de vous en apporter bien d'autres dès que les fruits seront mûrs.

Mère essayait désespérément de détourner son attention. Elle redoutait visiblement que le simple fait de m'apercevoir ne pousse notre hôte à plier bagage. Mais il demeurait impassible.

— Ce n'est pas pour rien qu'on t'appelle la Cueilleuse de fraises. Où les as-tu trouvées ?

— Du côté de la forêt, répondis-je d'un ton détaché.

— Allons, Johanne, remets tes bottines, et plus vite que ça, reprit ma mère. Il est temps de laisser les Heyerdahl s'installer. Halvor ! cria-t-elle. Et notre malle à nous ? L'as-tu mise dans la voiture ?

— Nous sommes prêts, Sara, murmura Père, qui ne parlait jamais beaucoup, d'une voix assourdie.

Je grimpai à l'arrière de la voiture et m'assis sur la malle qui contenait nos vêtements et le linge de maison. Mère s'installa à mes côtés, et me jeta mes bottines et une paire de bas.

— Enfile-moi ça, ordonna-t-elle en s'aidant du rebord pour s'asseoir. Vraiment Johanne, plus vite on te passera un uniforme décent, mieux ce sera.

Andreas fit claquer les rênes et tira sur la bride du poney pour lui faire faire demi-tour. La maison disparut et nous descendîmes la colline en brinquebalant en direction de la jetée. La route s'effaçait sous mes yeux, et tout semblait reculer sous cet angle : les maisons de bois blanches, les clôtures couvertes de lilas qui m'étaient familières, et moi avec. Ma vie semblait aller à reculons. Depuis des mois, j'avais tout fait pour me dissocier du tableau : l'innocence qu'il véhiculait, l'attente qu'il créait chez les autres me pesaient. Mais j'avais soudain soif de la liberté qu'il représentait. Lorsque j'étais la Cueilleuse de fraises, j'étais libre de danser avec la nature, de me promener ou de courir, sans contraintes ni entraves. Je pouvais parcourir les forêts et les haies, explorer la plage et les rochers. J'aimais vagabonder, comme *lui* : c'est pourquoi nos chemins se croisaient sans cesse. Et demain j'aurais pu peindre. J'aurais pu mettre en pratique ce que j'avais lu dans le livre, j'aurais pu mélanger les couleurs et voir ce qu'elles rendaient sur une vraie toile. Au lieu de cela, je serais déguisée en domestique et privée de toute liberté.

Je voyais au loin, sur la colline, mon été rapetisser et perdre de son éclat, comme si je l'avais laissé à la maison pour le bon plaisir des Heyerdahl. Cette saison était la mienne : comment ma mère pouvait-elle avoir la cruauté de m'en priver ?

Elle tressaillit en apercevant la maison de Munch.

— Tourne la tête, Johanne, dit-elle alors que notre voiture longeait les tableaux qui prenaient le soleil, adossés au cabanon.

— Ce ne sont que des peintures. Quel mal peuvent-elles me faire ?

— Johanne Lien ! s'exclama-t-elle comme si j'avais blasphémé. Je ne veux pas que tu les voies.

Elle gesticula sur son siège.

— Les médecins de Kristiania disent que ces peintures peuvent provoquer des maladies. Il ne faut pas que tu regardes ce genre d'obscénités. Au moins, tu ne seras pas exposée à tout cela cet été.

Elle laissa retomber la main qu'elle avait portée à son visage.

— La famille Ihlen est très respectable, tu ne seras entourée que de vraies dames. Ils ont trois filles et personne ne s'habille aussi bien qu'elles dans tout Kristiania. C'est Fru Berg qui s'occupe de leur linge.

— Alors pourquoi ont-ils besoin de moi ?

— Oh ! Johanne, tu as bien des choses à apprendre.

Sans répondre, je triturai l'accroc de ma jupe et jouai avec les fils déchirés.

Un air chaud et caressant nous attendait à l'arrière des maisons de pêcheurs. D'habitude, une brise venue de la mer venait offrir un souffle d'air, mais aujourd'hui pas de répit : l'on respirait avec difficulté. Il régnait un désordre indescriptible : la moitié des habitants de la ville venaient prendre là leurs quartiers d'été, montant à l'assaut de cette matinée paisible.

Le lieu fourmillait de familles, de charrettes et de malles entassées. Les hommes portaient des caisses à bout de bras, le front en sueur, se frayant un chemin parmi les voitures, enjambant les tas de crottin de cheval fumant qui jonchaient le sol. Les enfants couraient en tous sens, se dispersant le long de la jetée ou poussant leurs cerceaux vers le pavillon des bains ; parmi les plus petits, certains pleuraient à cause de la chaleur, perdus dans toute cette confusion. Les chiens poursuivaient les mouettes en aboyant furieusement, la langue pendante. Les chevaux hennissaient et chassaient les mouches d'un coup de queue. Les femmes s'éventaient avec leurs chapeaux tout en gardant un œil sur leurs enfants, leurs maris et leurs bagages. La chaleur jouait avec les nerfs, et déjà des disputes, des différends à propos de logements ou de clés, éclataient.

La voiture s'arrêta en plein soleil. J'étouffais dans mes bas et bottines, et mourais d'envie de les arracher pour m'élancer dans l'eau. Je transpirais à grosses gouttes. Ma chemise me collait à la peau et mon corset me comprimait les côtes.

— Ne peux-tu pas nous mettre à l'ombre ? se plaignit ma mère.

— La route est bloquée, dit Père, captivé par les voiliers dans la baie. Nous n'avons plus qu'à attendre notre tour.

— Mais cela risque de prendre des heures.

Mère était attirée par le chaos ambiant comme s'il s'agissait de poussière accumulée sur le rebord d'une fenêtre, qu'elle aurait pu balayer du revers de la main. Elle commença à s'impatienter.

— Tiens, voilà Fru Hansen. Laisse-moi descendre, je vais lui demander ce qu'il se passe. Halvor ! Aide-moi.

Père, obéissant, sauta de voiture. Mère enjamba les caisses, les tapis et les bougeoirs entassés autour de nous pour gagner l'arrière de la voiture et Père la prit maladroitement dans ses bras pour la faire descendre, dévoilant ses mollets. Elle regarda autour d'elle pour vérifier que personne n'avait rien vu, bougonna un reproche à l'adresse de mon père et disparut dans la foule en agitant la main, bien déterminée à remettre de l'ordre dans toute cette cacophonie.

— Où va-t-elle ? demandai-je.

— Il paraît que Fru Hansen a nos clés, soupira Père en secouant la tête et en retournant à sa place sur la banquette avant.

— Et c'est censé nous aider à dégager la route ? ronchonna Andreas, qui souleva sa casquette pour s'éponger le front.

Je regardais ma mère disparaître dans la foule derrière nous quand je m'arrêtai soudain sur une tignasse bouclée. Thomas était là, les bras chargés d'une palette de morues. Les écailles argentées des poissons tout juste sortis de l'eau scintillaient au soleil. Il ne m'avait pas encore remarquée, et je l'admirai tandis qu'il descendait la rue de sa démarche assurée. Il semblait toujours savoir où il allait, un trait que je lui enviais. Ses bras fléchis supportaient sans peine le poids de la palette. La foule ondoyait autour de lui ; il releva la tête. Une sensation de chaleur envahit ma poitrine et rosit mon cou et mes joues. Je n'avais pas le temps de m'attarder sur ce frisson aussi, je le consignai dans le coin de ma tête que je dédiais à mes pensées intimes.

Mère avait disparu, Thomas s'avançait vers moi : je saisis l'occasion. Je me retournai et tapai sur l'épaule de Père.

— Hum ?

— Tu sais que Mère m'oblige à partir à Borre pour l'été ?

— Elle ne t'y oblige pas, ma chérie. Ce n'est pas une punition.

Son visage s'assombrit.

— Tu reviendras tous les dimanches, peut-être même certains soirs s'ils n'ont pas besoin de toi.

Sa réponse me montrait bien qu'ils avaient déjà débattu du sujet, et qu'il avait lamentablement perdu cette bataille, comme tant d'autres.

— C'est juste que… il y a un bal ce soir au Grand Hôtel, avançai-je. Je me suis dit que comme je partais demain, tu me permettrais peut-être d'y aller ?

La question resta en suspens dans l'air chaud. Thomas n'était plus qu'à quelques enjambées.

— C'est la dernière fois que je peux y aller, insistai-je.

Père tendit la main pour caresser mes cheveux plaqués par la chaleur.

— D'accord, ma chérie. Si tu me dis à quelle heure tu comptes partir et que tu me promets de ne pas rentrer trop tard.

Thomas, les bras chargés, dut se contenter de me saluer d'un grand sourire.

— Bonjour ! s'exclama-t-il. Je vous apporte votre dîner.

Il me présenta la palette comme s'il m'offrait tout son

contenu. Son odeur salée me remplit les narines, une sensation fraîche, inattendue et plutôt agréable.

— Où vas-tu comme ça ? lui demandai-je.

— Je vais les livrer à ces dames, ils sont frais de ce matin. Ce sera délicieux avec des pommes de terre à l'eau et un bon verre de bière. Je te verrai à la plage, n'est-ce pas ?

— Si nous arrivons un jour à quitter cette route.

— Et le bal, ce soir ? Tu y seras ?

Je hochai la tête et son visage s'illumina de nouveau. Ses yeux reprirent leur air taquin et je le vis s'éloigner avec un sourire ravi.

Les choses avançaient très doucement, mais lorsque le soleil desserra enfin son emprise accablante, les chariots se remirent en route et l'humeur de chacun se radoucit, laissant place à une atmosphère plus légère. Nous entreprîmes de décharger les bagages puis de les transporter dans nos quartiers d'été. Notre maison sur la colline n'était pas grande, mais l'obsession de Mère pour le rangement compensait le manque d'espace ; toutefois, dans cette hutte, même elle ne pourrait pas faire de miracle. Les cabanons, sombres et exigus, avaient été conçus pour des hommes qui n'avaient guère besoin que d'un toit au-dessus de la tête. Certaines familles allaient occuper l'étage supérieur, leur porte débouchant sur Nygårdsgaten ; d'autres, comme la nôtre, habiteraient l'étage inférieur, face à la plage.

Le logement se composait de trois pièces. La porte d'entrée ouvrait sur une cuisine qui occupait la place centrale. Elle ne contenait rien d'autre qu'un poêle en fonte et une petite table. A droite se trouvait l'étroite chambre aux lits superposés que je partageais avec Andreas, et à gauche un séjour : Mère et Père rangeaient leurs matelas sous la banquette et les sortaient chaque soir pour s'en faire un lit à même le sol. Dans l'angle de la pièce se trouvaient une table couverte de taches de peinture et quatre chaises dépareillées, toutes de hauteur différente.

Rien que pour transporter les affaires, nous devions faire des efforts pour éviter de nous cogner les uns aux autres. Nos coudes heurtaient les meubles, et nous enjambions les malles. Je me demandai comment nos voisins d'en haut, les Andersen, allaient bien pouvoir faire. Ils devraient faire tenir dans le même espace que le nôtre une famille de sept personnes, dont cinq enfants de six mois à six ans.

Maintenant que nous avions quitté les Heyerdahl, il n'y avait plus aucune raison de rester bien habillés et ma mère enfila des habits de tous les jours pour pouvoir s'attaquer à la maison, armée d'un chiffon. Andreas et moi commençâmes à défaire les bagages. Mon premier réflexe fut de trouver une cachette pour le livre : je le glissai provisoirement sous mon lit. Mais Mère allait changer régulièrement le linge et retourner les matelas pour les battre ; le livre ne serait pas en sécurité bien longtemps.

Je fouillai ma malle à la recherche d'une robe pour le bal, mais dus me contenter d'un corsage à col marin aux manches bouffantes, d'une jupe en coton et d'une ceinture qui soulignait ma taille.

— Oh ! s'exclama Mère en me voyant. Eh bien, tu vois, ce n'était pas la mer à boire, Johanne. Avec un coup de brosse, tu seras presque présentable.

Je ne lui avais pas encore parlé du bal. Je comptais le faire sur la plage, devant tout le monde. Là, elle n'oserait pas faire un scandale. Pour l'instant, je la laissais croire que je voulais ressembler aux Ihlen, les jeunes filles du beau monde dont j'allais devenir la servante.

— Tu veux bien me coiffer ? lui demandai-je.

Ses yeux s'illuminèrent et elle se précipita sur sa malle.

— Les peignes en écaille sont quelque part là-dedans. Cela maintiendra tes cheveux en place, dit-elle en me traînant jusqu'à la chaise la plus haute, près de la table.

Andreas, va chercher de l'eau pour la cuvette. Nous devons tous faire un brin de toilette avant le dîner.

Je laissai à ma mère le plaisir de me faire belle et de placer des peignes de-ci de-là dans mes cheveux, comme une petite fille avec sa poupée. Mes doigts trouvèrent un amas de peinture séchée sur la table et je commençai à tracer des formes avec mon ongle, griffonnant de haut en bas, comme avec un crayon.

— Arrête de gigoter, Johanne, glapit Mère en faisant pivoter ma tête sur le côté. Regarde ce que tu me fais faire. Ne bouge pas, j'essaie juste de t'arranger. Tu peux être tellement jolie quand tu veux. C'est Herr Heyerdahl lui-même qui l'a dit.

Je ne l'avais jamais entendu prononcer ces mots ; seulement que mes yeux étaient bleus et mes cheveux blonds comme les blés.

— Peut-être qu'il te peindra à nouveau cet été, dit-elle, un peigne entre les dents, tout en séparant mes cheveux en deux nattes bien serrées qui me tiraient douloureusement le crâne. N'oublie pas de leur rendre visite de temps en temps. Apporte-leur des fraises, et aussi des cerises quand elles seront mûres.

Elle ôta le peigne de sa bouche et ratissa mon cuir chevelu pour bien maintenir mes cheveux en place.

— Personne n'a jamais dit que tu devais te contenter de fraises. Les cerises, c'est tout aussi joli sur un tableau, tu ne crois pas ?

Le bol qui apparaissait sur l'autre toile me revint en mémoire : les fruits mûrs, la femme enceinte, et la branche coupée qui l'avait privée de bonheur.

Tout le monde se retrouva sur la plage de sable de l'autre côté de la jetée. La température avait baissé et une brise tiède se coulait entre les petits groupes éparpillés. Les femmes nettoyaient assiettes et couverts dans une marmite au-dessus du feu. Les plus âgées chantaient des chansons traditionnelles tout en travaillant, et les plus jeunes les accompagnaient avec respect, fredonnant doucement. Fatigués par cette journée d'agitation et de chaos, adoucis par la bière, les hommes s'étaient affalés dans des chaises longues ou assis sur leurs bateaux. Ils discutaient pêche ou cours du bois et échangeaient des plaisanteries grivoises ; leurs voix résonnaient haut et clair dans l'air du soir et se mêlaient aux crépitements du feu et aux chansons des femmes. Débordant de l'énergie inépuisable que leur donnent les soirées d'été, les enfants pataugeaient dans l'eau et jouaient à se poursuivre le long du rivage en poussant des cris de joie perçants. Andreas et ses amis s'amusaient à faire des ricochets ; les cailloux qu'ils lançaient avec adresse traçaient des cercles à la surface de l'eau.

Le soleil liquide répandu sur la mer laissait derrière lui un sillage orangé qui m'appelait irrésistiblement à lui. Je résistai à l'envie d'ôter mes bottines et d'entrer dans l'eau, et me mis à parcourir le rivage, fuyant sur le côté comme un crabe dès que les vagues s'avançaient. J'avais presque atteint le creux de la baie quand Thomas me rejoignit.

— Johanne ! appela-t-il. Attends-moi !

Je me retournai et le vis courir vers moi. Ses boucles indisciplinées bondissaient en cadence. Il accourait si vite que je crus qu'il allait me jeter à terre, mais il s'arrêta net au dernier moment, comme s'il s'était trompé de personne.

— Qu'y a-t-il ? lui demandai-je.

— Non, rien. C'est juste que tu n'es pas…

Il se passa la main dans les cheveux, tout essoufflé.

— Tu es prête pour le bal ?

— Oui, répondis-je en relevant le menton.

— Tu n'es pas comme d'habitude, dit-il pour finir la phrase laissée en suspens.

— Mère m'a tressé les cheveux.

— Elle veut bien que tu sortes ?

— Elle n'est pas encore au courant, mais Père m'a donné sa permission. Puisque c'est ma dernière soirée.

— Ta dernière soirée ? Comment cela ?

— Mère m'a trouvé un travail de domestique à Borre pour la saison.

— Oh.

Il pâlit comme avait pâli mon père.

— Mais je reviendrai tous les dimanches et les soirs où l'on n'a pas besoin de moi.

— Une *domestique*, répéta-t-il, déconcerté par le mot. Toi qui cueilles des fraises, d'habitude !

Je n'aurais su dire s'il était troublé par mon manque de qualification pour ce type de travail ou s'il pleurait déjà les baisers qu'il me volait en cachette pendant que j'explorais la forêt, à la recherche de fruits.

— Je vais continuer mes cueillettes, affirmai-je. Dès que j'aurai un peu de temps.

Il m'attrapa la main et m'attira brusquement à lui.

— Allons-y, Johanne.

Nous nous dépêchâmes de rebrousser chemin. Je cherchai mon père du regard dans la foule. Halvor Lien était presque impossible à repérer : avec sa silhouette malingre et son allure discrète, il se fondait dans le décor et aurait réussi à se rendre invisible dans une pièce vide. Nous étions là, au bord de l'eau, à essayer de le trouver, quand j'entendis un cri de mouette folle : ma mère m'appelait de sa voix perçante.

— Johanne ! Je t'ai cherchée partout, dit-elle, daignant à peine jeter un coup d'œil à Thomas. Qu'est-ce que tu fabriques ? Nous rentrons à la maison.

— Je vais au Grand Hôtel, il y a un bal, ce soir.

— Hors de question, s'enflamma-t-elle, cramoisie. Tu commences un nouveau travail demain matin, tu dois te lever tôt.

— J'ai demandé à Père et il m'a donné la permission, lâchai-je en m'éloignant.

Elle mit les poings sur ses hanches, bien consciente

maintenant de ma perfidie et du rôle qu'elle avait joué dans mes préparatifs. Je crus qu'elle allait se mettre à me crier dessus, mais mon père surgit pour tenter d'étouffer ce début d'incendie.

— Halvor ! s'écria-t-elle. Dis-lui qu'elle n'ira nulle part. Surtout pas avec ce...

Avant même qu'elle ait pu finir sa phrase, Père l'avait prise par la taille et entraînée dans une danse. De toute évidence, il n'avait pas lésiné sur la bière, peut-être pour se donner le courage d'affronter la colère inévitable de Mère.

— Allons, Sara, la cajola-t-il. Tu as été jeune, toi aussi, souviens-toi.

— Mais elle commence un nouveau travail. Moi, je n'ai jamais été danser à son âge, pas quand j'avais à faire en tout cas. Pourquoi cela serait-il différent pour elle ? Halvor ! protesta-t-elle en tentant de se dégager. Et si elle est en retard ? Que vont-ils penser d'elle ? Que vont-ils bien pouvoir raconter ?

— Chérie, je suis sûr que tu feras en sorte que cela n'arrive pas. Voyons, détends-toi un peu, femme. Moi, une petite gigue ne me déplairait pas.

Il la fit tourner sur elle-même et l'attira maladroitement à lui. Un instant, ma mère se laissa aller entre ses bras, jusqu'à ce qu'un groupe d'hommes assis sur une barque fasse entendre des encouragements joyeux et que l'un d'eux lève un verre à sa santé.

— Halvor ! gémit ma mère. Non, vraiment, tu es impossible !

Le Grand Hôtel se dressait entre les deux plages, au pied de la jetée des bateaux à vapeur. C'était un bâtiment blanc élégant, situé à l'angle de Havnegata et du front de mer, en face de la villa Kiøsterud que Herr Heyerdahl et Munch aimaient tant à peindre. L'hôtel brillait de mille feux à notre arrivée. Les fenêtres étaient inondées de lumière et le son du violon nous appelait de son rythme endiablé. Thomas saisit à nouveau ma main et nous grimpâmes les marches quatre à quatre.

— Dépêchons-nous. C'est mon cousin Christian qui joue, dit-il.

Les portes étaient grandes ouvertes et une vague d'éclats de rire et de voix nous submergea à notre entrée dans la salle.

Des invités sortaient de la salle à manger où un dîner avait été donné en l'honneur des estivants. Les serveuses débarrassaient les tables, dans un bruit d'assiettes et de couverts qui s'entrechoquaient. La fumée des cigares serpentait dans les airs et formait au plafond comme une nappe de brouillard. Je me sentis soudain adulte, libérée de toute contrainte.

Thomas me guida vers le salon où l'on esquissait déjà quelques pas. Les joueurs de violon, assis sur des tabourets au fond de la salle, faisaient voler leur archet et tapaient du pied, tout à leur musique. Les fauteuils avaient été poussés le long du mur pour faire place à la danse. Les invités se tenaient par petits groupes, et certains avaient tiré des chaises pour former des cercles.

Quelques couples valsaient déjà sur la piste au centre de la pièce ; Thomas salua son cousin d'un geste de la main en prenant soin de les éviter. Nous restâmes un instant adossés au mur, à admirer les gens de la ville qui arrivaient maintenant en nombre. Les femmes portaient des robes de soirée ornées de froufrous et de tournures qui accentuaient leur silhouette. Chaque tenue présentait mille détails raffinés, comme s'il s'agissait de remporter un concours d'élégance. L'une des danseuses arborait une robe aux motifs d'hirondelles et de papillons, rehaussée de perles ; une autre était vêtue d'une tenue de bal décorée de feuilles dorées et bordée de dentelle. Quelques-unes avaient un chignon tressé garni de perles ; d'autres avaient préféré piquer des fleurs dans leurs cheveux, le visage encadré de quelques accroche-cœurs.

Une jeune femme longiligne d'une vingtaine d'années se tenait seule à l'écart des autres. Elle portait une robe blanche délicate dont les manches courtes retombaient juste en dessous de l'épaule et dont le décolleté plongeant était orné d'une simple rose rouge. Son corset était si serré qu'il lui faisait une taille incroyablement fine. Elle balançait lentement sa jupe d'avant en arrière, indifférente au tempo de la musique, comme si elle obéissait à une mélodie connue d'elle seule. Elle avait des yeux d'un bleu qu'on aurait pu qualifier de perçant si elle n'avait eu cet air absent. Ses longs cheveux roux ondulaient sur ses épaules dénudées.

Quand les musiciens attaquèrent un nouvel air, Thomas me saisit le bras.

— Allons danser !

Il m'attira à lui et me fit tourner si vite que j'en eus des frissons. Mes pieds touchaient à peine le sol tandis que nous tournoyions au rythme de plus en plus endiablé d'une gigue. Je riais, euphorique ; la pièce s'était transformée en un tourbillon or et blanc qui me frôlait dans un fracas indistinct de rires aigus et de voix alourdies d'alcool. Accrochée au bras de Thomas, j'éprouvais un merveilleux sentiment de sécurité malgré le rythme de la danse. Je plongeai mon regard dans ses yeux brillants, heureuse d'être à sa merci, et quand les violons se turent et que je levai la tête pour reprendre mon souffle, il planta un baiser sur ma bouche.

La soirée s'écoula rapidement. Nous buvions de la bière et du cidre pour étancher notre soif, nous dansions, riions et échangions des baisers. Libérée, je ne me souciais pas de savoir qui pouvait me voir ou provoquer des ragots, et je m'interdisais de penser à ma mère. Nous finîmes par trouver un canapé libre sur lequel je m'écroulai. Mon front dégoulinait de sueur et je dus desserrer ma ceinture.

— Je n'en peux plus. Où as-tu appris à danser comme cela ?

Thomas me lança un nouveau sourire.

— Les marins savent y faire, répondit-il.

Il s'installa tout contre moi et je le laissai poser son bras sur mes genoux tandis que nous suivions les autres danseurs du regard.

C'est alors que j'aperçus Munch. Il était seul à une table ronde dans un coin de la pièce. Devant lui se trouvait un verre de vin vide ; il semblait en avoir oublié un autre, plein, non loin du premier. J'aurais voulu aller le trouver pour lui parler de mon nouveau travail, lui dire que les choses avaient changé et que rien ne serait plus pareil. Mais son expression était sévère, et je voyais sa main virevolter sur un grand cahier, croquant des formes. Il m'était impossible de le déranger. Je suivis la direction de son regard et compris qu'il dessinait la demoiselle à la robe blanche. Elle se tenait toujours à l'écart des autres, jouant avec son jupon.

— Qui est cette fille, là-bas ?

La question ne s'adressait peut-être qu'à moi-même.

— Où cela ? demanda Thomas en se redressant.

— La fille avec la robe blanche, toute seule dans son coin.

— Oh ! C'est Mlle Ihlen, une des filles de l'amiral.

— Ihlen ?

— C'est Regine, la cadette. Mais je crois qu'ils lui donnent un surnom. Tullik, si je ne me trompe pas. Ils passent l'été à Borre.

— Je sais. Je suis au courant.

— On dirait bien que le fou l'a remarquée, dit-il en riant, le doigt pointé vers Munch qui continuait de dessiner furieusement, esquissant à grands traits les ondulations de ses cheveux et la courbe de sa taille.

— Tu crois vraiment qu'il est fou ?

— Sans aucun doute. Tu as vu ses tableaux ?

— Je vais être la servante de Mlle Ihlen dès demain, dis-je pour changer de sujet. Je vais devoir lui obéir, la servir, nettoyer sa belle robe.

Thomas n'écoutait déjà plus. Il m'avait prise par le

bras pour m'obliger à me lever. Je me laissai faire sans protester, entraînée vers la piste de danse. Je tournais, tournoyais, virevoltais, ses pas guidant les miens. Mais cette fois, ce n'était pas Thomas que je suivais des yeux. Je ne pouvais détacher le regard de Tullik Ihlen, la femme qu'Edvard Munch voulait tant dessiner.

3

Rouge

Regardons fixement une surface parfaitement rouge : la couleur semble vraiment se river dans l'organe. Elle provoque un incroyable ébranlement et cet effet persiste lorsque l'obscurité atteint déjà un certain degré.

Traité des couleurs,
JOHANN WOLFGANG VON GOETHE.

Je rentrai à la maison juste avant 6 heures. Mère, qui n'avait pas fermé l'œil de la nuit de peur que j'oublie de me réveiller, s'était levée dès l'aube. Elle avait étalé mes vêtements sur la table du séjour et apporté une cuvette d'eau et du savon pour me rendre présentable.

— Ne tarde pas trop, recommanda-t-elle en me jetant un gant de toilette. Passe-toi un coup sur le visage et derrière les oreilles. Après, je m'occuperai de tes cheveux.

J'avais la tête qui m'élançait et la bouche pâteuse : les bières de la veille m'avaient laissée assoiffée. Je sentais encore les baisers de Thomas sur mon visage, et le goût de ses lèvres sur ma bouche pendant que je me débarbouillais.

— Qu'est-ce qui te prend ? me demanda Mère en me donnant une tape dans le dos. Redresse-toi. Une dame, ça se tient droit. Tu vas devoir apprendre ces choses-là.

Je me laissai faire sans broncher. 7 heures n'avaient

pas encore sonné que Mère me chassait déjà ; je sortis, poursuivie par une litanie d'ordres et d'instructions qu'elle débitait précipitamment, sans parvenir à chuchoter. Pieds nus et vêtue d'une jupe ample, j'aurais pu arriver à Borre par la forêt en moins de vingt minutes. Mais ficelée comme je l'étais, je fus obligée de marcher à pas prudents pour ne pas me salir. Le soleil était déjà si haut à l'horizon quand j'aperçus l'église que j'eus peur d'être en retard.

Contrairement à Åsgårdstrand, Borre était construit sur un terrain presque plat qui s'étirait doucement jusqu'à la mer. L'église se trouvait au centre du village, non loin d'un site funéraire spectaculaire bâti par les Vikings sur le rivage. Plus que l'église en pierre aux poutres anciennes, ces énormes tumulus m'avaient toujours impressionnée : d'anciens rois y reposaient au milieu de leurs trésors.

La maison des Ihlen se trouvait directement face à l'église quand on traversait Kirkebakken. Avec ses murs couleur châtaigne, sa clôture en bois et son toit de tuiles, elle attirait le soleil, et brillait comme celles d'Åsgårdstrand. Mère l'appelait « la grande maison », mais ce n'était que par comparaison avec celles, plus modestes, qui bordaient ce côté de la rue. Le presbytère à côté de l'église la dominait largement : on aurait pu y loger tous les habitants du village. Mais nulle demeure n'avait plus fière allure que celle des Ihlen.

J'ouvris la barrière et m'approchai de la porte d'entrée encadrée par quatre colonnes. Je m'avançai sous le porche et caressai le bois sculpté de la balustrade, sans savoir si je devais frapper ou attendre que quelqu'un ne me découvre. De chaque côté de la porte, deux fenêtres imposantes semblaient suivre de leurs yeux translucides chacun de mes mouvements et me reprocher d'avoir l'audace d'utiliser la porte principale. Paniquée, je fis rapidement le tour de la maison. Je fus accueillie dans la cour par les caquètements qui s'échappaient d'un poulailler. Je me penchai pour regarder les volatiles et m'apprêtais à glisser un doigt à travers le grillage, quand une voix retentit.

— Si tu veux toucher les poules de Mlle Tullik, tu ferais mieux d'enfiler ton tablier.

Je bondis de surprise et découvris Fru Berg qui se tenait devant l'entrée de service. Sa silhouette imposante obscurcissait l'encadrement de la porte. Elle avait à la main une grande bassine en zinc et une planche à laver en acier coincée sous le bras. Elle s'avança dans le jardin d'un pas décidé et se mit à appeler les poules, qui portaient toutes de vrais prénoms de dame.

— Viens là, Ingrid ! Margrete ! Cecilia, n'oublie pas de me pondre quelques œufs aujourd'hui. Tu nous as fait faux bond hier, hein, vilaine demoiselle. Et toi, Dorothea, je compte bien te plumer et te faire rôtir ce soir si tu n'as pas d'œufs à m'offrir pour le petit déjeuner de l'amiral.

Elle continua de s'adresser à elles tout en posant sa bassine à côté du puits où l'attendait un seau prêt à être rempli.

— Tu sais t'occuper des poules, Johanne ? demanda-t-elle en puisant une poignée de grains dans la poche de son tablier. Il faut leur parler, tu sais… elles comprennent tout, j'en suis sûre. N'est-ce pas, Dorothea ? Voilà pour toi, ma jolie, et maintenant, donne-moi de beaux œufs.

Elle jeta le maïs par une petite trappe, et les poules se précipitèrent sur les graines, martelant le sol de leur bec.

— Tu ferais mieux d'entrer et de t'y mettre, déclara Fru Berg.

Je la suivis à l'intérieur. Je frôlai au passage un bosquet de lilas dont l'odeur entêtante me suivit dans la maison.

— Ils vont bientôt descendre prendre le petit déjeuner, dit-elle en décrochant un tablier du mur. Tiens, enfile cela et suis-moi.

Je suspendis mon châle à la patère et passai le tablier autour de mon cou. Fru Berg, qui m'avait devancée dans la cuisine, se mit à réciter une longue liste de tâches ménagères et à dresser l'inventaire de ce qu'il fallait utiliser, des chiffons aux torchons en passant par les produits d'entretien. Je devais employer ceci pour telle surface, faire tremper cela tant de temps, me souvenir de l'heure habituelle des repas, sachant bien sûr que tout était chamboulé dès qu'il y avait des invités. Elle me montra l'évier, la cuisinière, la pile de bois pour alimenter le feu et toute une batterie de poêles et de casseroles. Je faisais de mon mieux pour ne rien perdre de ses propos mais me sentais submergée par cette masse d'informations. Je la suivais à travers la maison, distraite par les belles dames et les officiers de marine à l'air important qui m'observaient depuis leurs cadres suspendus au mur. Une odeur de café et de tabac à pipe s'échappait des murs, et le plancher craquait sous nos pas. La maison tout entière semblait revenir à la vie, comme une vieille dame enchantée par l'arrivée de rares visiteurs.

Les pièces étaient de taille modeste mais somptueusement meublées. Des draperies ornaient les fenêtres et de riches tapis recouvraient le sol ; le salon avait des allures de jungle, avec son vert luxuriant, ses brassées de fougères et ses plantes en pots. Une table de jeu entourée de sièges à haut dossier occupait le renfoncement de la fenêtre. Des photographies de famille trônaient sur un piano dans des cadres en argent. Dans la salle à manger, une nappe blanche couvrait déjà la table. Fru Berg s'empressa de la lisser.

— Tu trouveras l'argenterie dans ce tiroir-là, dit-elle en indiquant du menton un buffet à côté de la cheminée. Mets quatre couverts. L'amiral Ihlen préside la table de ce côté-ci, Fru Ihlen s'assoit là-bas, dos à la fenêtre, et Mlle Tullik et Mlle Nusse sont face à face.

— Nusse ? C'est son vrai nom ?

— C'est ainsi qu'ils appellent Mlle Caroline.

Je sortis les couverts du tiroir, les plaçai avec soin sur la table et ne pus m'empêcher d'avoir une pensée pour ma mère : elle aurait admiré leur forme élégante et la délicatesse de leurs motifs, apprécié le bruit sourd qu'ils faisaient quand je les déposais sur la nappe épaisse.

— Quand tu auras fini, viens m'aider à préparer le petit déjeuner, ordonna Fru Berg. Ragna n'est pas là aujourd'hui, ce qui veut dire que je dois faire son travail en plus de tout mon linge.

Elle me dit cela avec aigreur, comme si j'étais responsable de son malheur.

— Tu vas devoir finir tard et passer la nuit ici, conclut-elle ; puis elle repartit vers la cuisine en m'abandonnant.

Face à ce qui m'attendait, je laissai échapper un long bâillement, sous le regard attentif d'un homme au visage encadré d'épais favoris noirs dont le portrait trônait sur le manteau de la cheminée. Il était difficile de lire dans les yeux de quelqu'un sur une photographie. L'homme avait un grand front, des sourcils noirs et une fossette prononcée au menton. Il était assis et portait un uniforme croisé richement décoré et une épée sur le flanc. Mais son regard était distant ; il semblait avant tout préoccupé par sa posture. L'image ne racontait aucune histoire : c'était un homme en uniforme, voilà tout.

Je posai les assiettes sans faire de bruit, réarrangeai les couverts et plaçai au centre de la table la salière et la poivrière. Je m'accroupis pour inspecter le buffet, dans l'espoir d'y trouver les coquetiers. C'est alors que j'entendis un bruit de pas dans l'escalier. Je me redressai d'un bond, m'écartant de l'argenterie comme une voleuse. La porte s'ouvrit et je me figeai.

La femme qui entra dans la pièce était petite et ronde, mais impeccablement vêtue d'une jupe à crinoline vert olive et d'un délicat corsage rayé. Ses cheveux étaient attachés en un chignon haut soigné et grisonnaient aux tempes. Les yeux qui s'arrêtèrent sur moi étaient d'un bleu presque translucide, semblable au frémissement de l'eau du fjord un jour d'été.

— Oh ! bonjour, s'exclama-t-elle. Tu dois être Johanne ?

J'inclinai la tête avec une petite révérence et bafouillai quelques mots à propos des coquetiers.

— Je suis Julie Ihlen, l'épouse de l'amiral. Laisse-moi t'aider.

Elle me rejoignit à côté du buffet et posa une main légère au creux de mon dos.

— Il y a tant de choses à retenir quand on commence un nouveau travail, n'est-ce pas, mon enfant ? Mais sois sans crainte, tu trouveras vite tes marques.

Sa voix était apaisante, onctueuse comme de la crème fouettée. Même Thomas ne s'adressait pas à moi avec autant de douceur.

— Il paraît que d'habitude, tu cueilles des fraises pendant l'été ? demanda-t-elle en ouvrant un tiroir et en me tendant les serviettes.

— Oui, je les vends en ville.

— Peut-être pourrais-tu également nous prêter main-forte au jardin ? Nous avons de la rhubarbe, des groseilles et trois beaux pommiers le long de la maison. Pas de fraises, malheureusement.

— Je pourrais vous rapporter des semis. Ils prennent bien si la terre est bonne. Comme ceux du…

Je ravalai les mots *du jardin de Munch* et me concentrai sur les serviettes, que je pliai en triangle avant de les placer sur les assiettes.

L'horloge carillonna, et Fru Ihlen jeta un rapide coup d'œil à sa montre.

— Je vais chercher les filles, annonça-t-elle. Nous n'allons pas tarder à descendre. Les coquetiers sont à droite dans le placard.

Je finis de dresser la table et me dépêchai de rejoindre la cuisine. Fru Berg faisait bouillir des œufs et chauffer du café.

— Les poules ont été généreuses, déclara-t-elle. Sors-moi les œufs de l'eau. Je m'occupe du pain.

Elle disparut dans la réserve où je l'entendis farfouiller parmi les bocaux et les conserves. Essoufflée et jurant à mi-voix, elle tentait d'atteindre les étagères en hauteur en marmonnant des questions qui restaient sans réponse. « Où donc a-t-elle mis… ? Qu'est-ce qu'elle a fichu avec le… ? Allons bon, où cache-t-elle ces… ? »

Elle reparut avec un plateau chargé de pots et de plats en argent.

— Mets les œufs dans ce bol et un linge par-dessus, recommanda-t-elle. Et emporte le café.

Les bras chargés, je me dirigeai à sa suite vers la salle à manger. Elle s'arrêta un instant pour s'éclaircir la gorge avant de pousser la porte du coude. Quand je vis la famille réunie autour de la table, je me cachai derrière Fru Berg en bénissant le ciel pour sa forte corpulence.

L'amiral Ihlen était assis au bout de la table. Bien plus âgé que son épouse, il avait des cheveux gris clairsemés plaqués sur un grand front dégarni et des favoris qui poussaient tout droit, comme une haie mal entretenue. Les années avaient passé, mais je reconnus en lui l'homme de la photographie qui m'avait regardée bâiller. En réalité, son regard était profond et empreint de gentillesse, doux comme le café au lait que mon père me préparait en y ajoutant discrètement une montagne de sucre.

L'une des deux filles nous tournait le dos. Je remarquai son maintien élégant mais ne pus distinguer son visage. Quand je levai les yeux pour chercher où poser la cafetière, mon regard croisa celui de sa sœur, de l'autre côté de la table. Elle avait les cheveux roux, les yeux d'un bleu aussi clair que ceux de sa mère, et des sourcils épais hérités de son père. C'était la demoiselle du bal, Tullik Ihlen. La flamme de son abondante chevelure illuminait la pièce et donnait à son teint un léger reflet doré qui ne faisait que renforcer l'éclat saisissant de ses yeux. Elle me sourit, et j'essayai aussitôt de dissimuler mon visage. M'avait-elle reconnue ? Faisait-elle le lien avec la soirée de la veille ? M'avait-elle vue danser avec Thomas, échanger des baisers sous les yeux du Tout-Kristiania ?

Les angoisses de ma mère se rappelèrent à moi et me nouèrent la gorge.

— S'il vous plaît, laissez-moi vous présenter Johanne, annonça Fru Ihlen. Elle est là pour nous aider cet été.

Fru Berg s'écarta et je me retrouvai exposée à tous les regards. Caroline se retourna sur sa chaise. Elle ressemblait elle aussi à ses deux parents, mais ses traits étaient plus anguleux, plus pointus que ceux de Tullik. Elle tenait davantage de sa mère que de l'amiral : les yeux bleus légèrement en amande, le nez droit, l'expression de la bouche… Tous les quatre me fixaient et je sentis le rouge me monter aux joues.

— Tu habites à Åsgårdstrand, c'est bien cela ? s'enquit l'amiral sans se départir de sa rigidité.

— Oui, monsieur, répondis-je en posant la cafetière près de lui.

— Du côté de la plage de sable ou de la plage de galets ?

— De la plage de galets. En haut de la colline, en face de la ferme des Jørgensen.

— J'aimerais tant vivre là-bas, s'exclama Tullik, les yeux pétillants. Au milieu de tous ces peintres.

Caroline se retourna à nouveau pour dévisager sa sœur.

— Qu'est-ce que tu irais faire avec les peintres d'Åsgårdstrand ? demanda-t-elle en réarrangeant ses couverts de chaque côté de l'assiette.

Sans répondre, Tullik leva les yeux au ciel et attrapa une tranche de pain.

— Je suis sûr que la vue du fjord là-haut est une grande source d'inspiration, déclara l'amiral Ihlen. Certains des paysages peints par Herr Heyerdahl sont vraiment fascinants.

— Je préfère ses portraits, répliqua Caroline.

Fru Berg se tourna vers moi. Je reculai vers la porte, dans l'espoir que la conversation s'éloigne rapidement de Herr Heyerdahl et de ses portraits.

— Ses enfants, par exemple, continua Caroline. Les

petites filles qu'il a peintes au creux d'un chemin sont tout à fait charmantes.

Tullik tentait de tartiner son pain avec une épaisse couche de beurre, l'attaquant à petits coups de couteau pour le rendre plus malléable.

— Elles n'ont pas la profondeur de certaines œuvres, objecta-t-elle.

Je serrai les pans de ma robe. Son ton ne me disait rien qui vaille.

— Quelles œuvres ? demanda Fru Ihlen.

Tullik continuait de sculpter le bloc de beurre.

— Tullik ? Quelles œuvres ?

Caroline s'agita sur sa chaise et secoua sa serviette sur le côté.

— Tullik, insista Fru Ihlen. De quelles œuvres parles-tu ?

Tullik, concentrée sur sa tâche, se mit à étaler le beurre ramolli sur son morceau de pain. Soudain, je revis les mains du peintre la nuit précédente, dansant sur son carnet comme les couples qui passaient sous ses yeux, capturant les courbes du corps de Tullik et ses cheveux épars.

— Munch, murmurai-je.

Je n'eus pas le temps de me rendre compte que le nom m'avait échappé ; déjà Fru Berg me poussait hors de la pièce.

— Nils, très cher, pourrais-je avoir le café ? demanda Fru Ihlen en fusillant Caroline du regard pour l'empêcher d'ajouter un mot.

Tullik semblait ignorer la scène qui se déroulait et continuait d'appliquer le beurre sur sa tartine par petites touches.

Fru Berg atteignit la cuisine, toute tremblante.

— Tu n'as pas le droit de mentionner le nom de ce peintre dans cette maison, chuchota-t-elle. Qu'est-ce qui t'a pris ? Est-ce que tu parlerais de lui chez toi ?

Non ! Alors qu'est-ce qui te fait croire que tu peux te le permettre ici ?

— Je suis désolée, je n'ai pas fait exprès. C'est juste que Mlle Tullik…

— Il n'y a pas de « Mlle Tullik » qui tienne, m'interrompit-elle d'un ton sec. A l'avenir, tu ferais mieux de ne pas ouvrir le bec, de parler seulement quand on s'adresse à toi et de travailler en silence.

Elle me mit à la porte et m'envoya m'occuper des poules. J'avais pour mission de nettoyer les cages, de changer l'eau, de renouveler la paille et de les nourrir, un travail ingrat dans la chaleur et l'odeur du poulailler. Les relents de fiente séchée devenaient de plus en plus prononcés à mesure que le soleil montait. Je ratissai et frottai le sol, le dos voûté, au milieu des volatiles qui caquetaient et picoraient à mes pieds. Je faisais des allers-retours incessants entre la cage et le puits, tête baissée, en prenant garde à ne pas laisser s'échapper les poules. Le mélange d'eau et de vinaigre que j'utilisais me picotait les narines et m'irritait les yeux.

En quelques minutes, je sus que je détesterais ce travail. Coincée dans la cage avec Dorothea et Ingrid qui m'attaquaient de leur bec, je remarquai les égratignures sur mes bras, récoltées dans le jardin de Munch. Peu m'importait. J'aurais supporté piqûres, ronces et éraflures pour le simple plaisir de cueillir des fruits. Mes pieds de fraises me manquaient et je maudis ma mère de m'avoir envoyée chez les Ihlen dans l'espoir de faire de moi une personne que je n'étais pas et ne serais jamais.

Mes pensées s'emballaient ; je ratissais maintenant avec rage et posai le seau avec tant de force que l'eau valsa par-dessus bord. Dans ma colère, je faillis blesser l'une des poules avec l'extrémité du râteau. Soudain une voix carillonna dans la cage.

— Il a fait un portrait de toi, n'est-ce pas ?

Je lâchai le manche et portai instinctivement la main à ma poitrine. Mon cœur battait la chamade.

— Je ne voulais pas te faire peur.

Levant les yeux, j'aperçus Tullik, appuyée contre le poulailler.

— Mademoiselle Ihlen ! Je ne crois pas que j'ai le droit de… Je veux dire, il faut vraiment que je termine, j'ai bientôt fini.

— Je vais t'aider, répondit-elle. Ce sont de bonnes petites, tu ne trouves pas ? N'est-ce pas, Ingrid, murmura-t-elle à l'intention de la poule, n'est-ce pas que tu es bien gentille ?

Elle souleva le loquet, me rejoignit à l'intérieur et prit les poules dans ses bras, les couvrant de baisers avant de les poser à nouveau à terre, comme si c'étaient des enfants.

— Donne-moi la brosse à récurer, demanda-t-elle en tendant la main vers le seau.

— Etes-vous censée vous en occuper ? demandai-je, un peu perdue. Je ne connais pas toutes les règles, pardonnez-moi.

Tullik Ihlen éclata d'un rire rauque et sensuel.

— Les règles ! Qui se préoccupe des règles ? Qui décide de ces choses-là, de toute façon ?

Elle déboutonna et retroussa ses manches, avant d'attaquer avec un plaisir évident ce travail qui me causait tant de misère. Elle ne portait ni blouse ni tablier, mais n'hésita pas à se mettre à genoux dans ses jolis vêtements pour frotter le sol.

— C'était moi qui le faisais quand j'étais petite, raconta-t-elle. J'ai toujours eu des poules, c'était mon rôle d'en prendre soin. Je les nourrissais, je les nettoyais, je ramassais leurs œufs tous les matins. Cela me rendait si heureuse, j'étais si fière de moi ! Je ne vois pas pourquoi je ne pourrais pas continuer, mais c'est ainsi. Un jour, j'ai eu vingt ans, et on m'a arrachée à tout ce que j'aimais. Maintenant, on attend de moi que je reste assise bien tranquillement, sans ouvrir la bouche ni m'intéresser à quoi que ce soit. Tu as bien de la chance, Johanne ; toi, tu as encore ta liberté.

Je poussai une pile de paille fraîche sur le côté avec mon râteau et me retournai pour faire face à Tullik. J'avais envie de pleurer.

— J'aime cueillir mes fruits autant que vous aimez vous occuper de vos poules, soufflai-je en dessinant la forme d'une fraise dans la poussière avec la pointe du râteau, la remplissant à demi pour suggérer une ombre.

Tullik me regarda de ses yeux étranges.

— Tu es la Cueilleuse de fraises, n'est-ce pas ? Herr Heyerdahl a fait ton portrait. J'ai entendu Fru Berg en parler.

— Je n'étais qu'une enfant, à l'époque.

— J'espère que je ne t'ai pas blessée tout à l'heure. Quand j'ai parlé des tableaux de Herr Heyerdahl.

— Non, dis-je avec un rire. Je suis tout à fait d'accord avec vous. Il peint de très jolies choses, mais ses toiles ne me font pas ressentir ce que j'éprouve devant les tableaux de…

— De Munch ?

L'expression de Tullik changea dès qu'elle prononça son nom. Elle se passa le bras sur le front, plissant les yeux sous l'effet du soleil.

— Tu le connais ? demanda-t-elle.

— Un peu.

— Il t'a déjà peinte, lui aussi ?

— Mon Dieu, non ! Je suis désolée pour tout à l'heure, mademoiselle Ihlen. Je ne sais pas pourquoi j'ai prononcé son nom à haute voix. Je ne voulais pas causer d'ennuis.

— Ne t'excuse pas auprès de moi. Moi, cela m'est bien égal. Ce sont les autres. Dans ma famille, son nom est devenu un poison, le couteau qu'on remue dans la plaie, après ce qui s'est passé.

Je ne comprenais pas à quoi elle faisait allusion mais n'osai pas lui poser la question, consciente que notre conversation était déjà allée trop loin. Je répandis le reste de paille fraîche dans le poulailler ; Tullik finit de récurer le sol et jeta la brosse dans le seau. Courbées en deux, nous sortîmes de la cage et nous rendîmes au puits pour nous laver les mains. Tullik saisit la pompe et m'incita à me laver la première. Je me frottai les mains sous le filet d'eau froide et m'aspergeai le visage et le cou. Cédant la place, je m'apprêtais à activer la pompe quand Tullik m'arrêta d'un geste. Elle jeta un coup d'œil par-dessus son épaule en direction de la maison, comme pour vérifier la porte et les fenêtres indiscrètes.

— C'est ma sœur, chuchota-t-elle. Elle a eu une liaison avec lui. Ils pensent que je ne le sais pas.

4

Carmin

On éliminera tout ce qui, dans le rouge, pourrait donner l'impression du jaune ou du bleu. On imaginera un rouge absolument pur, un carmin parfait ayant séché sur une coupelle de porcelaine blanche.

Traité des couleurs,
JOHANN WOLFGANG VON GOETHE.

Dans ma tête se trouvait un espace qui était le seul, chez moi, à répondre aux exigences de ma mère ; c'était un coin lumineux, aéré — *impeccable*. Quand je ne laissais pas mon esprit vagabonder en liberté, comme lors de mes promenades en forêt, je rassemblais les pensées qui m'intriguaient ou qui demandaient réflexion et je les rangeais dans un coin de ma tête, bien alignées comme une collection d'insectes. Je les réexaminais ensuite une à une, reprenant le fil de ma pensée là où je l'avais laissé, comme d'autres continuent leur tricot.

Ma matinée chez les Ihlen eut tôt fait de remplir cette chambre secrète. Fru Berg ne me laissait pas un instant de répit, et chaque nouvelle tâche m'obligeait à redoubler de concentration. On me fit frotter l'argenterie, balayer les sols, épousseter les étagères, aérer les draps et préparer le repas. Je m'exécutais, dans la crainte constante de commettre une autre erreur : j'avais offensé les Ihlen en lâchant *son* nom à voix haute ; je ne pouvais pas me permettre un nouvel impair. Mon esprit était déjà bien occupé, et chaque fois que l'histoire de Caroline Ihlen et Edvard Munch me traversait la tête, je la repoussais pour l'examiner plus tard.

La vie privée des gens aisés ne m'était pas familière et j'avais du mal à assimiler leurs habitudes. L'amiral était de loin le moins compliqué : il s'occupait de ses papiers et de ses affaires dans une pièce au fond de la maison. Je n'entendis sa voix grave que lorsque la famille se réunit à l'heure du repas, et lorsqu'il demanda à Fru Berg d'aller déposer une lettre au bureau de poste. Je lui apportai deux fois à boire, déposant la cafetière et la tasse en silence. Son allure militaire et sa mine sérieuse me rendaient nerveuse, mais il se montrait toujours poli.

La présence des dames se faisait sentir davantage ; les deux sœurs passaient leur temps à se disputer. Tullik se moquait bien des usages de la maisonnée et ne cédait aux demandes de sa mère que contrainte et forcée. La plupart du temps, elle paraissait s'ennuyer : elle errait dans la maison d'un air absent, s'amusait à poursuivre le chat, prenait un livre ou sortait s'occuper des fleurs au jardin. Caroline, plus terne et réservée, prenait un malin plaisir à critiquer sa sœur. J'entendais leurs éclats de voix à l'étage, suivis de cris aigus et de cavalcades. Elles se comportaient en enfants colériques, comme si elles avaient oublié qu'elles étaient adultes.

Julie Ihlen faisait de son mieux pour mettre fin à leurs chamailleries sans jamais hausser le ton : « Allons, Tullik, ta sœur est en train d'écrire, laisse-la tranquille, veux-tu. » Elle restait dans les parages le temps de s'assurer que la paix était revenue, puis se replongeait dans son travail : problèmes domestiques, courses, repas, lettres… Elle faisait également partie depuis peu d'un tout nouveau comité dédié à la protection des animaux. Je l'entendis dire à l'amiral qu'elle avait reçu des lettres de Fru Esmark et Fru Schibsted à propos d'une réunion sur les lois antivivisection et qu'elle allait peut-être devoir faire un court séjour à Kristiania.

J'étais en train de ranger le service en porcelaine dans la salle à manger quand trois coups sonnèrent à l'horloge. La maison se mit soudain à bourdonner d'activité.

J'entendis Julie crier au pied de l'escalier :

— Tullik ? Viens-tu avec nous ?

— Qu'elle reste ici, si elle en a envie, intervint l'amiral.

— Nusse ! Nous partons.

Quelqu'un dévala les marches.

— Elle ne vient pas, annonça Caroline. Elle préfère rester ici à se morfondre.

— Eh bien, qu'elle se morfonde, répondit l'amiral.

— Mais il faut qu'elle sorte, qu'elle *voie des gens* !

— Les occasions ne manqueront pas à notre retour à Kristiania. Tullik, nous partons chez tante Bolette !

— Oui, Père, répondit Tullik du haut des marches. Puis-je rester ? Je suis en train de lire.

— D'accord, ma chérie. Je transmettrai tes salutations affectueuses à ta tante.

— Il est hors de question que je mente pour la couvrir, prévint Caroline.

— Personne ne va mentir, répliqua Fru Ihlen. Tante Bolette comprendra. Au revoir, chérie.

Tullik retourna dans sa chambre sans un mot, et pendant un instant, la maison fut totalement silencieuse.

Mais Fru Berg reparut bientôt.

— C'est l'heure des visites, annonça-t-elle. Ils sont partis voir Fru Nicolaysen à Horten. On peut se reposer un peu dans la cour. Suis-moi.

Fru Berg emporta avec elle une assiette de tartines, du beurre et deux bouteilles de jus de pomme qu'elle posa sur la table ronde du jardin. Nous nous assîmes après avoir traîné des chaises près de la table, arrachant des mottes de terre au passage. Nous étions cachées par les chemises de l'amiral qui flottaient à côté des jupons sur la corde à linge. Le parfum intense des lilas, exalté par le soleil de l'après-midi, s'enroulait autour de moi et libérait, à chaque fois que j'inspirais, la tension accumulée sur mon cou et mes épaules. Pour la première fois de la journée, je pouvais souffler un peu.

— On fait juste une petite pause avant de s'attaquer au dîner, affirma Fru Berg. Dieu merci, Ragna sera de retour demain. Cela veut dire que tu pourras te consacrer au ménage, moi à mes lessives au jardin et elle au repas.

Mes mains étaient rougies, irritées par le vinaigre et le savon au phénol auxquels elles avaient été exposées. Je bus quelques gorgées de jus au goulot puis pressai la bouteille fraîche contre ma peau pour en soulager les rougeurs.

— Tu t'y feras vite, m'assura Fru Berg. Regarde les miennes !

Elle me tendit ses poings fermés puis les ouvrit pour me montrer la peau gercée entre ses doigts.

— Elles étaient douces comme de la soie quand j'avais ton âge. Ce n'est pas joli-joli, mais tu ne vas pas en mourir, ajouta-t-elle avec un petit rire.

Elle beurra sa tartine et prit une énorme bouchée qui lui remplit les joues.

— Bien sûr, ce n'est pas la vie dont j'ai toujours rêvé, dit-elle, la bouche pleine. Mais quand on est jeune, on a la tête dans les nuages. Ce qu'il te faut, c'est un travail avec une paie régulière — le reste, c'est du vent.

Je songeai à Thomas, avec ses envies de parcourir le monde, de naviguer jusqu'à des terres lointaines et de rentrer au pays couvert d'or et de bijoux. Comment pouvait-on rêver d'un avenir si différent du moment présent et s'imaginer les réconcilier grâce au passage du temps ?

— Et puis tu as les gens comme Mlle Tullik, continua Fru Berg en mastiquant avec énergie. En voilà une qui a tout ce qu'elle veut, qui ne devra jamais gagner un sou à la sueur de son front, et est-ce qu'elle est heureuse pour autant ?

Elle avala sa bouchée tout en secouant la tête, saisit sa bouteille et but à longs traits, la tête renversée comme un ivrogne. Puis elle leva les yeux vers la fenêtre de Tullik et son visage replet afficha un air perplexe.

— Celle-là, il lui faudra plus qu'un mari et une belle maison à Kristiania pour être heureuse.

Elle s'essuya la bouche du revers de la main et laissa échapper un petit rot, satisfaite de la conversation qu'elle avait eue avec elle-même et de la conclusion à laquelle elle était parvenue.

— Elle est toute seule, là-haut, poursuivit-elle. Elle a peut-être envie de manger un morceau. Monte-lui une bouteille de jus, veux-tu ? Ce n'est pas bon pour elle de rester enfermée ainsi, elle me rappelle ses poules dans leur cage.

Elle désigna l'arrière-cuisine.

— Tu trouveras un casier à bouteilles dans le placard de la réserve. Apporte-lui à boire. Tu sais où trouver les verres.

Je terminai mon pain et rassemblai mes affaires.

— Je m'accorde encore quelques minutes, annonça Fru Berg en me chassant d'un geste de la main. Pour une fois que c'est tranquille.

Elle croisa les mains sur son ventre rebondi et se laissa glisser sur sa chaise.

Je retournai dans la maison et pris une bouteille de jus de pomme pour Tullik. Tout était silencieux à l'intérieur, et j'osais à peine respirer en traversant la cuisine avec précaution pour y chercher un verre. Le chat, une femelle tigrée grassouillette, m'observait depuis le rebord de la fenêtre. Je l'appelai à voix basse : « Minou-minou-minou… » Elle sauta à terre et se mit à miauler après moi. Je regrettai aussitôt de l'avoir dérangée. Mais elle me suivit dans l'escalier, se frottant contre les marches et enroulant sa queue autour des barreaux de la rampe.

Laquelle des chambres était celle de Tullik ? Plantée sur le palier, un peu perdue, agitée par un vague sentiment de ridicule, je sentis la chatte se faufiler en direction d'une chambre sur ma droite. J'attendis tandis qu'elle miaulait devant la porte close.

— Vraiment, miss Henriette, est-ce que vous ne pourriez pas vous décider une bonne fois pour toutes ? protesta Tullik en ouvrant la porte. Oh ! Johanne, c'est toi !

Ses cheveux d'un roux flamboyant étaient lâchés ; elle tenait négligemment un livre à la main.

— Veuillez m'excuser, mademoiselle Ihlen. Fru Berg a pensé que vous auriez peut-être envie d'un jus de pomme.

Je lui présentai la bouteille et le verre. Elle me sourit.

— Merci. Je t'en prie, tu peux m'appeler Tullik. Entre donc.

Je la suivis dans la pièce, et posai la bouteille sur la table de nuit. La chambre de Tullik était à la fois simple et chaotique. Simple par sa décoration : des murs nus, des rideaux sobres, un tapis rouge. Chaotique par son agencement : piles de livres, papiers éparpillés, vêtements jetés de-ci de-là. Le lit lui-même, avec son cadre en bois, offrait le même contraste : des draps blancs impeccables ; des couvertures entassées à la va-vite, un édredon qui avait à moitié glissé à terre. La belle armoire en acajou, adossée au mur, surveillait la chambre comme un soldat au garde-à-vous. Solide comme un roc, elle semblait menacer de faire céder le plancher. Le plafond de la chambre s'inclinait doucement jusqu'à la fenêtre encadrée d'une paire de rideaux ternes. Eux seuls avaient fait écran à la voix de Fru Berg.

— Comment s'est passée ta journée ? me demanda Tullik alors que je remplissais son verre.

— Ce n'est pas facile. Je ne crois pas être très douée pour le ménage. Et puis il y a tant de choses à retenir.

Je me mordis la lèvre. Je n'aurais pas dû critiquer mon travail devant elle, mais Tullik éclata de son rire rauque et communicatif.

— Eh bien, voilà une pièce dont tu ne devras jamais te soucier. Je n'aime pas quand c'est rangé. Mais c'est moins désordonné que cela en a l'air, affirma-t-elle en désignant les livres et les feuilles éparpillés à même le sol. Je sais où se trouve chaque chose. J'ai mon petit système. Tiens, regarde.

Elle rassembla près d'elle des feuilles couvertes de dessins et d'esquisses avant de continuer :

— J'essaie de dessiner parfois, mais le résultat n'est jamais très bon. Je gribouille ce qui me passe par la tête. Mais assieds-toi donc un instant.

Elle tapota le lit à côté d'elle et, devant mon hésitation, me saisit par le bras.

— Oh ! allons, il fait tellement chaud aujourd'hui. Mes parents ne seront pas de retour avant des heures, et cette brave Berg n'osera rien dire.

Convaincue, je me laissai tomber sur le lit à côté d'elle.

— Ces visites sont tellement assommantes. Mère prend des nouvelles de chacun de mes sept cousins et il faut subir le récit interminable de leurs vies — et ensuite, c'est notre tour et on doit rester là à écouter Nusse parler à n'en plus finir de son merveilleux fiancé et des préparatifs du mariage.

— Mlle Caroline est fiancée ?

— Oh oui, à Herr Olsen. C'est un docteur, un mycologue. Un biologiste, pour faire plus simple, qui étudie les champignons. Cela te surprend ?

— Eh bien… un peu, oui.

— Pourquoi ?

— C'est juste que… après avoir été avec un peintre comme Munch, se retrouver avec un docteur, cela paraît un peu… Excusez-moi, je ne devrais pas parler de ces choses-là.

Tullik se mit à rire, doucement d'abord, puis à gorge déployée, la tête renversée. Ses cheveux aux reflets fauves semblaient envelopper et chatouiller son corps tout entier.

Stupéfaite, je la contemplai, incapable de bouger. J'avais sans doute commis un impair. Qui étais-je pour faire des commentaires sur la vie des Ihlen ? Une simple cueilleuse de fruits, aujourd'hui bonne à tout faire. Ma mère m'aurait giflée pour ces propos irréfléchis, et je sentis mes joues brûler sous l'effet de ce coup imaginaire. Mais Tullik riait de plus belle.

— Excusez-moi, mademoiselle Ihlen, hésitai-je. Qu'ai-je dit de si drôle ?

Elle finit par reprendre son souffle.

— Oh ! Johanne ! s'écria-t-elle. Tu as vraiment cru que je parlais de Caroline quand j'ai évoqué la liaison avec Munch ?

— Vous avez parlé de votre sœur.

— Oui, de ma sœur aînée, Milly.

La voix de ma mère résonna dans ma tête. *« Ils ont trois filles et personne ne s'habille aussi bien qu'elles dans tout Kristiania. »*

— Elle était mariée à Carl Thaulow, à l'époque — cela a fait tout un scandale. Tout le monde a cru que j'étais trop jeune pour comprendre, mais je m'en souviens très bien.

Tullik ne riait plus et l'expression de son regard avait changé. Son visage s'était assombri comme si on l'avait souffletée, et ses lèvres soudain pâles s'affaissèrent.

— C'était une période terrible, surtout pour ma mère. Toutes ces conversations, ces messes basses... Des ragots à n'en plus finir. L'humiliation publique. C'est ainsi à Kristiania : soit l'on colporte des rumeurs, soit l'on en est la cible. Les gens ont beaucoup jasé, c'était intolérable. Mère était dans tous ses états. Mes parents ont menacé de fermer leur porte à Milly, de l'envoyer chez tante Bolette à Horten avec grand-mère Aars — il fallait absolument mettre fin à ce scandale. Pourtant, Milly était une femme mariée et les menaces ne servaient à rien. Elle a refusé de s'y rendre. Elle a épousé un autre homme, maintenant, Ludvig, et elle a une petite fille. Elle a l'air de s'être rangée, et Père et Mère ont tourné la page. Ils pensent que j'ignore ce qui s'est passé avec ce peintre mais, entre sœurs, c'est difficile d'avoir des secrets.

— Est-ce que Milly vient aussi à Borre pendant l'été ? demandai-je.

— Parfois. Même si, aujourd'hui, elle se prend pour une actrice. Ludvig est un homme de théâtre, ils montent des spectacles de temps à autre. A l'entendre, elle ne sait plus où donner de la tête, alors que ce n'est qu'un passe-temps. Certes, elle s'ennuie vite à la campagne si elle y reste trop longtemps, mais je ne serais pas étonnée qu'elle vienne à la maison d'ici à quelques semaines. Il y a encore des membres de la bohème qui viennent passer l'été ici.

— La quoi ?

— La bohème. Tu n'en as pas entendu parler ? La bohème de Kristiania ?

Je fis non de la tête tandis que Tullik se penchait pour attraper son livre.

— Regarde ce que je suis en train de lire, dit-elle en lançant l'ouvrage sur mes genoux. Je dois le cacher. Il a été interdit, alors si l'on me surprend avec, l'on va sans doute me passer les menottes, conclut-elle avec ironie.

— *Scènes de la bohème de Kristiania*, lus-je à haute voix. Qui est Hans Jæger ?

Tullik s'adossa au mur.

— Munch a fait son portrait, ils sont amis. C'est chez Milly que j'ai découvert ce livre, il n'en existe presque plus d'exemplaires. Il a été interdit et Jæger a été jeté en prison.

— Pourquoi ? De quoi est-il question ?

Elle me reprit le livre et se mit à parcourir les pages.

— D'amour libre, d'une société libre, du libre arbitre. Comment vivre affranchi de toute règle, de toute contrainte. C'est leur philosophie — Jæger, les Krohg, Gunnar Heiberg ; les artistes, les poètes, les écrivains. Milly les connaissait tous, ils se réunissaient au Grand Hôtel de l'avenue Karl Johan. Ils débattaient à n'en plus finir, refaisaient le monde jusqu'au petit matin. Elle les fréquentait parce qu'elle se voulait à la pointe de la mode, mais en vérité, elle n'était pas à la hauteur. Comment aurait-elle pu comprendre ?

Tullik rejeta ses cheveux en arrière, visiblement agacée.

— Que sait-elle des passions qui animent un peintre ? Elle ne peut pas apprécier l'art à sa juste valeur. Elle ne pense qu'à ses chapeaux, à ses toilettes, à son apparence. Milly ne comprend rien aux sentiments véritables. Pas étonnant que cela n'ait pas duré.

Elle ferma le livre d'un coup sec, et le glissa sous son oreiller. Et moi, je rangeai tout cela dans un coin de ma tête.

— Tu vas rester ici ce soir, n'est-ce pas ? s'enquit gaiement Tullik.

— Je crois, oui.

Je contemplai mes mains : l'occasion de peindre m'avait glissé entre les doigts.

— Alors, il faut absolument que tu aies la chambre de Milly, celle qui est juste en face de la mienne.

Je protestai mais, au retour des Ihlen, tout était déjà arrangé alors même que Ragna, la cuisinière, dormait dans un débarras au fond de la maison. J'étais la plus jeune, une petite bonne sans expérience, et j'occupais pourtant une chambre plus grande et plus belle que celles de Tullik et de Caroline, claire et spacieuse, baignée de lumière grâce à la fenêtre qui donnait sur l'église. Les murs étaient décorés de lambris blanc et d'un luxueux papier peint à fleurs. Des rideaux bleu pâle ornaient la fenêtre, retenus par des embrasses à pompons dorées. Milly aurait été horrifiée de savoir qu'une intruse comme moi, une simple domestique, allait coucher dans son lit.

— Elle n'est jamais là de toute façon, répliqua Tullik quand je tentai de refuser pour la cinquième fois. Quand elle vient avec Ludvig et Lila, elle ne dort pas ici à Solbakken. Ils descendent toujours au Grand Hôtel.

— Solbakken ? Je croyais qu'ici nous étions à Kirkebakken ?

— Solbakken, c'est le nom qu'on donne à la maison. C'est notre petite place au soleil.

Elle se força à sourire en prononçant ces mots, comme si elle se devait d'être heureuse à Borre. Mais sa joie resta superficielle et je vis une ombre passer dans son regard.

Ragna Thorsen était une jeune femme maigre, si différente de ce que j'avais imaginé que c'en était presque comique. Je m'attendais à ce qu'elle ressemble à Fru Berg : une femme à la poitrine généreuse et aux joues roses, avec des rides creusées par une vie de labeur et des doigts épais. Mais la femme qui me salua le lendemain matin dans la cuisine, alors que je nettoyais les cendres du fourneau, avait une allure de moineau affamé.

— Ravie de faire ta connaissance, lança-t-elle sans lâcher son couteau, qu'elle maniait à une vitesse ahurissante.

Ses yeux noirs en amande étaient rivés à ses mains et ne s'arrachèrent à ce spectacle que brièvement pour croiser mon regard. Elle me détailla sans émotion, avant de retourner à l'oignon qui accaparait toute sa concentration.

Je passai le reste de la journée à tâcher de me faire discrète et ne lui adressai la parole qu'à l'heure des repas, quand je l'aidais à servir. Elle quittait peu la cuisine et, absorbée par son travail, s'intéressait rarement à moi malgré mes allées et venues, brosses et seau à la main. D'un naturel taciturne, la cuisinière semblait s'exprimer à travers les mets qu'elle préparait, et j'interprétais leurs différents parfums comme une indication de ses changements d'humeur. La matinée fut une symphonie d'effluves allant de l'odeur tenace des oignons débités avec précision jusqu'au fumet du bouillon de légumes frémissant sur le feu, en passant par l'arôme corsé du café. Lorsque les Ihlen eurent déjeuné, l'après-midi de Ragna s'écoula entre l'odeur réconfortante du pain cuisant au four et celle, fraîche et piquante, des fruits qu'elle mettait en pots. Parfois, je ressentais l'envie d'aller vers elle et de devenir son amie. Je fus tentée de lui parler pendant que le pain cuisait : peut-être pourrais-je lui faire un compliment, lui dire que tout cela sentait délicieusement bon ? Mais à chaque fois que je prenais mon courage à deux mains, l'aigreur des émanations de vinaigre et l'expression fermée de Ragna toute à son travail me faisaient reculer.

Je ne me décourageai pas et décidai malgré tout que nous pourrions nous rapprocher ; aussi, je me promis de lui adresser quelques mots aimables dès qu'elle ferait mine de lancer une nouvelle fournée. Mais avant que j'aie pu l'aborder, Tullik creusa entre nous un fossé si large qu'il réduisit immédiatement mes chances à néant.

Elle vint me chercher en milieu de matinée. J'étais assise dans l'arrière-cuisine, en train de préparer la cire pour le plancher du salon. Fru Berg m'avait rapidement montré comment faire et je mélangeais avec précaution de l'huile de lin à de la cire d'abeille. Ragna écossait des petits pois dans l'évier.

— Où est Johanne ?

Je n'entendis pas la réponse, mais vis surgir Tullik par la porte du fond.

— Te voilà ! Cesse immédiatement ce que tu fais et cours te préparer. Nous allons à Åsgårdstrand. Tu vas me montrer où tu habites.

J'essuyai mes mains poisseuses sur mon tablier, et me levai, interdite. Je comprenais ses mots mais mon cerveau peinait à saisir le sens de sa phrase.

— Je dois cirer les parquets, protestai-je faiblement.

— Non, tu viens avec moi à Åsgårdstrand.

Ragna frappa la passoire sur l'évier. Le son métallique m'alerta.

— Allez, va te préparer, ordonna Tullik.

— Et mon travail ? J'ai plein de choses à faire.

— J'en ai parlé à ma mère et elle est d'accord.

Tullik m'adressa un grand sourire et commença à me tirer par les cordons de mon tablier.

— Allons ! s'impatienta-t-elle.

Elle me traîna dans la cuisine, et porta un coup fatal au lien fragile qui m'unissait à Ragna.

— Ragna, aide donc Johanne à nettoyer la cire qu'elle a sur les mains. Elle vient à Åsgårdstrand avec moi.

Ragna se dirigea vers un placard sur le mur du fond et y prit un chiffon et une bouteille remplie d'un liquide transparent qu'elle posa avec fracas sur la table de la cuisine, sans m'accorder un regard. La bouteille oscilla dangereusement pendant quelques instants et je la rattrapai juste à temps. Lorsque j'ôtai le bouchon, mes yeux furent agressés par les émanations qui s'échappaient du flacon.

— Frotte-toi les mains avec ça, me jeta Ragna avant de retourner à ses petits pois.

Le liquide me piqua les doigts, pénétrant dans chaque petite coupure, chaque crevasse de ma peau abîmée. Quand je frottai mes paumes avec le chiffon, une sensation de brûlure gagna mes mains, remontant jusqu'à mes oreilles. Je laissai échapper un cri et me mordis la lèvre. Ragna continuait à écosser les petits pois d'un geste sec. Tullik s'impatientait.

— Suis-moi, on peut rincer cela à la pompe.

Je me précipitai dans le jardin et courus mettre mes mains sous le robinet pendant que Tullik actionnait le manche. Fru Berg, assise derrière son seau, frottait sur sa planche à laver un linge blanc et léger.

— Que se passe-t-il ? Qu'est-ce qu'il y a ? demanda-t-elle.

— J'ai les mains qui me brûlent. Ragna m'a donné un liquide pour enlever la cire et ça pique comme des orties.

Fru Berg, courroucée, reposa le vêtement qu'elle nettoyait.

— Laisse-moi voir, soupira-t-elle en poussant le seau du pied. Qu'est-ce qu'elle t'a donné ? De la térébenthine ?

Elle regarda mes mains.

— Dieu du ciel. Tu as fait une mauvaise réaction. Je t'apporte tout de suite de la calamine et de l'huile.

Elle fut vite de retour et se mit à me tamponner les doigts sans ménagement avec un liquide laiteux. Une fois celui-ci absorbé, elle me frotta les mains avec de l'huile ; ses mouvements circulaires se voulaient apaisants, mais ses doigts rugueux ne faisaient qu'aggraver les choses.

— Il faut que tu sois en état de travailler aujourd'hui, lança-t-elle. Il y a beaucoup à faire, entre les planchers à frotter et les fenêtres de la façade qui ont à nouveau besoin d'un bon coup de chiffon !

Je questionnai Tullik du regard et elle prit aussitôt ma défense.

— Johanne m'accompagne à Åsgårdstrand aujourd'hui, expliqua-t-elle. Ses mains ont besoin d'un peu de repos. J'en profiterai pour aller lui chercher de la pommade chez le pharmacien.

Les petits yeux perçants de Fru Berg s'écarquillèrent tellement que je pus noter leur couleur pour la première fois. Ils n'étaient pas noirs, comme je le croyais, mais noisette, avec des éclats verts. Fru Berg était au service des Ihlen depuis que leurs filles étaient enfants, et contrairement à Ragna, elle pouvait se permettre de les sermonner.

— Avec tout ce qu'il y a à faire aujourd'hui ? aboya-t-elle. Vous ne pouvez pas nous priver de Johanne aujourd'hui, mademoiselle Tullik.

Je crus que Tullik allait reconnaître son erreur et dire : *Non, bien sûr, Johanne a du travail — que je suis bête*, et que j'allais cesser d'être un objet de discorde et pouvoir retourner à mes tâches ménagères. Mais Tullik ne céda pas.

— Bien sûr que je peux ! déclara-t-elle crânement. J'ai vérifié auprès de ma mère et elle m'y a autorisée. Maintenant, Fru Berg, si vous le permettez, nous allons vous quitter.

Fru Berg se décomposa, le souffle coupé. Je m'attendais

presque à la voir se désagréger lentement, comme un cierge qui fond goutte à goutte et finit par s'effondrer. Elle essayait désespérément de trouver une repartie, mais la bataille était perdue d'avance. Elle ne pouvait pas aller à l'encontre d'une décision de Julie Ihlen et n'avait d'autre choix que de nous laisser partir.

— Eh bien, ne lambinez pas, articula-t-elle finalement.

Déjà Tullik m'entraînait, et les mots de Fru Berg ne furent bientôt plus que des bulles transparentes qui s'élevaient doucement dans les airs avant d'éclater.

5

Écarlate

Le milieu de cette image sera clair et incolore, teinté de jaune. Le bord, par contre, se montrera aussitôt de couleur rouge. Cette dernière, gagnant lentement à partir de la périphérie, couvre peu à peu tout le disque et finalement fait disparaître aussi le centre clair.

Traité des couleurs,
JOHANN WOLFGANG VON GOETHE.

Le soleil était déjà haut dans le ciel quand Tullik et moi traversâmes la route. Dépassant l'église, nous empruntâmes le sentier qui menait à la forêt où les pins sombres nous invitaient à les rejoindre dans leur royaume ténébreux.

— Comme il fait bon dans ces bois ! s'exclama Tullik en ôtant son chapeau et en retirant l'épingle qui retenait ses cheveux. Quelle atmosphère magique ! Crois-tu aux fées, Johanne ?

Elle flânait entre les arbres, les bras grands ouverts, frôlant l'écorce qui se détachait des troncs.

— Et aux trolls ? Aux esprits ? Penses-tu que nous allons croiser des fantômes ?

Le soleil dessinait des lignes à travers les branchages et éclairait Tullik comme une goutte de rosée matinale scintillant sur le tronc argenté d'un bouleau. La lumière accrochait sa robe, dévoilant ses jambes ; elle dansait avec grâce à travers la forêt, virevoltante et étincelante comme une nuée d'étoiles. Tullik était un être éthéré, comme tombé du ciel, qui s'emparait de tout ce qui était solide, terrestre, pour l'adapter à ses désirs.

Elle sautillait d'un arbre à l'autre, quand elle s'arrêta brusquement derrière un bouleau en penchant la tête, agrippée au tronc épais.

— Tu as entendu ? demanda-t-elle.

— Quoi ?

— Ce bruit. Ce craquement. Etaient-ce des pas ?

— Je ne sais pas.

— Autrefois, mon père nous racontait des histoires de trolls et de huldrefolks[1], murmura-t-elle en regardant tout autour d'elle, comme pour surveiller l'apparition de ces créatures fantastiques. J'ai déjà traversé ces bois à la tombée du jour, entre chien et loup. J'ai vu des ombres se glisser parmi les arbres, furtives, comme des fantômes. Et toi, Johanne ?

— Jamais.

— Tu n'entends pas ? Ils se rapprochent.

Je fermai les yeux pour mieux tendre l'oreille mais n'entendis rien d'autre que le clapotis rassurant des vagues sur la grève et, de loin en loin, le croassement d'un corbeau.

— Il n'y a rien, Tullik.

Elle se tenait toujours agrippée au tronc.

— Vérifie derrière moi, me supplia-t-elle.

Je m'avançai vers elle, sondant les bois, sans rien entendre qui sorte de l'ordinaire.

— Vraiment, Tullik, il n'y a rien du tout.

Je la suspectais d'exagérer, comme une petite fille prise par son jeu. Il était difficile de croire en cet instant

1. Les *huldrefolks* sont des créatures du folklore nordique, qui ressemblent à des humains. Charmeuses et espiègles, dotées de pouvoirs, elles vivent souvent cachées dans la forêt. (NdT)

qu'elle était mon aînée de presque cinq ans — elle avait vingt ans passés. Mais de près, je vis que sa frayeur n'était pas feinte ; même quand je tentai de la rassurer, elle refusa de lâcher prise.

— Viens, Tullik, dis-je en l'éloignant de l'arbre. Il y a des baies le long du chemin, laisse-moi t'en ramasser.

Elle s'agrippa à mon bras comme si je lui avais demandé de sauter dans le vide. Ses yeux semblaient fixer, par-dessus mon épaule, une présence maléfique qui se rapprochait.

— Tout va bien, la rassurai-je. Tout va bien.

— Ne m'abandonne pas, gémit-elle.

— Je suis là, Tullik.

Elle s'accrochait à moi comme une enfant effrayée et je la guidai vers le chemin forestier. Stupéfiée par ce changement d'attitude, je ne savais que dire. Je la menai jusqu'au bord du sentier, où, plongeant la main parmi les feuilles, je cueillis une fraise bien mûre.

— Tu veux y goûter ?

Son visage se transforma aussitôt. Le fruit sembla chasser la troupe de ses ennemis imaginaires.

— Elle est tellement sucrée ! s'exclama Tullik, qui avait recouvré ses esprits. Comment sais-tu où les chercher ?

— J'ai l'habitude, répondis-je.

Nous flânâmes quelques instants près des pieds de fraises puis je l'entraînai vers le rivage. Dans le monde de Tullik, le temps n'existait pas. Elle vivait dans l'instant présent et l'étirait ou l'écourtait au gré de ses envies, guidée par son instinct. Quittant le couvert de la forêt, nous nous mîmes à longer le rivage, sautant d'une pierre à l'autre, nous arrêtant parfois pour observer les galets ou contempler la mer et pointer du doigt les bateaux à l'horizon brumeux.

La grande ferme blanche des Nielsen apparut sur notre droite, marquant l'entrée d'Åsgårdstrand. Il était plus facile pour moi de m'afficher avec Tullik de ce côté du bois. Nous étions maintenant sur mon territoire, et ici je n'avais jamais été l'employée de personne. Nous continuâmes jusqu'à ce que le chemin s'élargisse et rejoigne Nygårdsgaten à flanc de colline. Tout était tranquille. Seul le poney de Fru Book piétinait dans la poussière, à l'ombre. Sa propriétaire désherbait son jardin et passa la tête par-dessus la clôture à notre approche.

— Bonjour Johanne, me salua-t-elle à travers le jasmin.

— Tu connais tout le monde, ici ? demanda Tullik.

— Presque.

— Où se trouve ta maison ?

— Là-haut, répondis-je en désignant la colline au-delà du tournant.

— Peut-on y aller ?

— Nous n'y habitons pas en ce moment. Herr Heyerdahl nous la loue.

— Herr Heyerdahl habite dans *ta* maison ? s'étonna-t-elle.

— Oui. Il vient chaque été avec sa famille.

— Eh bien, allons le voir, dit-elle, immobile au milieu de la route, son chapeau à la main.

— Pourquoi ?

Tullik se mit à rire.

— Pourquoi, Johanne ? Mais pour voir ses tableaux, qu'est-ce que tu crois. Pour le voir à l'œuvre, pardi !

— La colline est très escarpée, objectai-je.

— Et alors ?

Elle avait déjà tourné les talons et je fus obligée de la suivre.

Nous nous lançâmes à l'assaut de la colline dans la chaleur étouffante, dépassant des jardins où rhododendrons et lupins commençaient à fleurir. Le soleil dardait ses rayons sur nous, rendant la montée encore plus difficile. Nous venions de dépasser le tournant et d'entamer l'ascension finale, quand nous vîmes débouler en sens inverse une femme pressée chargée d'un panier : ma mère.

— Johanne ? s'écria-t-elle à quelques mètres de distance. Johanne ? C'est bien toi ? Que fais-tu ici ?

Son regard faisait des allers-retours entre Tullik et moi. Une foule de questions se lisait sur son visage : *Est-ce qu'on me renvoyait chez moi ? Avais-je déçu les Ihlen ? Avais-je fait quelque chose de mal ? Déshonoré ma famille ?* Je jouis quelques instants de sa confusion. Elle avait visiblement du mal à comprendre ce que sa fille faisait dehors à cette heure-ci avec une demoiselle de la ville.

— Je te présente Mlle Ihlen, lui dis-je. Tullik, voici ma mère, Sara Lien.

Tullik se montra aussi courtoise avec ma mère que Julie Ihlen l'avait été avec moi et lui tendit poliment la main.

— Enchantée de faire votre connaissance, Fru Lien, dit-elle, soudain très mondaine.

Ma mère, troublée d'être l'objet de son attention, commença à réciter les couplets qu'elle réservait habituellement à Herr Heyerdahl.

— Oh ! bien le bonjour, mademoiselle Ihlen. J'espère que Johanne ne vous cause pas de… Tout va bien, n'est-ce pas ? Je me rendais chez les Heyerdahl. Vous saviez qu'ils louent notre maison pendant l'été ? J'ai pensé qu'ils aimeraient… Mais ils ont des invités en ce moment, des visiteurs de Kristiania. Vous connaissez les œuvres de Herr Heyerdahl ? Il a peint Johanne autrefois, elle vous l'a dit ?

— Oui, en vérité, j'avais l'intention d'aller lui rendre une petite visite, annonça Tullik.

— Oh non, réagit ma mère en me fusillant du regard. Vous ne pouvez pas y aller maintenant, Johanne, ils ont des invités. Tu m'entends ? Des amis de Kristiania.

— Alors je les connais peut-être ? rétorqua Tullik.

— Ce sont surtout des peintres, je crois, précisa ma mère, les yeux toujours rivés sur moi.

Elle parlait d'une voix tendue, comme si elle faisait

un effort surhumain pour ne pas sermonner Tullik. Elle se sentit perdre pied et me prit à nouveau à parti :

— Mais qu'est-ce que vous faites ici ? Pourquoi n'es-tu pas au travail, Johanne ? J'espère qu'elle n'a pas…

— Elle fait du très bon travail, interrompit Tullik en passant son bras autour de mes épaules.

Je ressentis un élan d'affection envers elle.

— C'est moi qui lui ai demandé de m'accompagner aujourd'hui. Ma mère nous en a donné l'autorisation. Et nous devons nous arrêter chez le pharmacien ; Johanne a besoin d'une pommade pour les mains.

— Qu'est-ce que c'est que cette histoire ? me demanda Mère d'un air accusateur. Tu as de bonnes mains de travailleuse.

— C'est la térébenthine, répondis-je en espérant que l'explication suffirait.

— Eh bien, achète un baume à la lavande chez Herr Backer, ronchonna-t-elle en fouillant dans ses poches. Tiens, je suis sûre d'avoir quelques couronnes. Sinon, tu peux le mettre sur notre compte.

— Non, non, intervint Tullik. C'est moi qui vais la lui acheter. Elle est notre employée, et nous avons besoin de pommade pour la maison de toute manière.

Ma mère esquissa une petite révérence, et se plaça en travers de notre chemin pour nous inciter à redescendre la colline.

— Tu devrais emmener Mlle Ihlen sur la jetée, Johanne. Ou bien vous pourriez vous promener le long de la plage pour profiter de l'air du large. Vous allez étouffer ici, il n'y a pas un souffle de vent.

— Merci bien, lui répondit Tullik, mais j'aimerais voir Herr Heyerdahl. Je suis sûre que notre visite ne le dérangera pas.

Le visage de ma mère s'était figé. Je lui avais déjà vu cette expression dans des situations où elle aurait rêvé d'obtenir gain de cause, mais où les circonstances l'obligeaient à garder le silence. Pas plus que Fru Berg, elle ne pouvait se permettre de contrarier les désirs de Tullik. Elle leva fièrement le menton et se força à sourire.

— Très bien, je n'ai plus qu'à vous souhaiter une bonne journée, conclut-elle sans plus faire allusion à moi, à mes mains ou à mon travail chez les Ihlen.

Tullik et moi reprîmes notre ascension jusqu'à la dernière section de la route qui menait à notre maison. Nous étions écrasées par un soleil de plomb et devions nous arrêter tous les deux ou trois pas pour reprendre notre souffle. Le fjord nous attirait à lui et nous nous laissions envahir par la vision de cette immense étendue bleue qui miroitait à perte de vue, majestueuse.

— Je comprends les artistes qui viennent ici, dit Tullik. Qui ne serait pas inspiré par une telle beauté ?

— Ils cherchent aussi la lumière, il paraît qu'elle est exceptionnelle. Les vieux paysans racontent que c'est à cause des falaises escarpées qui se sont formées à la fonte des glaces, il y a des milliers d'années. La forme du paysage réfracte la lumière et c'est pour cela que nous baignons toujours dans cet air doré. C'est ce qui fait que les artistes tombent amoureux de cet endroit.

Je levai le visage vers le ciel, et laissai un flot de lumière se déverser sur moi. Ma peau frémissait sous les rayons du soleil et je repensai à ce qu'*il* avait dit à propos des sujets des tableaux : qu'ils grandissent et qu'ils changent, comme la vie elle-même ; qu'ils *sont* la vie elle-même.

— Je les comprends, répondit Tullik. C'est vraiment fascinant. Mais comment faites-vous en hiver pour monter jusqu'ici avec la neige et le verglas ?

Je ne pouvais penser à l'hiver en cet instant. Mon corsage et ma jupe me collaient à la peau, et des gouttes de sueur sinuaient jusqu'au creux de mon dos. Le soleil dardait ses rayons à travers tout mon corps ; ma gorge était sèche, mon front moite, et mes mains me brûlaient sous l'effet de la chaleur et de la térébenthine. J'aurais tout donné pour quelques instants d'hiver. Ce serait tellement merveilleux de se jeter dans un tapis de neige moelleux et de respirer cet air froid et pur qui vous gèle les narines et vous rougit le bout du nez !

— Nous faisons tout à pied, expliquai-je. On s'y habitue.

— Avec une pente aussi raide, il faudrait qu'on me tire avec une corde ! s'exclama Tullik.

— Je crois que cela vient naturellement, quand on habite ici. Nos corps s'adaptent instinctivement à la pente : nous savons à quel degré précis nous devons nous pencher, en montée comme en descente. Il y a très peu d'endroits où l'on peut se tenir droit à Åsgårdstrand.

Nous étions en train de rire de ce phénomène quand je vis un homme sortir de chez moi et emprunter la route poussiéreuse.

— Regarde cet homme, Johanne, s'écria Tullik d'un ton enjoué. Est-ce quelqu'un d'ici ? Est-ce qu'il se penche comme il faut ?

Je m'arrêtai pour mieux l'observer. Il portait un chapeau de paille orné d'un ruban noir et blanc, et une veste sombre un peu trop large. Je ne pouvais pas vraiment distinguer son visage, mais je compris aussitôt pourquoi ma mère avait été si réticente. J'aurais reconnu entre mille cette mâchoire carrée et ce grand front. L'homme qui venait à notre rencontre n'était autre qu'Edvard Munch.

— Non, il n'est pas d'ici, déclarai-je. C'est Munch.

Il approchait à grands pas, une cigarette à la main, un carnet à croquis dans l'autre.

— Comment l'aborder ? s'interrogea Tullik, enthousiasmée.

— Ne dis rien, répliquai-je.

Des années d'observation m'avaient permis de comprendre les manies de Munch et sa manière peu orthodoxe d'interagir avec les autres.

— Il ne faut pas faire le premier pas. Il se promène souvent ainsi, les yeux mi-clos, comme s'il était en plein rêve et qu'il ne voyait rien de ce qui l'entoure. Mais s'il voit quelque chose qui l'intéresse, il s'arrête aussitôt.

— Tu crois qu'il s'arrêtera pour moi ? demanda-t-elle.

Je repensai à l'obsession de Munch pour Tullik pendant le bal, à la façon dont il l'avait dessinée d'un air si concentré.

— Je ne sais pas, mentis-je.

Le peintre n'était plus très loin. Il tira sur sa cigarette et regarda en direction de la mer. Le spectacle dramatique du fjord l'avait captivé. La surface bleu-violet semblait l'appeler à elle et il l'étudiait, gravant chaque détail dans sa mémoire : la façon dont la lumière accrochait les vagues, les variations de couleur selon la profondeur. Je l'avais souvent vu peindre sans avoir son sujet sous les yeux. Il consignait chaque image dans sa tête et avait le don de lui redonner vie dans un tout autre contexte.

Tullik fit tomber son chapeau.

— Oh ! Quelle maladroite je fais ! s'exclama-t-elle en se penchant avec une lenteur délibérée.

Munch était maintenant si proche que lorsque ses yeux revinrent vers la route, ils tombèrent sur Tullik accroupie devant lui ; il n'eut d'autre choix que de s'arrêter.

— Pardon, madame, dit-il.

Tullik se releva. Elle redressa les épaules et rejeta ses cheveux en arrière.

— Je vous prie de m'excuser, monsieur, j'ai fait tomber mon chapeau, répondit-elle, le souffle court.

Munch recula d'un pas. Ses yeux étaient maintenant grands ouverts, et il ôta la cigarette du coin de sa bouche.

— Johanne ? s'étonna-t-il en calant son carnet sous son bras.

Pendant un instant, il sembla se débattre avec les questions qui avaient agité ma mère. Son regard allait et venait entre Tullik et moi.

— Voici Mlle Ihlen, intervins-je pour lui venir en aide. Elle passe l'été à Borre. Je travaille chez elle comme domestique, c'est ma mère qui m'a trouvé ce travail. C'est pour cette raison que je n'ai pas pu venir peindre avec vous, j'en suis désolée. Tullik, voici Munch.

Il lui tendit la main et Tullik s'en saisit aussitôt.

— Enchantée de faire votre connaissance, Herr Munch.

Elle pencha la tête de côté et lui fit un charmant sourire avant de dire la chose la plus inattendue :

— Je crois que vous connaissez ma sœur, Milly.

Munch fouilla la route des yeux pour y chercher une réponse.

— Oui, marmonna-t-il enfin. Fru Thaulow et moi nous connaissions autrefois.

— Elle s'appelle Fru Bergh, maintenant, précisa Tullik.

— Bien sûr. Je l'ai entendu dire.

— Nous étions en chemin pour rendre visite à Herr Heyerdahl, interrompis-je en remarquant le tremblement nerveux qui agitait sa main.

— Hans est en train de recevoir l'ennemi. Je n'ai pas pu tenir, dit-il.

Tullik éclata de son rire contagieux.

— L'ennemi ? Vous ne parleriez pas de tous ces raseurs venus de Kristiania, par hasard ?

Le regard triste de Munch s'illumina — Tullik avait compris l'allusion.

— Raseurs, prétentieux, poursuivit-il.

— Nombrilistes et creux, renchérit-elle. Ils m'ennuient à mourir, j'en deviendrais folle.

Munch tira à nouveau sur sa cigarette et contempla Tullik comme une curiosité dans la vitrine d'un musée. Il était fasciné par cette créature presque mythologique à la chevelure flamboyante et qui l'attirait à lui comme une sirène ou une nymphe.

— Avez-vous déjà été au pavillon des bains, mademoiselle Ihlen ? demanda-t-il. Il n'y a rien de plus vivifiant. Pour vous dire la vérité, j'étais en route vers la plage.

— Quelle merveilleuse idée. Johanne, et si nous allions nous baigner ?

— Mais nous n'avons pas nos costumes de bain, protestai-je.

— Il est midi passé, annonça Munch. Le drapeau blanc sera hissé pour le bain des femmes.

— Alors l'affaire est réglée, allons faire un petit plongeon, Johanne. Cela nous rafraîchira.

— Mais…

Une troupe de protestataires en colère se mit à défiler dans ma tête, guidés par ma mère avec son air réprobateur et son ton dédaigneux : *Etre vues avec ce dépravé ? Encourager Tullik à le fréquenter, malgré les sentiments de sa famille ? Se baigner sans tenue conforme aux bonnes mœurs ? Tu veux donc perdre ton travail et ta réputation en une seule journée ?*

— Et notre visite à Herr Heyerdahl ? tentai-je.

— Il peut bien attendre, répliqua Tullik en écartant cette pensée comme s'il s'agissait d'une mouche agaçante. D'ailleurs, il a déjà des visiteurs.

Elle pliait la réalité à ses désirs, et trouvait maintenant raisonnable d'abandonner nos plans pour suivre Munch à la plage.

Julie Ihlen, Fru Berg, ma mère : toutes trois avaient cédé. Maintenant c'était mon tour : je ne pouvais dire non à Tullik ni lui refuser ses caprices, quelle que fût mon opinion. A contrecœur, j'acceptai mon sort et fis demi-tour. Je descendis la colline lentement derrière Tullik et Munch. La crinière aux reflets fauves de la jeune fille semblait envelopper le peintre, et leurs épaules se rapprochaient, comme mues par une force invisible.

6

Rubis

Ainsi, lors des phénomènes physiques, ce phénomène coloré le plus élevé de tous apparaît comme la fusion de deux termes opposés qui se sont progressivement préparés eux-mêmes à se réunir.

Traité des couleurs,
JOHANN WOLFGANG VON GOETHE.

Les pas de Tullik et de Munch les entraînaient irrésistiblement l'un vers l'autre, et je pris soin de rester légèrement en arrière. Leur conversation s'interrompait parfois sans aucune gêne ; Munch semblait détendu en sa présence. Arrivés en bas de la colline, nous passâmes devant les cabanes de pêcheurs. Mon cœur battait à tout rompre. Si quelqu'un m'apercevait, il ne faudrait pas plus de quelques minutes pour que ma mère le sache. Je marchai tête baissée et tâchai de me cacher derrière la frêle silhouette de Tullik.

J'espérais dépasser la maison du peintre, mais Tullik et Munch s'arrêtèrent au portillon, m'obligeant à les imiter comme un chien en laisse.

— Vous pouvez couper par le jardin si vous le souhaitez, offrit Munch, vous arriverez plus vite à la plage.

— Merci, c'est fort aimable ! s'exclama Tullik en le suivant jusqu'à la porte du jardin.

Je me hâtai de leur emboîter le pas. Dans le jardin, sous le couvert des arbres, nous serions moins exposés aux regards. Je franchis le portail et me retrouvai à nouveau plongée dans le royaume défendu du peintre.

Les tableaux étaient toujours à l'extérieur, appuyés contre l'atelier. La dame en noir restait effrayée par son ombre et la femme enceinte avec sa jatte de cerises arborait un air mélancolique. Je remarquai de nouveaux tableaux, des toiles de tailles et de formes différentes éparpillées au gré du jardin, posées contre les rochers et les haies. La vision de ces blocs de couleur mêlés aux plantes laissait à penser que la nature elle-même exposait ses œuvres.

— C'est vraiment magique ! s'écria Tullik en balayant la scène du regard. Une galerie à ciel ouvert !

— Je les soigne comme les bêtes, dit Munch. On les laisse au grand air, et la nature fait le reste.

Tullik déambulait parmi les toiles avec une lenteur extrême, s'arrêtant parfois pour les contempler intensément.

Munch la dévorait des yeux, fasciné. A l'exception d'Inger, Tullik était sans doute l'une des rares femmes qui regardait ses œuvres avec délectation. Il n'y avait en elle aucune trace de l'aversion montrée par les dames de la bonne société : elle se plongeait dans les tableaux avec un plaisir non dissimulé.

Je cédai moi-même à la tentation ; malgré l'emprise de ma mère, j'abandonnai mes scrupules. Je fus happée par l'image d'une rue animée au crépuscule. Des figures humaines s'élançaient vers moi comme pour fuir la toile, l'air paniqué, les yeux agrandis par l'effroi. Seule, à contre-courant au milieu de la route, la silhouette d'un homme me tournait le dos, sombre et efflanquée. Ce personnage solitaire affrontait la venue inéluctable de la nuit avec lucidité, sans la moindre compagnie. Munch ? Etait-ce ainsi qu'il se voyait ?

A côté de cette scène de rue se trouvait le portrait d'un homme qui m'était familier. Il s'agissait de Jacob, qui s'occupait du pavillon des bains, le visage buriné, marqué par les éléments. Munch avait su rendre avec précision et spontanéité les sillons qu'y avaient creusés des années de labeur. A grands traits de pinceaux, il avait redonné vie au vieil homme, dont la peau prenait une teinte lumineuse dans l'éclat des boutons-d'or qui entouraient le tableau.

Tullik était absorbée par l'image d'une blanchisseuse, sans doute Fru Bjørnson, une femme solidement bâtie, comme Fru Berg, avec des bras épais et un air décidé. Elle lavait et repassait du linge pour tout le village. Il se dégageait de cette femme ordinaire concentrée sur son travail une dignité et un calme que Munch, en voyeur, lui volait en silence.

Chacun des tableaux était un instant saisi sur le vif. Les sujets ne posaient pas et semblaient presque ignorer la présence du peintre ; ils vaquaient à leurs occupations dans leur environnement naturel, tranquilles et authentiques.

Tullik pencha la tête d'un côté puis de l'autre pour mieux étudier la blanchisseuse et sa fille, Constanse, qui se tenait à côté d'elle sur le tableau. Puis elle se dirigea à nouveau vers l'atelier, où elle s'arrêta devant le portrait sombre de la femme troublée par son ombre.

Au bout d'un moment, elle leva la main comme à l'école, puis se retourna pour découvrir Munch juste derrière elle.

— Qu'est-ce qui vous pousse à peindre ainsi ? demanda-t-elle.

— J'essaye de peindre les questions insolubles que nous pose l'existence, toutes ces choses qui nous laissent perplexes. J'essaye de peindre la vie telle que nous la vivons.

— On dit qu'il est impossible de peindre comme vous le faites, affirma Tullik en ôtant son chapeau devant le tableau.

— Ce n'est pas facile, répondit Munch.

Tullik laissa échapper un rire.

— Non, non, les gens ne remettent pas en cause votre technique. Mais ils disent que ce que vous faites est grossier, vulgaire.

— La vérité paraît souvent vulgaire, vous ne croyez pas ? Et les mensonges brillent parfois comme une belle nuit d'été.

— Prenez celui-ci, par exemple, continua Tullik en montrant du doigt le portrait de Jacob. Il a l'air noble et pourtant ce n'est que le gardien du pavillon des bains.

— Oui, je l'appelle *L'Homme primitif*, expliqua Munch. Sa vie a un but, il sait pourquoi il est là. Pas comme tous ces gens de Kristiania qui descendent ici à l'hôtel et ne savent plus quoi inventer pour passer le temps. Quel sens donnent-ils à leur vie ? Trouvent-ils la réponse dans leurs journaux, leurs magazines, leurs restaurants, au cours de la promenade quotidienne sur l'avenue Karl Johan ? Ils acceptent l'aide de Jacob quand cela les arrange, sans jamais songer qu'il accomplit ainsi sa destinée. Croyez-vous qu'eux-mêmes trouvent jamais le bonheur véritable, ce bonheur tout simple que les gens d'ici savent extraire des petites choses, leur métier, le fait de gagner leur pain quotidien ?

— Les petites gens ont une vraie grandeur d'âme, confirma Tullik en évitant de regarder dans ma direction. Ils sont modestes, mais leurs préoccupations sont élevées. Et cette femme, qui est-ce ? interrogea-t-elle en se tournant à nouveau vers la femme tourmentée.

— Ma sœur Laura, répondit-il en suivant les contours de son corps du bout des doigts. Elle est terrifiée. Elle tente d'échapper à son ombre, inutilement. Pauvre Laura, elle souffre quand les gens tournent mes œuvres en dérision et se moquent de moi.

— Je peux la comprendre, confia Tullik.

Instinctivement, elle frôla le bras de Munch, sans même s'en apercevoir.

— Je crois que je pourrais lui ressembler.

Munch, sans répondre, sortit un morceau de fusain de sa poche et commença à esquisser la silhouette d'une autre femme à côté du corps de Laura. Tullik prit lentement forme sur la toile et bientôt deux silhouettes sombres apparurent, agrippées l'une à l'autre, semblant fuir l'ombre qu'elles projetaient.

Tullik contempla le tableau. Elle rejeta ses cheveux en arrière et remit son chapeau comme pour clore la conversation.

— Viens, Johanne, dit-elle, le regard toujours fixé sur Munch. Allons nous baigner.

Elle ajusta son chapeau plus longtemps que nécessaire, pour inciter le peintre à parcourir son corps du regard. J'étais moi aussi ensorcelée par cette apparition dont le soleil enflammait les cheveux et éclaboussait d'or la robe blanche.

— Nous vous verrons à la plage, Herr Munch. Merci pour cette exposition tout à fait passionnante.

Munch souleva son chapeau devant Tullik qui s'éloignait déjà d'une démarche songeuse. Avançant péniblement parmi les hautes herbes, nous passâmes devant la remise, un cabanon étroit en bas du jardin. Tullik rit à gorge déployée lorsqu'elle se retrouva à califourchon sur la clôture. Mais elle parvint à lancer un dernier salut maladroit en direction du peintre dont elle savait le regard rivé sur elle.

Nos pas nous entraînèrent vers le Grand Hôtel et la villa Kiøsterud, puis le long de la plage de galets jusqu'à l'Hôtel Central, l'un des quatre établissements qui accueillaient les estivants. La jetée bourdonnait d'activité : une petite foule attroupée à son extrémité guettait l'arrivée du bateau postal, impatiente de recevoir la paye que les hommes partis en mer envoyaient au pays. Quelques embarcations bordaient la jetée, et un jeune homme assis les jambes dans le vide tirait vers lui, du bout du pied, une petite barque.

Le pavillon des bains était étonnamment calme à

notre arrivée. A présent, mes vêtements me collaient à la peau et je n'avais plus qu'une envie, me jeter à l'eau. Munch avait raison : le drapeau blanc flottait au-dessus du cabanon qui servait de vestiaire, le long de l'enclos carré en toile de tente qui protégeait les baigneuses du regard des curieux.

— Tu vois, se réjouit Tullik, nous n'avons pas besoin de costumes de bain, nous serons cachées par la tente.

— Nous pouvons demander des serviettes à Jacob. L'hôtel lui en fournit.

Nous empruntâmes la jetée en bois branlante qui menait au pavillon. Une petite fille assise sur la passerelle jouait avec un chien qui aboya bruyamment à notre passage. Mal à l'aise, j'accélérai le pas pour lui échapper. Jacob était enfoncé dans une chaise longue sous le auvent. Le tissu rayé ployait sous son poids, et son visage était couvert par un chapeau qui ne laissait dépasser que sa moustache et sa barbe. Il paraissait dormir, mais le bruit de nos pas le fit bondir comme un diable hors de sa boîte.

— Mesdemoiselles, nous salua-t-il en réajustant son chapeau.

— Pourrions-nous, s'il vous plaît, emprunter des serviettes ? demanda Tullik.

— Et des costumes de bain, ajoutai-je.

Jacob porta ses doigts à la bouche et émit un long sifflement.

— Marie ! cria-t-il à la petite fille au chien. Cours donc chercher des serviettes et des costumes pour ces dames.

L'enfant obéit aussitôt et fila vers l'hôtel.

— C'est ma petite-fille. Elle gagne quelques *øre* en rendant de menus services, précisa-t-il en grattant de ses doigts abîmés son menton hérissé de poils.

Je regardai les lignes que Munch avait reproduites avec tant de soin et qui, maintenant que Jacob parlait, dansaient sur son visage.

Tullik plongea la main dans son sac pour en sortir quelques pièces.

— Combien de temps avons-nous ?

— Aussi longtemps que vous le désirez, lui répondit Jacob. C'est tranquille aujourd'hui. Les vacanciers sont à un récital à l'Hôtel de Ville.

Marie revint en courant, à demi cachée par la pile de linge qu'elle tenait serrée contre elle. Nous prîmes les serviettes et les costumes, puis Jacob nous ouvrit le vestiaire.

— Mesdemoiselles, dit-il avec un petit salut, avant de retourner à sa chaise longue.

Tullik se déshabilla en toute hâte, jetant ses vêtements sur le banc comme s'ils étaient infestés de vermine. Elle se dénuda en ma présence sans gêne aucune : j'étais mal à l'aise et je détournai le regard de sa peau blanche. Elle attrapa une serviette et la jeta sur ses épaules, pendant que je desserrais mon corset, savourant la sensation de liberté retrouvée.

— J'y vais, annonça-t-elle, ignorant le costume que Marie lui avait donné. Dépêche-toi !

Je regardai mon costume de bain avec ses manches à volants et ses pantalons longs. Encouragée par la témérité de Tullik, je saisis ma serviette, l'enroulai autour de mon corps nu et avançai vers l'échelle.

Un grand *plouf* se fit entendre lorsque Tullik plongea dans l'eau, suivi par un bruit de halètement et de crachotement quand elle remonta à la surface pour reprendre son souffle.

— Ouuuuuh ! cria-t-elle. Quel délice !

Je posai ma serviette sur la rambarde et hésitai un instant sur le bord avant de me jeter à l'eau. Tullik se mit à rire. Ses lèvres étaient luisantes d'humidité, et ses cheveux flottaient autour d'elle comme des algues dorées.

— Allez, saute ! m'encouragea-t-elle.

Je me bouchai le nez, m'élançai et m'enfonçai dans la fraîcheur délicieuse de la mer.

— N'est-ce pas merveilleux ? s'exclama-t-elle quand je refis surface. C'est si rafraîchissant, si vivifiant !

Elle se mit à nager en cercles autour de moi alors que j'écartais le rideau de mes cheveux et m'essuyais les yeux. Puis elle fit des longueurs sur le dos d'un bout à l'autre de la tente, fendant l'eau de ses bras avec assurance, ses petits seins apparaissant à la surface. Elle continua de virer d'un bord à l'autre, disparaissant parfois juste assez longtemps pour me rendre nerveuse, avant de resurgir dans des éclaboussures, l'eau lui ruisselant du visage comme de l'or liquide. Elle était dans son élément, comme Rán, la déesse marine dont nous apprenions la légende à l'école. Il ne lui manquait que le filet qu'utilisait cette dernière pour capturer les hommes qui s'aventuraient sur l'océan.

— Tu sais, Johanne, déclara-t-elle, les yeux étincelant au soleil, un jour comme aujourd'hui, j'ai envie de faire quelque chose d'insensé, pas toi ?

— Comment cela ?

— Je ne sais pas. Quelque chose d'osé, d'audacieux.

Nous étions face à face dans l'eau et nous maintenions à la surface en battant frénétiquement des mains et des pieds.

— Crois-tu que Munch est déjà sur la plage ? demanda-t-elle.

Je compris aussitôt la nature du danger qui l'attirait. Quelque chose en elle avait atteint une nouvelle intensité depuis notre rencontre avec Munch, une force qui alimentait son naturel intrépide.

— Peut-être, répondis-je.

Son visage brillait d'un feu inquiétant et elle planta son regard dans le mien avec une ardeur que je ne lui avais encore jamais vue.

— Je vais aller le voir, annonça-t-elle, fébrile.

— Que veux-tu dire ?

Elle nagea jusqu'au bout de la tente et souleva la toile imperméable.

— Tullik ? Que fais-tu ?

— Attends ici. Je reviens tout de suite.

Elle plongea et disparut dans les profondeurs.

Je nageai jusqu'à la paroi de la tente et tentai de soulever la toile pour voir de l'autre côté ; mais elle était maintenue en place par des cordes et des piquets en bois et je craignis que la structure tout entière ne s'écroule sur moi. Je nageai alors vers l'échelle et sortis de l'eau. Je m'emparai de ma serviette pour m'en couvrir, furieuse de m'être laissée aller à tant d'imprudence. A l'angle de la tente, je parvins à glisser le doigt dans un petit trou de la toile. Je jetai un coup d'œil dehors et ne vis rien d'autre que la mer à perte de vue, qui venait frapper contre les rochers. Me dressant sur la pointe des pieds, j'agrandis le trou.

— Tullik, murmurai-je, contrariée.

L'image de Nils Ihlen envahit mon esprit. Je me vis déjà traînée dans le bureau de l'amiral pour y subir un interrogatoire. *Pourquoi avais-je laissé Tullik s'éloigner à la nage ? Pourquoi n'avais-je pas essayé de la rattraper ? N'avais-je donc aucun sens des responsabilités pour la laisser partir ainsi sans un geste ? Par ma faute, elle avait péri noyée.* A cet instant précis, je vis par la petite ouverture une tête apparaître dans l'eau. Je retins mon souffle. Luisante, elle fendait les vagues comme un dauphin. Lorsqu'elle se redressa, je distinguai une masse de cheveux : c'était bien Tullik. Je poussai un soupir de soulagement. *Mais que fais-tu ?* Elle continuait de nager en diagonale, en direction de la plage. *Où vas-tu ainsi ?*

Elle s'arrêta brusquement et se mit à ramper. L'eau était si peu profonde qu'elle ne pouvait plus nager. Les vagues venaient mourir contre elle, et elle s'allongea sur le côté, face à la plage, l'épaule et la hanche dépassant nettement de l'eau. Se dressant sur ses avant-bras, elle regarda vers le rivage. Désormais, tout le haut de son corps et son flanc étaient exposés. L'une de ses épaules était légèrement inclinée et un rideau de cheveux retombait sur son bras ; l'autre brillait au soleil, dévoilant sa peau laiteuse. La lumière puissante illuminait ses seins, la courbe de sa taille et le creux de ses hanches. Elle resta ainsi quelques instants, créature sauvage déposée par la marée, irréelle, resplendissante, effrontée et fière. Puis elle se retira à nouveau lentement dans l'eau et disparut sous la surface. Je savais qu'il y avait quelque part sur la plage, hors de ma vue, une paire d'yeux tristes qui la contemplait et une main qui dansait frénétiquement sur un carnet.

Herr Backer ne voyait rien d'anormal à ce que je sois avec Tullik. Ses yeux larmoyants, fatigués par l'âge, ne distinguaient que deux jeunes filles qu'on avait envoyées faire quelques commissions. Rien de plus naturel, en somme.

— Dans quelques jours, il n'y paraîtra plus, dit-il en nous tendant du baume à la lavande par-dessus le comptoir. Mais évite la térébenthine pendant un bon moment. Certaines peaux sont plus réactives que d'autres. C'est une bonne chose que tu ne sois pas peintre, Johanne.

— Non, répondis-je, en effet.

Je ne suis pas peintre. Pas encore.

Tullik prit la pommade et la mit dans son sac.

Une fois sorties de la pharmacie, nous nous retrouvâmes sur la Grand-Place, vibrante de vie en ce jour de marché. Les cris des commerçants nous heurtèrent de plein fouet. Certains hurlaient si fort qu'ils en devenaient presque effrayants. Tullik grimaça et m'agrippa le bras.

— Nous ne sommes pourtant pas sourdes !

— Pour bien vendre, il faut être celui qui crie le plus fort.

— Ils vont faire fuir la clientèle.

— Il n'y a donc pas de marchés à Kristiania ? ironisai-je.

— Si, bien sûr. Non pas que je puisse m'y rendre. Il n'y a que les bonnes qui ont ce privilège.

— C'est ma place habituelle, indiquai-je en montrant

du doigt un lampadaire en face de l'Hôtel Victoria. C'est là que je vends mes fraises.

— Un jour, je t'accompagnerai et je crierai pour t'attirer des clients, rit Tullik.

— Ils partiront en courant.

— Parfait. Ainsi, je pourrai dévorer tes délicieuses fraises à moi toute seule.

Nos pas nous entraînèrent vers les étals de poisson, et l'air marin se chargea de parfums iodés. Thomas était loin de mes pensées, mais soudain il surgit devant nous, soulevant sa casquette, le regard pétillant.

— Johanne ! s'écria-t-il, comme s'il ne voyait que moi. Tu viens faire des emplettes ? Nous avons de la morue et du maquereau.

— Non, nous étions juste en train de…

Je fis un signe en direction de Tullik. Malgré ses beaux cheveux humides et son rire sonore, Thomas ne semblait pas l'avoir remarquée.

— Bonjour, mademoiselle Ihlen, dit-il. Nous ferez-vous l'honneur d'acheter du poisson ?

— Thomas ! m'écriai-je. Nous ne sommes pas là pour acheter quoi que ce soit !

— Cela aurait été avec grand plaisir, répliqua Tullik. Mais malheureusement, la cuisinière est déjà en train de préparer notre dîner.

— Quand reviens-tu ? demanda Thomas, les yeux à nouveau rivés sur moi, inconscient de son manque de tact.

— Thomas !

Tullik éclata de rire.

— Il y a un autre bal, continua-t-il, bien déterminé à me mettre dans l'embarras. Vendredi soir, au Grand Hôtel. Christian va jouer. Viendras-tu ?

— Thomas ! Vraiment, ce n'est pas le moment de…

— Elle ira, interrompit Tullik en croisant les bras.

Thomas approuva de la tête.

— Très bien, dit-il en remettant sa casquette, comme

s'il venait de négocier un bon prix pour une palette de morues.

Pour un peu, il aurait échangé une poignée de main avec Tullik.

— Nous nous verrons là-bas, conclut-il.

Glissant ma main au creux de son bras, Tullik m'éloigna du stand avant que je ne puisse ajouter un mot. Elle ne semblait pas remarquer les regards que lui jetaient les dames de Kristiania. Si elle en était consciente, elle restait imperméable à leur curiosité mêlée de désapprobation.

— *Nous nous verrons là-bas*, dit-elle, singeant Thomas, quand nous eûmes quitté la place pour une ruelle tranquille. Qui était-ce ?

— C'est juste Thomas, répondis-je timidement.

— Juste-Thomas ? Juste-Thomas qui ? me taquina-t-elle.

— Thomas Askeland.

— Il t'apprécie, affirma-t-elle. Et toi ?

— Peut-être.

Tullik poussa un petit cri et me sauta au cou.

— Peut-être ? s'écria-t-elle. Juste peut-être ? C'est combien, peut-être ? Un peu ? Beaucoup ?

— Tullik ! protestai-je, heureuse de me laisser chahuter. Ça suffit !

— Mais *peut-être* que tu l'aimes bien ! continua-t-elle, resserrant l'étau de ses bras jusqu'à ce que nos fronts se frôlent.

Nous étions sous le couvert de son grand chapeau, à l'abri de sa longue chevelure, suffisamment proches pour partager nos secrets les plus intimes.

— Peut-être que tu l'aimes… beaucoup ! lança-t-elle.

Elle me frôla la joue de ses lèvres pulpeuses, provocante et aguicheuse, et je sentis son souffle sur ma bouche.

— Peut-être que tu le *désires*, chuchota-t-elle.

Le monde extérieur commença à s'effacer tandis que Tullik m'ensorcelait, joueuse.

— Tu le désires, n'est-ce pas, Johanne ? murmura-t-elle.

Sa langue brilla entre ses lèvres entrouvertes et elle

m'attira à elle encore un peu plus. Ses mains frôlaient ma taille. Nous étions cachées par les cascades de fleurs d'un buisson de jasmin dont le parfum délicat et captivant jouait avec mes sens. Enfermée dans son monde, je laissai Tullik m'entraîner vers elle, m'enserrer plus fort.

— Tu le désires… oui, je le sens, chuchota-t-elle d'une voix rauque et grave.

Nos seins se frôlaient, nous avions la peau moite dans cette chaleur, le souffle court, le cœur battant à tout rompre. Je m'embrasais à son contact alors que les limites entre rêve et réalité se brouillaient. Ses lèvres effleurèrent à nouveau les miennes et s'attardèrent un court instant, juste le temps d'allumer l'étincelle du désir au creux de mes reins. Il n'y avait que moi qui habitais le monde de Tullik, et pendant un bref instant, je sus ce que c'était d'être vraiment aimée.

J'ouvris la bouche pour recevoir son doux baiser, mais elle partit d'un grand éclat de rire et s'écarta brusquement.

7

Lumière

Nous édifions ainsi le monde visible avec trois éléments, le clair, l'obscur et la couleur, et rendons du même coup la peinture possible.

Traité des couleurs,
JOHANN WOLFGANG VON GOETHE.

Dans les jours qui suivirent, chez les Ihlen, je me retrouvai écartelée entre deux mondes séparés par un gouffre qui ne faisait que grandir. Fru Berg s'était faite plus sévère, Ragna plus renfermée. Je me levais tôt et dînais seule. A mesure que je m'habituais à mes fonctions et m'installais dans une routine, les tâches domestiques me demandaient moins d'efforts et progressivement je pus rendre visite à la petite chambre secrète dans ma tête tout en travaillant. L'analyse des trésors que j'y avais consignés rendait supportable le nettoyage des tapis et des sols. Mon amitié grandissante avec Tullik compensait quant à elle la rancune que Ragna faisait mijoter dans sa cuisine.

A la demande de Tullik, je dormais tous les soirs à Solbakken. Une fois libérée de mes fonctions, je rejoignais Tullik dans sa chambre, épuisée, et nous partagions des secrets à mi-voix jusqu'au cœur de la nuit. Nous parlions de tout et de rien, mais surtout, de Munch.

— Que voulais-tu dire, quand nous l'avons rencontré sur la colline ? demanda-t-elle un soir où nous étions assises côte à côte sur son lit.

— A propos de quoi ?

— De ton travail. Tu disais que c'était la raison pour laquelle tu ne pouvais pas venir. Avais-tu prévu de peindre avec lui ?

— Oui. Il a vu mes dessins l'an passé et il les a trouvés plutôt bons.

— Tu dessines, toi aussi, Johanne ? s'exclama-t-elle en se rapprochant brusquement de moi.

— J'essaie. C'est ainsi que j'exprime le mieux ce que je ressens. Mais cela ne plaît pas à ma mère. Munch m'a donné un livre, je suis obligée de le cacher.

— Quel livre ?

— Le *Traité des couleurs*, précisai-je, surprise de m'entendre prononcer le titre à haute voix. C'est écrit par un Allemand qui s'appelle Johann, presque comme moi.

— Johann von Goethe ? s'écria Tullik.

— Oui, c'est cela.

— J'ai moi aussi l'un de ses ouvrages, déclara-t-elle en sautant du lit. Quelque part par là, dans ce tas.

Elle se faufila jusqu'à une pile de livres à l'équilibre précaire, du côté de la fenêtre, et se mit à réciter un poème.

— *Vous n'y atteindrez jamais, si vous ne sentez pas fortement, si l'inspiration ne se presse pas hors de votre âme, et si, par la plus violente émotion, elle n'entraîne pas les cœurs de tous ceux qui écoutent.* C'est *Faust*, dit-elle, tu connais ? Et puis, plus loin : *Vous pourrez vous attendre à l'admiration des enfants et des singes, si le cœur vous en dit ; mais jamais vous n'agirez sur celui des autres, si votre éloquence ne part pas du cœur même*[1]. A-t-il lu *Faust*, lui aussi ?

— Je ne sais pas, répondis-je, écrasée par le senti-

1. Extrait de la traduction de Gérard de Nerval, éditions Dondey-Dupré père et fils, 1828.

ment de mon infériorité. Il m'a juste donné le livre sur les couleurs.

— Tu dois absolument le laisser devenir ton maître. Nous allons retourner chez lui. Je t'accompagnerai.

— Je ne peux pas, j'ai du travail ici. Et si ma mère me surprend chez Munch, elle va me battre comme plâtre. Pour elle, c'est le diable.

— Pourquoi le saurait-elle ? s'enquit Tullik, les yeux brillant d'un éclat intense.

— Munch a dit la même chose. Mais pourtant…

— Pourtant quoi ? Si c'est ton cœur qui parle, si tu veux peindre plus que tout au monde, alors il faut que tu peignes. Nous irons demain !

— Mais c'est impossible, j'ai trop à faire.

— Je trouverai quelque chose, assura-t-elle en tapotant la couverture de *Faust* comme si toutes les réponses s'y trouvaient.

Tullik était la cadette des filles Ihlen, un statut qui incitait l'amiral et son épouse à lui passer tous ses caprices.

Nous sortions du bois du côté d'Åsgårdstrand quand elle reprit la parole :

— Je leur ai dit que j'avais besoin que tu m'aides à choisir du tissu pour une nouvelle robe.

— Ne serait-il pas plus judicieux que tu y ailles avec tes amies de Kristiania ?

— Elles m'agacent prodigieusement, Mère le sait bien. Elle t'apprécie et n'a donc pas d'objection à ce que tu m'accompagnes, tant que tu fais ton travail à notre retour.

J'allais prendre de plus en plus de retard, ce qui ne manquerait pas de mettre Ragna et Fru Berg en rogne ; mais avec ce beau soleil qui réveillait l'été sous mes yeux, j'entrai dans Åsgårdstrand sans plus penser à mon quotidien. Les clématites fleurissaient et les roses grimpaient aux barrières, encadrant portes et fenêtres de leur parfum envoûtant. La nature avait commencé à peindre et je devais faire de même.

— Nous ne pouvons pas arriver comme cela à l'improviste, protestai-je alors que nous approchions de la maisonnette du peintre.

— Et pourquoi pas ? répliqua Tullik.

— Il faut être invité. Il a besoin d'être… comment dire, *d'humeur* à recevoir des gens.

— Alors à nous de jouer ! rétorqua-t-elle en retirant son chapeau et en libérant sa chevelure. Suis-moi !

Nous passâmes devant la porte principale, que Munch n'utilisait jamais. Elle restait close tout l'été pour inciter les passants à poursuivre leur route. Tullik s'arrêta à la barrière et se retourna vers moi.

— Alors ? demanda-t-elle en me prenant la main. Prête ?

Comment pourrais-je jamais me sentir prête à pénétrer dans le jardin de Munch ?

— Bonjour ! cria Tullik avant que je ne puisse l'en empêcher. Herr Munch ? Etes-vous là ?

Il était assis à son chevalet, à l'arrière de la maison, sa palette sur son pouce gauche. A ses pieds, une boule de papier journal avec à l'intérieur ses tubes de peinture : il aimait les transporter ainsi. Le tableau auquel il travaillait représentait un homme sur un pont, face aux remous violets d'un fjord. Des tons doux — bleu, marron, noir — dominaient la partie inférieure du tableau. L'homme, au premier plan, portait un manteau sombre et un chapeau semblables à ceux de Munch. Deux silhouettes en haut-de-forme et costume noir s'éloignaient à l'arrière-plan. Le ciel aux lignes ondulantes était vide de couleurs : il n'avait pas encore été peint.

La tristesse qui se dégageait du tableau me fit reculer d'un pas et je portai la main à mon cœur. J'aurais voulu serrer Munch dans mes bras, là, dans son jardin, tant il irradiait la souffrance.

— Tullik, murmurai-je. Allons-nous-en.

Elle m'entraîna vers lui malgré ma résistance et envahit soudain le peintre de sa présence entêtante comme un parfum de roses.

— Nous passions devant chez vous, dit-elle quand il leva les yeux. J'espère que nous ne vous ennuyons pas ?

A mon grand étonnement, Munch quitta son chevalet et plaça son pinceau dans un bocal posé à même le sol.

— Mademoiselle Ihlen, déclara-t-il. C'est vous.

— Oui, sourit-elle. Nous voulions juste vous dire bonjour.

Munch tourna vers moi ses yeux bleus et tristes et je m'excusai du regard.

— Johanne. J'ai une toile qui t'attend dans mon atelier. Je vais te la chercher. Puisque tu es là, autant que tu…

Il s'arrêta et finit sa phrase d'un geste.

— Je vais demander à Inger de nous préparer du café.

Il emporta le tableau représentant l'homme sur le pont et disparut dans l'atelier. Tullik posa son chapeau sur le dossier de la chaise et déambula dans le jardin, admirant les autres toiles éparpillées dans l'herbe.

— Il faut mettre une sous-couche, précisa Munch en revenant, un tableau sous le bras.

Il me tendit un morceau de craie blanche, puis posa la toile sur le chevalet et me fit signe de commencer.

— Frotte-la simplement — oui, c'est bien. J'ai mélangé la peinture avec des pigments de cadmium. Cela donne des couleurs éclatantes, surtout les jaunes. Regarde, dit-il en me montrant un bocal rempli d'un beau liquide jaune vif. Tu veux l'essayer ?

Quand j'eus fini de préparer ma toile, il me tendit un pinceau.

— Vas-y. C'est de la toile de jute. Tu sens cette texture ? Elle absorbe vite la peinture, il faut travailler par couches.

Peu inspirée, je regardai en direction du jardin. Tullik se promenait le long de la barrière, observant attentivement les tableaux appuyés contre les rochers.

— Ne peins pas ce que tu vois, Johanne, m'intima Munch en me tendant sa palette. Peins ce que tu *ressens.*

Je plongeai le pinceau en crin de cheval dans le liquide jaune et étirai la couleur sur la toile avec de grands mouvements.

Ce que je ressens ?

Là, maintenant ?

La forme du soleil apparut sous mes yeux sur la toile. Sans réfléchir, j'ajoutai des rayons dorés, ondulants comme les cheveux de Tullik. Des tentacules de feu.

— Cherche la lumière, murmura Munch. Oui, c'est cela. Laisse le pinceau te mener là où il l'entend.

J'accélérai, effleurant la toile par petites touches jusqu'à ce que les ondes de soleil se mettent à palpiter de vie.

Comment je me sens ?

Pleine de fougue, d'énergie.

Comment je me sens ?

Heureuse. Joyeuse. Libre. Je me sens libre.

— Cherche la lumière, souffla de nouveau Munch.

J'ajoutai du rouge à ma palette pour souligner de pourpre les bras de feu de l'astre.

Comment je me sens ?

Déterminée. Vivante. Je me sens vivante.

Mon pinceau courait follement sur la toile de jute, créant toujours plus de vagues, de ramifications, de tentacules rayonnant depuis le centre du soleil. Par endroits, la peinture était peu épaisse et laissait deviner la toile ; ailleurs des amas de jaune de cadmium coagulaient pour former des pics de feu. Brûlants. Eclatants. Electrisants. Ondulants. Tourbillonnants. Rayonnants. Je continuai de peindre. Je caressai la toile, tamponnai la peinture à légers coups de pinceau et restai à l'écoute, comme s'il ne s'agissait que d'une longue conversation avec moi-même. Le jardin alentour s'effaçait, le temps suspendait son vol. Mes émotions, mes sensations jaillissaient plus spontanément que ne l'avaient jamais fait mes mots. Les aplats de jaune disaient mon affection pour Tullik, le souvenir de ce baiser que nous avions failli échanger sous le jasmin. Ses lèvres sensuelles. Sa chevelure. Et puis il y avait Thomas, quelques taches de doute, éparpillées de-ci de-là. Munch : d'étranges ondulations. J'avais perdu toute conscience de mon environnement, de mon corps, de mes pensées. Ce n'est que lorsque Inger Munch surgit près de moi que je pus enfin prendre du recul et contempler mon œuvre.

— C'est plein de vie, me déclara Inger. Je ne savais pas que tu peignais aussi bien, Johanne.

Je me levai et posai le pinceau sur un support.

— Je ne savais pas que je pouvais peindre tout court, répondis-je.

— Du café ?

Je cherchai Tullik du regard pour suivre son exemple. Elle était avec Munch au milieu du jardin. Il se tenait tête baissée, les mains dans le dos ; Tullik était tournée vers lui, et ils se parlaient à voix basse.

— Edvard ! cria Inger. Le café est prêt !

— Hmm ? grogna-t-il en se retournant vers la maison. Qu'y a-t-il, Inger ?

— Tu voulais du café ?

— Oui, parfait, répondit-il, mâchoires serrées.

Tullik et Munch vinrent contempler mon tableau avant de rejoindre Inger à table.

— Tu as un instinct très sûr, Johanne, affirma Munch. Mais l'histoire n'est pas encore complète. Je le laisserai là pour que tu puisses revenir y travailler.

— Merveilleux, dit Tullik, sans vraiment regarder mon œuvre.

Elle étudiait le visage de Munch.

— Il y a un bal demain soir au Grand Hôtel. Peut-être que Johanne y trouvera son inspiration ? Qu'en pensez-vous, Herr Munch ?

— Tant qu'elle peint ce qu'elle ressent, l'inspiration peut venir de n'importe où, dit-il, écartant la chaise de Tullik pour l'inviter à s'asseoir à ses côtés.

*
* *

Mon père disait toujours qu'il y avait bien des manières de pénétrer dans la forêt. L'on pouvait y entrer en courant, le cœur ouvert à tous les possibles, sans savoir ce qui vous attendait au prochain tournant ; ou l'on pouvait aller d'un pas tranquille, en devisant et en riant avec des amis, insensible aux bruits discrets de la forêt ; ou encore flâner au bras d'un amant, à la recherche d'un refuge pour des instants volés à deux. L'on pouvait enfin s'y glisser silencieusement, attentif au moindre souffle de la forêt, dans un état de communion magique et d'osmose muette avec la nature.

C'est ainsi que Tullik et moi pénétrâmes dans les bois le lendemain soir. Nous suivions le sentier en silence, conscientes de la présence de l'autre mais offertes tout entières à la forêt. La belle lumière de fin de journée, douce et triste, étirait les derniers vestiges du jour entre les branches, tissant un voile arachnéen à l'éphémère beauté. L'eau vive d'un ruisseau nous dépassa soudain en bondissant, se précipitant vers la mer dans de joyeuses éclaboussures. Tout là-haut dans les cimes, les oiseaux faisaient entendre leurs chœurs célestes, des chants qui parlaient de survie et d'amour. Le vent nous caressait, effleurait plantes et feuillages, courait à travers la forêt vers une destination inconnue. Le bruit inimitable de la mer, ce flux et reflux lent et hypnotique des vagues, formait entre les arbres un motif musical. Je puisais toujours du réconfort au cœur de ce fjord qui s'était montré si généreux avec moi depuis le jour de ma naissance.

Je portais l'une des robes de Tullik. Elle m'avait invitée à la lui emprunter pour le bal, en pensant qu'elle plairait à Thomas. C'était une robe jaune pâle magnifique, brodée de minuscules motifs en éventail et ornée de nœuds délicats aux manches et au bas de la jupe ; un travail si minutieux qu'il avait dû exiger des doigts de fée. Combien d'heures de labeur cette robe exquise avait-elle demandé, véritable œuvre d'art créée sur mesure pour Tullik ? L'étoffe fraîche et fluide glissait sur ma peau comme la crème s'écoulant d'une jatte. Elle sentait le jasmin et la fragrance musquée des cheveux de Tullik.

La tenue qu'elle portait était d'autant plus saisissante qu'elle était simple. La robe argentée retombait en cascade, élégante, épurée ; une ceinture en soie gris anthracite soulignait la taille. L'encolure moderne et plongeante laissait le décolleté nu — elle ne portait pas de bijoux. Rien ne venait détourner l'attention de sa chevelure flamboyante qui retombait en boucles souples sur ses épaules.

La nuit était douce et nous ressemblions, dans nos vêtements de fête, à deux jeunes oiseaux prêts à prendre leur envol. Plus nous nous enfoncions dans la forêt et plus elle se faisait bruissante de secrets. J'écoutais ses chuchotements mêlés au bruissement infini des arbres qui ployaient sous le vent. Loin au-dessus de nos têtes, je croyais entendre résonner des mises en garde étouffées. Tullik était silencieuse. Son espièglerie habituelle avait fait place à la mélancolie ; je marchais à ses côtés sans mot dire, avec la sensation d'être observée par les feuillages.

La magie de la forêt avait agi sur nous et c'est en égales que nous arrivâmes à Åsgårdstrand, du moins dans mon esprit. Le charme ne fut rompu qu'une fois dans Nygårdsgaten, quand Tullik prononça les premiers mots depuis notre départ de la maison.

— Quelle belle soirée ! s'exclama-t-elle. Si Dieu était peintre, il passerait Ses étés ici, émerveillé par les fruits de Sa création, heureux d'y puiser Son inspiration et d'en nourrir Ses sens. S'Il existe, bien sûr. Crois-tu en Dieu, Johanne ?

C'était une question qu'on ne m'avait encore jamais posée et qui ne m'était pas venue à l'esprit. Dieu était quelqu'un que je voyais tous les dimanches à l'église de Borre, qui n'aimait pas que la maison soit sens dessus dessous, qui n'appréciait guère Munch et ses tableaux. Je n'avais jamais ressenti le besoin de questionner Son existence.

— Oui, répondis-je. N'est-ce pas le cas de tout le monde ?

— Jésus a dit : *Dieu est en moi. Je suis en Dieu. Le Père est en moi. Je suis dans le Père.* N'est-ce pas le genre de choses que nous pourrions dire, toi et moi ? Cela pourrait s'appliquer à nous aussi, tu ne crois pas ?

Ses questions me laissaient perplexe. J'essayai de réfléchir à une réponse appropriée mais j'avais l'esprit ailleurs et le cerveau rouillé. J'étais tout aux sensations que me procuraient le fjord, les vagues, les bruits de la nuit. Puis un fragment du livre me revint en mémoire.

— Goethe dit : *Si l'œil n'était pas solaire, comment apercevrions-nous la lumière ? Si ne vivait pas en nous la force propre de Dieu, comment le divin pourrait-il nous ravir ?*

— Exactement. Je me demande ce qu'en pense Edvard.

Edvard ? Depuis quand l'appelait-elle Edvard ?

— S'il est là ce soir, je lui poserai la question, reprit-elle.

Nous passâmes sans nous arrêter devant les cabanes de pêcheurs et la maisonnette de Munch. Mais Tullik ne pouvait s'empêcher d'y jeter des coups d'œil furtifs, et lorsque la maison fut hors de vue, elle se retourna encore, comme retenue par un fil invisible.

A notre arrivée, le Grand Hôtel déversait déjà sur la plage des cascades de rires et de lumière, comme un danseur extravagant. Dans le foyer, nous fûmes accueillies par le son de l'orchestre et la vision éblouissante des dames de Kristiania dans leurs tenues éclatantes de couleurs. Elles se faisaient maintes politesses, obséquieuses et hypocrites : Tullik les ignora et choisit de se tenir à l'écart, préférant s'associer à moi, simple domestique.

— Allons voir en bas si Thomas s'y trouve, dit-elle. Il doit sans doute te chercher.

Elle me prit par le bras et nous descendîmes le grand

escalier, guidées par le son du violon. Quand j'entrai dans la salle de bal, je n'étais plus la jeune fille anonyme que j'avais été la dernière fois. Les regards se portèrent sur nous et nous clouèrent sur le seuil, passant de l'une à l'autre, questionnant notre improbable duo. Les gens du village me regardaient d'un air désapprobateur : *Pour qui me prenais-je donc, parée comme une dame, avec ma nouvelle amie de Kristiania ?* Les visiteurs de la capitale n'étaient pas en reste, foudroyant Tullik du regard. Elle avait donc le culot de se détourner d'eux et d'étaler notre amitié au grand jour ?

— Qu'ils nous dévisagent, si cela les amuse, déclara Tullik. Peu nous importe ce que peuvent penser les gens.

Nous fîmes notre entrée d'un pas assuré, et Thomas surgit aussitôt.

— Johanne ! Tu es là !

— Je t'avais bien dit qu'elle viendrait, répliqua Tullik. Tu ne l'invites pas à danser ?

— Si, bien sûr.

Il me tendit la main : je flottai jusqu'à lui. Nous tournoyâmes sur la piste et je fus bientôt transportée par la danse.

— Tu as bien belle allure, me complimenta Thomas en pressant ses lèvres sur mon cou.

Il me faisait virevolter entre ses bras et tout disparut à nouveau au rythme de la musique. Nos mouvements rappelaient les tourbillons du pinceau sur la toile. Des touches rapides, ici et là, un sentiment nouveau, éclatant de vie. Je fermai les yeux et vis du jaune — or, citron, blé, bronze — et des tons cramoisis comme les rayons de mon soleil. Je sentais le tableau s'élever en moi, plus vite, toujours plus vite, et je ne faisais plus qu'un avec lui, comme je n'avais fait qu'un avec les arbres de la forêt.

Nous continuâmes ainsi, tourbillonnant et virevoltant, danse après danse. Jaune, bronze. Jaune, bronze. Jaune, bronze, pourpre, or. Je ne pensais plus à Tullik, jusqu'à ce que la musique s'estompe et que Thomas me tende un verre de bière.

— Tu danses comme une vraie dame maintenant, me dit-il. Comment ça se fait ?

— J'ai un bon professeur, répondis-je en souriant. Mais où est Tullik ? L'as-tu vue ?

— Je n'avais d'yeux que pour toi, tu n'as pas remarqué ?

Je la cherchai du regard parmi les danseurs et les petits groupes qui discutaient le long du mur.

— Nous avons promis à Fru Ihlen de rentrer ensemble, et pas trop tard.

— Elle ne doit pas être loin, dit-il en m'attirant à nouveau vers la piste de danse.

— Non, protestai-je.

Je repensais à l'humeur mélancolique de Tullik.

Je repoussai Thomas, cherchant désespérément une chevelure rousse. Je le laissai avec les musiciens et fendis la foule bruyante de conversations. Des hommes en gilet et bras de chemise levaient leurs verres et trinquaient dans de grands éclats de rire, tandis que les femmes gloussaient, éparpillées en grappes dans la pièce. Leurs têtes se rapprochaient pour mieux échanger plaisanteries et ragots, qu'elles arrosaient de quantité de vin et de champagne. Je leur en voulais de leur gaieté. Où pouvait bien se trouver Tullik ? Je balayai des yeux la salle de réception, puis partis en courant vers le hall de l'hôtel. Ne l'y trouvant pas, je me précipitai vers la salle à manger, qui se révéla vide et plongée dans le noir.

— Je l'ai perdue, annonçai-je à Thomas à mon retour, d'une voix brisée.

— C'est une adulte, Johanne, quelle importance ? Elle est bien assez grande pour s'occuper d'elle-même.

— Mais nous avions promis à Fru Ihlen, objectai-je. Je ne vois pas pourquoi elle m'aurait abandonnée. Je ne vois pas où…

Avant même d'avoir fini ma question, je devinai la réponse.

— Je dois y aller. Je dois me rendre à Nygårdsgaten.
— Alors laisse-moi t'accompagner.
Nous quittâmes l'hôtel avant la fin du bal. Pressée, je devançai Thomas de quelques pas pendant l'ascension de Havnagata, avant que nous tournions dans Nygårdsgaten.
— Pourquoi est-ce si important ? se plaignit Thomas.
— A cause de son humeur. Elle n'était pas comme d'habitude, répondis-je sans lui demander de comprendre.
— Pourquoi te soucies-tu de ses humeurs ?
— Je suis inquiète, c'est tout.
— Mais pourquoi ? Tu es avec moi ce soir, plaida-t-il en me prenant la main. Pourquoi t'inquiètes-tu de savoir où elle est ?
— Elle est mon…
Amie. J'allais dire *amie*.
— Oui, c'est ta patronne. Mais tu n'es pas au travail, ce soir, Johanne. Viens, retournons danser.
— Je dois d'abord la trouver, dis-je en me dégageant et en reprenant de l'avance. Il faut que je m'assure qu'elle n'est pas en danger. Tu ne sais pas comment elle est.
L'entendant pousser un gémissement, je crus qu'il allait tourner les talons, mais il me suivit en traînant les pieds.
Quand j'atteignis le portillon du jardin de Munch, j'attendis que Thomas me rattrape.
— Que faisons-nous ici ?
— Chut ! Il ne faut pas qu'on t'entende ni qu'on te voie.
Les derniers reflets mourants d'une bougie brillaient doucement aux fenêtres. Le jardin était calme, la brise du soir soufflait doucement. Je soulevai le loquet du portillon, sensible au métal froid sous mes doigts. Scrutant le jardin, je vis la scène de rue, avec ses personnages aux yeux agrandis par l'effroi qui cherchaient à s'échapper du cadre. Derrière eux, une flamme rousse. Tullik me tournait le dos et regardait le portrait de Laura Munch face à son ombre. Je m'apprêtais à entrer quand j'entendis le bruit de la porte arrière de la maison s'ouvrir et se refermer, puis un bruit de pas sous le porche. Je lâchai

le loquet et reculai vivement, écrasant les pieds de Thomas au passage.

Il me passa le bras autour de la taille et nous restâmes ainsi accroupis près du portillon.

— Il fallait que je revienne, entendis-je Tullik déclarer. J'avais trop de questions.

Munch répondit de sa voix douce :

— Bien sûr.

— Croyez-vous en Dieu ? demanda-t-elle.

Elle lui présenta cette question grave avec simplicité, comme si elle lui offrait une coupe de champagne.

— Pourquoi cela vous intéresse-t-il ?

— Pour rien, si ce n'est que cela me rendrait triste que vous ne croyiez pas en Lui. Votre foi importe peu, mais quand je regarde vos tableaux, je vois quelque chose de si spirituel, de si beau, que pour moi cela ne peut venir que de Dieu.

Munch se rapprocha d'elle.

— C'est vrai, j'ai douté de Dieu. J'ai prié pour ma mère et ma sœur Sophie, mais en vain. Où était Dieu à ce moment-là ? Mon père était tellement convaincu que nos prières allaient les sauver, jusqu'à leur dernier souffle. J'ai prié pour lui aussi, quand son heure est venue, mais Dieu ne l'a pas épargné davantage. Est-ce que cela veut dire que Dieu n'existe pas ? Je n'en sais rien. J'ai été fidèle à la déesse de l'Art et elle me l'a bien rendu. Ce que vous voyez dans mes tableaux, c'est l'âme. Le véritable artiste s'intéresse aux tribulations de l'âme, il met son talent au service de ce qui dépasse l'entendement, la raison. Lisez-vous Dostoïevski, mademoiselle Ihlen ?

— Tullik. S'il vous plaît, si nous devons être amis, appelez-moi Tullik.

— Nous allons donc être amis ?

Ils se rapprochèrent et leurs voix se firent murmures dans l'air du soir.

— Oui, répondit-elle d'une voix haletante. Oui, il le faut.

— Que diriez-vous d'une promenade, Tullik ? La soirée est si belle.

Lorsque j'entendis leurs pas approcher du portail, je poussai Thomas vers le chemin qui bordait les maisons voisines et nous nous y réfugiâmes précipitamment.

— Ils sortent, annonçai-je, accroupie derrière la haie.

Thomas s'en moquait bien.

— Si nous retournions au bal ? Maintenant que tu sais qu'elle va bien ? chuchota-t-il.

— Non, je ne veux pas la perdre à nouveau.

Tullik et Munch sortirent dans la rue et partirent en direction de la forêt de Fjugstad.

— Viens, nous allons les suivre, dis-je.

— Dans les bois ?

J'avais piqué sa curiosité.

— Oui, dans les bois.

Attentifs à bien garder nos distances, nous nous glissâmes à leur suite alors qu'ils approchaient de l'orée du bois. Leurs corps se frôlaient en marchant. La robe argentée de Tullik lui donnait une allure spectrale dans la nuit tombante, et ses cheveux faisaient comme un voile de soie qui les protégeait tous deux. Elle pencha la tête vers l'épaule de Munch, et soudain, devant la gueule béante de la forêt, il lui prit la taille et les deux silhouettes n'en firent plus qu'une.

La forêt s'embrasait à leur passage. Les troncs se découpaient sur fond de lueurs incandescentes, et les étendues de pins sombres prirent des reflets auburn quand elles se refermèrent sur le couple. Tullik et Munch entraient dans la forêt à la façon des amants, comme bien d'autres avant eux.

— Viens, souffla Thomas, soudain alerte. Que nous importent Mlle Ihlen ou ce fou de Munch ? Ce soir, tu es mienne, Johanne Lien.

8

Rouge cerise

La nature entière se manifeste au sens de la vue par la couleur.

Traité des couleurs,
JOHANN WOLFGANG VON GOETHE.

Effrayée et excitée, j'acceptai la main de Thomas et courus vers le bois. Le vent se fit grisant sous le couvert des branches.

— Suis-moi, Johanne, murmura-t-il en m'entraînant hors du sentier vers la pénombre rougeoyante.

Il m'embrassa le cou puis passa ses mains puissantes dans mes cheveux, enroulant des mèches autour de ses doigts, un peu brusquement parfois. Sa bouche dévorait la mienne. Chaude et exigeante. Rouge. Cerise.

Il se colla contre moi sans interrompre nos baisers et je le laissai me toucher comme il l'entendait. Ses mains frôlaient mes seins, mes hanches, mes jambes, descendaient sous ma jupe avant de remonter, traçaient des lignes le long de mes cuisses. Ses caresses attisaient une flamme. La fleur du désir, vermeille, écarlate. J'étais prête. Mes hanches le cherchaient, se soulevaient, retombaient. Invitaient sa main. Mais il ne me touchait pas — pas encore. Ce n'étaient plus ses doigts que je sentais contre moi mais le renflement de son pantalon qui pulsait de désir, pressant. Battements sanguins. Plaisir. Pourpre. Fuchsia. Or.

Etait-ce la robe de Tullik ou bien les floraisons de l'amour dans le sous-bois qui me rendaient si légère ? J'enroulai ma jambe autour de la sienne. A nouveau, il souleva ma robe et mon jupon. Cette fois-ci, sa main me toucha délicatement, là où personne ne m'avait jamais touchée. Il poussa un gémissement et continua son exploration. Son doigt caressa, dessina des cercles. Glissa, s'enfonça. Je laissai échapper un cri mais le laissai faire, encore et encore.

Une vague de culpabilité me fit monter le feu aux joues. Indigo. Je le repoussai brusquement.

— Non, Thomas. Arrête !

Il se figea, le souffle court, l'air meurtri.

— Je ne peux pas. Pas maintenant. Je suis trop jeune. Je ne me sens pas assez mûre. Je suis désolée, balbutiai-je en lissant les ondes de peur qui venaient froisser la jolie robe de Tullik.

Il s'écarta et s'adossa à un arbre. Quand il eut repris son souffle, il me regarda, un léger sourire sur le visage.

— Johanne, que dirais-tu de m'épouser ?

— Tu me demandes en mariage ?

— Oui !

— Je suis bien trop jeune pour me marier. Je n'ai que seize ans.

Nerveuse, je portai la main à l'épaule et goûtai la sensation du tissu sous mes doigts.

— Nous pourrions nous fiancer. Tu m'apprécies, n'est-ce pas ?

— Oui, répondis-je.

S'il m'avait laissée seule, je crois que je me serais mise à pleurer.

— Alors pourquoi fais-tu cette tête ?

— Je n'avais jamais réfléchi à l'avenir, c'est tout, me défendis-je en redressant l'encolure de ma robe.

— Tu n'es pas obligée de me donner tout de suite une

réponse, dit-il en me prenant la main et en déposant un baiser sur le bout de mes doigts. Mais réfléchis-y.

Je balançai nos deux mains enlacées, à la manière des enfants. J'étais terrifiée par son sérieux, effrayée par ce que j'avais mis en mouvement. La nuit tombait et j'avais peur. J'avais à nouveau perdu Tullik.

Attirée par le bruit rassurant du ressac, je suggérai de nous rendre à la plage. Une lune pâle émergeait de la mer, à peine troublée par quelques vagues ; il se dégageait de la scène une impression de pureté qui m'attirait. Laissant derrière nous le murmure du ruisseau qui traversait les bois, nous vîmes les arbres s'écarter et le sentier tourner pour rejoindre le rivage. C'est là que je les trouvai, seuls parmi les pins.

Tullik tournait le dos à la mer. Son visage était levé vers le ciel, les yeux mi-clos. Elle avait les mains dans le dos et la poitrine tendue en avant. Le clair de lune parsemait de paillettes d'or ses cheveux et sa robe ; ses lèvres étaient offertes comme dans l'attente d'un baiser. Munch la regardait, l'étudiait. Ils ne se parlaient pas.

Derrière Tullik s'étendait une mer étale d'un bleu violet. Des rochers émergeaient des eaux peu profondes, de loin en loin, comme des têtes grimaçantes venues troubler la paix ambiante. Entre les troncs d'arbre, la lune brillait, jaune et lumineuse, vaste colonne dorée sur le bleu de la mer.

Munch releva ses manches et s'avança vers elle. Il se mit à lui arranger les cheveux, dégageant quelques mèches pour couvrir ses épaules et laissant l'essentiel de la masse retomber dans son dos.

— On dirait une sirène, murmura-t-il.

Tullik leva le menton ; ses lèvres entrouvertes ne demandaient qu'à être embrassées. Munch glissa une main derrière sa nuque et l'attira doucement à lui. Leurs bouches se frôlèrent et Tullik l'enlaça, lui rendant son baiser. Je regardai Munch se faire aspirer, impuissant, dans le monde de Tullik.

*
* *

Le temps que je me décide à révéler ma présence, la forêt s'était faite maléfique, jetant un sort dont je ne pouvais deviner les conséquences mais dont je ressentais déjà la puissance. Loin de recouvrir le ciel d'un manteau noir qui permettrait aux étoiles de scintiller, la nuit d'été n'offrait qu'un gris lavande terni qui forçait la lune à redoubler d'ardeur.

L'écho de rires et de voix m'indiqua soudain que le bal était fini. Des groupes de noceurs se succédaient dans les bois ; certains, pris de boisson, zigzaguaient vers la mer et s'amusaient à s'éclabousser. Je renvoyai Thomas chez lui. Nous avions passé la soirée à suivre Tullik à distance respectueuse, de crainte de la perdre à nouveau. Je ne voulais pas me montrer indiscrète mais me sentais incapable de la laisser seule. De mon poste d'observation, j'avais vu l'intensité croissante des baisers du couple, leurs étreintes, leurs caresses. Je ne pouvais m'empêcher d'être fascinée, excitée par cette soif mutuelle, par cette faim dévorante.

Quand Tullik m'aperçut par-dessus l'épaule de Munch, elle le repoussa gentiment. Il s'éloigna d'un air penaud vers la plage, et elle s'élança vers moi. Un mélange de soulagement et de peur me noua l'estomac : toute trace de mélancolie avait disparu sur son visage et je retrouvai la Tullik de toujours, pleine de fougue et de vie, amoureuse du danger.

— Johanne, s'exclama-t-elle avec un sourire radieux, il ne peut pas être déjà l'heure de rentrer, n'est-ce pas ?

— Si. Nous avons fait une promesse à ta mère. Tu m'as laissée seule au bal… Je te cherchais.

— Je serais rentrée. Je ne savais pas l'heure qu'il était et la soirée était si belle.

Tullik avait une fois de plus étiré le temps selon son bon plaisir.

— Le bal est terminé. Nous devons absolument rentrer à la maison.

— Bien. J'arrive.

Elle se tourna à nouveau vers Munch, qui se tenait face à la mer.

— Edvard ! appela-t-elle. Je dois y aller.

— Laissez-moi vous raccompagner, répondit-il en trébuchant sur les galets.

Ils me suivirent jusqu'à la lisière du bois. Mon cœur se serra quand, à la frontière entre Fjugstad et Borre, la magie se rompit et je redevins simple servante, l'employée de Tullik. Ma belle robe n'était plus qu'un déguisement. J'avançai sans attendre jusqu'à l'église, où je m'arrêtai devant les vénérables portes. L'édifice religieux me rendait nerveuse : avait-il vu les mains de Thomas sur moi, connaissait-il mes nombreux péchés ? J'attendis que Tullik et Munch se rapprochent avant de me diriger d'un pas tranquille vers la maison endormie, de l'autre côté de la rue. Les fenêtres étaient sombres et la maison paraissait inoccupée, mais je sentais peser sur moi le poids d'un regard. Tullik et Munch restèrent en arrière, du côté de l'église. Ils échangeaient tendresses et baisers, faisant mine de se séparer avant de s'enlacer à nouveau.

J'entrai par l'arrière de la maison et me dépêchai de monter dans ma chambre. Dissimulée par les rideaux épais de la chambre de Milly, je regardai avec un plaisir coupable le nouveau couple prolonger ses adieux. Pourquoi me fascinaient-ils autant ? J'avais la sensation, peut-être, que Tullik, avec son tempérament de feu et son audace, était la seule à posséder la clé qui permettrait de percer le mystère du peintre.

J'étais déjà au lit quand elle fit son apparition.

— Johanne, chuchota-t-elle. Est-ce que tu dors ?

— Non, dis-je avec un sourire. Entre.

Elle me rejoignit sur le lit et s'écroula sur l'oreiller. Ses cheveux se répandirent en longs rubans autour de nous, apportant avec eux un peu de la fraîcheur nocturne.

— Il va faire mon portrait, annonça-t-elle en se retournant vers moi, la tête posée sur la main, son bras libre autour de ma taille.

— Cela ne me surprend pas, répondis-je en songeant à la façon dont il l'avait dessinée en étudiant chaque courbe de son corps le soir du bal.

— Il m'a dit qu'il allait commencer dès ce soir, au clair de lune. Il m'a embrassée, Johanne !

Elle se tourna sur le dos et se mit à jouer machinalement avec ses cheveux.

— Il m'a embrassée, répéta-t-elle en portant la main à ses lèvres pour y sentir l'empreinte de ses baisers. Et il m'a touchée. Ici, ajouta-t-elle en saisissant ma main pour la placer sur sa poitrine.

Elle leva les yeux au plafond, silencieuse.

— Il se dégage de lui une telle impression de tristesse, soupira-t-elle au bout d'un moment.

— C'est vrai, répondis-je. On dirait que quelque chose le hante.

— Cette tristesse, je pourrais passer ma vie entière à l'aimer, sans jamais parvenir à l'apaiser.

Tullik avait le pressentiment que les souffrances de Munch n'étaient pas de celles que l'amour peut soigner. Mais, allongée à ses côtés, les yeux fixés sur les moulures au plafond, j'eus la nette impression que rien au monde ne pourrait l'empêcher d'essayer.

Le dimanche soir suivant, je me retrouvai à la table familiale, grattant de l'ongle une tache de peinture. Mère nappait de sauce les pommes de terre de Père et d'Andreas. Assise sur la chaise la plus basse, j'étais à nouveau une enfant, la petite Cueilleuse de fraises. Je me cachais dans le tableau, heureuse de laisser la conversation s'accorder à l'âge du portrait. Je ne voulais surtout pas évoquer Tullik.

— Cela va être le moment de cueillir les fraises,

annonça ma mère. Tu peux le faire sur le chemin du retour et les vendre au marché, tu devrais en obtenir deux couronnes la livre. Et n'oublie pas les Heyerdahl, je leur ai dit que tu leur en apporterais. Tiens, tant que j'y pense : est-ce que je vous ai dit qu'il recevait le dépravé à la maison ? Tu étais au courant, Halvor ?

Mon père avait cessé d'écouter après « deux couronnes la livre ».

— Hmm ? grogna-t-il en essuyant consciencieusement son couteau sur sa pomme de terre.

— Le dépravé ! Chez les Heyerdahl. Pauvre Christine, cela a dû la rendre chèvre de devoir le tenir à distance des enfants !

Andreas s'essuya la bouche du revers de la manche pour dissimuler un sourire et je m'attaquai à une nouvelle tache de peinture avec mon ongle.

— Il peignait les enfants ? demanda Père qui ne suivait que vaguement l'histoire.

— J'espère bien que non. J'ai fait demi-tour dès que je l'ai aperçu. Dans notre jardin ! Tu imagines, Halvor ? Pourvu qu'ils ne l'aient pas fait entrer. La maison pourrait bien être infestée à l'heure qu'il est, infestée de ses immondices. Les médecins disent que ce n'est pas bon pour la santé, tu savais ça, Halvor ? Je vais devoir tout nettoyer du sol au plafond à notre retour.

Père sauça les dernières traces de jus avec une pomme de terre.

— Vous imaginez bien que je suis partie, continua ma mère. Et là, sur qui je tombe, remontant la colline ? Rien de moins que mademoiselle, ici présente, avec sa maîtresse.

— Tullik n'est pas ma maîtresse, déclarai-je en oubliant mon rôle ainsi que la petite fille du tableau de Herr Heyerdahl.

— Vraiment ? lança-t-elle, prête à en découdre. Et qui peut-elle bien être, je te le demande ?

— C'est mon amie.

— Ah, tu entends, Halvor ? Mlle Ihlen est l'amie de Johanne. N'y songe même pas, jeune fille, n'y songe même pas !

— A quoi donc ?

— Halvor ! s'écria ma mère d'une voix aiguë, le feu aux joues. Non mais quelle insolence ! Dis-lui, Halvor ! Dis-lui, toi !

L'assiette de mon père était vide. Il avait léché ses couverts, il n'y avait plus une goutte à saucer, plus une miette à finir. Il posa son couteau sur sa fourchette et forma un triangle sur l'assiette comme pour signifier sa défaite.

— Dis-lui, toi ! répéta ma mère.

— Je crois que ce que ta mère essaie de dire, Johanne, c'est qu'il est sans doute mieux pour toi de bien connaître ta place chez les Ihlen. Tu es une servante : ni plus ni moins. Il y a une ligne à ne pas franchir entre employeurs et employés. Quand tu ne respectes pas cette règle, cela crée toujours des problèmes.

Je songeai à Ragna et sentis à nouveau la térébenthine me brûler les mains.

— Tullik me traite en amie, c'est tout.

— Il n'y a pas de « Tullik » qui tienne, s'emporta ma mère. C'est « Mlle Ihlen » pour toi aussi.

— Sois prudente, ma chérie, c'est tout ce qu'on te demande, dit Père en ramassant son assiette. Andreas, la vaisselle.

Nous débarrassâmes en silence. Mère était toujours furieuse et passa sa colère sur la table, la frottant avec une telle force que je crus qu'elle allait raboter la peinture séchée jusqu'au grain du bois.

— Pas le jour du Seigneur, Sara, l'avertit mon père en prenant à nouveau place à table avec un pot de café et sa pipe. Pas le jour du Seigneur.

Andreas et moi allâmes nous réfugier dans notre chambre, porte close.

— C'est moi qui suis en bas, dis-je en le voyant se jeter sur le lit.

— Non, c'est moi. Toi tu n'habites pas là, répondit-il, d'humeur taquine.

— Tu veux que je te réveille avant l'aube en faisant grincer le lit ? Allez hop, monte, ordonnai-je en tapotant le lit du haut.

— Raah !

Andreas se leva à contrecœur pour faire le tour du lit, quand il trébucha sur une latte disjointe. Il tomba dans mes bras.

— Maudite planche ! s'écria-t-il, à la fois furieux et hilare. C'est la troisième fois que cela m'arrive cette semaine.

— On ne peut pas la clouer ?

— C'est trop de travail, répliqua-t-il, un genou à terre. Regarde, rien ne tient en place.

Il souleva les lattes une à une pour prouver que le plancher était mal ajusté.

— Il faudra juste faire attention, recommandai-je en lui ébouriffant les cheveux. Je te trouverai un tapis pour le couvrir.

Avec tout ce qui m'était arrivé depuis que je travaillais chez les Ihlen, j'avais soudain profondément besoin de mon frère, de sa jeunesse et de sa simplicité. Il jeta ses bottes au loin et grimpa sur le lit du haut tandis que j'enfilais ma chemise de nuit et me glissais dans le mien. Au-dessus de nos têtes, le bébé des Andersen pleurait.

Andreas se tortilla dans son lit et donna quelques coups de poing dans l'oreiller, jusqu'à ce qu'il trouve une position confortable.

— Est-ce que c'est vrai ?

— Quoi donc ?

— Que Mlle Ihlen a posé pour Munch sur la plage ?

— Où as-tu entendu cela ?

— Markus et Petter disent qu'ils l'ont vue.

Sa tête surgit par-dessus le rebord du lit.

— Et ils racontent qu'elle était… tu vois…

— Non, je ne vois pas. Et ne crois pas toutes les âneries que racontent Markus et Petter.

— Mais est-ce que c'est vrai ? demanda-t-il avec un grand sourire.

Il m'était difficile de cacher quoi que ce soit à mon frère. Nous avions partagé tant de choses et affronté si longtemps ensemble les sautes d'humeur de notre mère ; mais c'était une rumeur à laquelle je devais couper court, dans l'intérêt de Tullik comme dans le mien.

— Je n'en sais rien, mais j'en doute. Ces garçons ont trop d'imagination, c'est tout.

— Ils disent qu'ils l'ont croisée juste après, les cheveux mouillés. Ils sont persuadés que c'était elle, sur la plage.

— Qu'ils pensent ce qu'ils veulent, lançai-je avec le ton hautain que pouvait prendre Tullik.

— Mais est-ce que Munch l'a peinte ?

— Comment le saurais-je ?

— Tu discutes avec lui, n'est-ce pas ?

— Non !

— Mais si, cela t'arrive.

— Parfois. Très rarement, mentis-je.

Munch et moi nous étions croisés à maintes reprises : sur les sentiers, sur la plage, dans la forêt que je parcourais du matin au soir à la recherche de mes fruits et de mes plantes ; je le suivais de loin, gauche et timide, troublée par ces tableaux qu'il laissait au grand air et par les sentiments qu'ils faisaient naître en moi. Parfois il me voyait dessiner et venait m'offrir ses conseils. Il était différent des autres adultes. Il me parlait en artiste, d'ombre et de lumière, de couleur et de perspective, comme si cela allait de soi.

— Je ne dirai rien à personne, tu sais.

— Tu ne leur diras pas quoi ? Qu'irais-tu raconter, puisqu'il n'y a rien à dire ?

Il poussa un grognement et s'allongea de nouveau.

— Thomas est passé hier.

— Et ?

— Il a apporté du poisson à Mère, mais elle n'en a pas voulu. Après, elle s'est disputée avec Père qui ne comprenait pas pourquoi elle avait refusé un si beau morceau.

— A-t-il dit quelque chose ? demandai-je, envahie par un sentiment de culpabilité : la forêt, ses mains, la demande en mariage.

— Qui ?

La conversation n'intéressait plus Andreas.

— Thomas.

— Comme quoi ? *Madame, puis-je épouser votre fille ?*

Je donnai un coup dans le matelas d'Andreas.

— Tais-toi, imbécile !

— Tu vas l'épouser un jour, Johanne ?

— Comment saurais-je qui je vais épouser ?

— Tu sais, quand bien même ce serait ce fou de Munch, ça me serait égal.

Andreas se retourna dans son lit en faisant grincer le sommier.

Il remua pendant toute la nuit ou presque, dans un bruit d'essieux mal huilés. Le sommeil me cueillit par périodes d'une ou deux heures, jamais assez longtemps pour que je rêve vraiment. Le matin surgit trop vite : j'étais sur le point de m'endormir pour la centième fois peut-être, quand Mère m'enjoignit de me lever depuis le seuil de la chambre. Andreas ronflotait doucement.

— Il n'a pas cessé de la nuit, marmonnai-je en trébuchant sur le plancher disjoint. Et ce lit grince au moindre mouvement.

— Arrête de te plaindre, Johanne. Tu n'auras aucun mal à t'endormir ce soir après une bonne journée de travail.

Je n'avais jamais évoqué devant elle la chambre de Milly, avec ses rideaux épais et ses draps luxueux entre lesquels je dormais comme une reine. Si elle l'avait su, elle s'en serait sans doute plainte aux Ihlen elle-même. Je me demandai combien de temps il faudrait avant qu'elle ne l'apprenne de la bouche de Fru Berg.

Je m'habillai à la hâte. Quand ma mère retourna à ses fourneaux, je sortis le livre de sous mon matelas. Je caressai la couverture toilée grise, et suivis du doigt le nom de Goethe sur la tranche, avant de le cacher dans ma poche.

— N'oublie pas de cueillir des fraises cette semaine, me glissa ma mère avec une tasse de café quand nous nous assîmes à table. Si tu finis ce que tu as à faire suffisamment tôt, tu pourras te rendre au marché ou faire du porte-à-porte.

— Oui, Mère.

— Il y a de nouveaux vacanciers qui arrivent cette semaine. Le *Horten* et le *Jarlsberg* vont faire deux traversées par jour, à 11 h 45 et à 6 h 10. Les hôtels se remplissent, les clients ne manqueront pas. Allez, ouste, tu risques d'être en retard.

Je saisis mes bottines à côté de la porte d'entrée, mais ne les enfilai pas. Je marchais plus vite pieds nus et voulais sentir la fraîcheur des galets sous mes pieds quand je traversais la plage au soleil levant.

Dehors, les oiseaux, des mouettes pour la plupart, avaient pris possession du petit matin, et planaient en poussant de grands cris. Elles dessinaient de larges cercles au-dessus de la baie, prêtes à fondre sur le moindre morceau de nourriture. Je les voyais passer au-dessus de ma tête avec leur bec recourbé et leurs petits yeux noirs. Je descendis en courant vers le rivage, à la recherche de coquillages et de galets parmi les rochers où venaient se briser les vagues.

L'odeur puissante de l'air marin me frappa de plein fouet. Je suivis la côte qui s'incurvait en direction du bois. Il n'y avait presque personne à cette heure matinale : quelques pêcheurs qui s'éloignaient du quai, un homme qui montait dans son bateau un seau d'appâts sous l'œil attentif des mouettes… Je les dépassai sans bruit, sautant habilement d'un rocher à l'autre. J'aperçus du coin de l'œil une pierre ocre recouverte de motifs blancs très jolis, nichée parmi les galets gris et blancs. Je m'arrêtai pour ramasser la pierre lourde et rugueuse, la mis dans ma poche puis continuai mon chemin.

La plage se rétrécissait à l'approche de la forêt de Fjugstad. Les arbres et les broussailles se firent denses sur ma gauche et me poussèrent vers la mer où je dus patauger dans les vagues qui venaient à ma rencontre. Le sol était maintenant plus sablonneux, et des bouts d'algues venaient se coller sous mes pieds et se loger entre mes orteils. Des touffes d'herbe envahissaient le sable, et je me retrouvai bientôt sur le sentier qui menait à la forêt.

Je nettoyais mes pieds, appuyée contre un tronc d'arbre, quand je pris conscience d'une présence, un changement subtil dans l'air alentour. Quand je dirigeai à nouveau mon regard vers la mer, j'aperçus un homme assis sur un rocher saillant, plus loin sur la grève : Munch. Il agissait sur moi comme un aimant. Une vague de tristesse jaillie de nulle part envahit mon cœur et me fit monter les larmes aux yeux. Je n'avais aucune raison d'aller le trouver et pourtant tout mon corps me criait de le faire. Mes jambes, mes bras frémissaient, mais je résistai, enfonçant mes orteils fermement dans la mousse et les brindilles qui jonchaient le sol.

Sa présence m'envoûtait, j'étais comme enracinée sur place, un arbre parmi les autres. Agitée de sentiments violents, j'étais incapable de m'arracher à sa vision. Il se retourna soudain et me surprit en train de le dévisager. Sa réaction ne fut pas celle que j'attendais. Il me fit un grand signe, je lui rendis son salut, puis il m'invita à le rejoindre. Je me mis à courir.

Il sauta du rocher et s'élança vers moi, son carnet de croquis à la main. Il ne portait pas de chapeau et ses cheveux étaient en désordre, emmêlés par le vent marin. Je ne savais pas depuis combien de temps il était assis là, mais je l'avais souvent vu traîner dans des endroits bizarres à des heures peu recommandables : il était tout à fait possible qu'il ait passé la nuit sur place. Son visage affichait un air sérieux et résolu.

— Johanne ! Je pensais justement à toi, et te voilà ! As-tu déjà fait ce genre d'expérience ? Tu penses à quelqu'un et voilà qu'il apparaît quelques minutes plus tard. Cela m'arrive régulièrement. Faut-il y voir un signe ? Cela prouve-t-il l'existence des pouvoirs cachés de notre esprit ?

Son regard lourd et triste semblait exiger des réponses. La douleur qui m'avait étreinte s'accrut encore. Je lui souris, mais me sentis terriblement démunie.

— J'ai senti votre présence avant de vous voir, répondis-je en toute sincérité.

— Alors toi aussi, tu l'as, ce don.

Il hocha la tête, visiblement rassuré par ma réponse.

Je voyais de la beauté dans ce visage : dans la ligne chavirée de ses yeux bleu-gris, graves, et dans sa bouche sensuelle parfaitement dessinée sous sa moustache ; dans cette fossette prononcée au creux du menton et sa mâchoire carrée. Il avait une allure saisissante, masculine et vulnérable à la fois.

— Tu vas chez les Ihlen ? demanda-t-il.

— Oui.

— Peux-tu apporter un dessin à Tullik ?

— Bien sûr.

Il arracha une feuille de son carnet et elle se mit à claquer au vent.

— Je vais l'enrouler, dit-il avant que j'aie eu une chance de l'apercevoir. Viens, je t'accompagne jusqu'à l'église.

Je me sentais bien à ses côtés, marchant pieds nus dans les bois, mes chaussures à la main.

Munch ne parlait pas pour ne rien dire. Soit il était silencieux, soit il déversait un trop-plein de pensées longtemps gardées pour lui. Ce jaillissement était comme une saignée de l'âme, une catharsis à laquelle personne ne pouvait prendre part. Il n'y avait rien à faire, sinon l'écouter en silence.

— Il n'est pas terminé, expliqua-t-il en me tendant le dessin. Mais je préfère peindre mille tableaux inachevés dignes de ce nom, plutôt qu'une seule œuvre terminée mais de mauvaise qualité. Tu me comprends ? De nos jours, il y a tant d'artistes qui pensent qu'une œuvre n'est finie que lorsqu'ils ont peaufiné le moindre détail et que tout est bien net, bien léché, noyé sous un vernis marron vulgaire… Mais un simple coup de pinceau peut être regardé comme une véritable œuvre d'art, pour peu qu'il soit tracé avec ferveur. Ajouter des détails sous prétexte de réalisme ne fait que fausser le résultat. Qu'y a-t-il de plus vrai, de plus réaliste qu'un sentiment ?

Sa voix d'abord douce s'était animée, fiévreuse, à mesure qu'il s'emballait ; ses mains s'agitaient comme s'il peignait, sans pinceau ni toile.

— Il faut représenter ce que l'on observe en toute sincérité — les sentiments véritables que nous inspire notre sujet. Notre regard peut changer du tout au tout, selon les moments. Le matin ou le soir, notre perception n'est pas la même. Et nos humeurs influencent aussi ce que nous ressentons, n'est-ce pas ?

Je savais que ces questions s'adressaient à lui-même plutôt qu'à moi, et je cessai de chercher une repartie. Je me contentai de l'écouter dévider le fil de ses pensées.

— Nos humeurs fluctuent, tout comme nos pensées, reprit-il. Notre vie extérieure et notre vie intérieure communiquent, et le monde qui nous entoure change au gré des émotions que nous ressentons. Voilà ce que je veux rendre ! Dostoïevski pénètre le tréfonds de l'âme avec ses mots, et moi je cherche à explorer les mêmes abîmes avec mon pinceau.

Nous avions atteint les portes de l'église et le soleil montait déjà, pointant le nez par-dessus la ligne des arbres.

— Je dois y aller, m'excusai-je.

— Pourrais-tu lui dire que je suis là ? Je l'attendrai

sous les tilleuls, ou dans les bois. Aussi longtemps qu'il faudra.

— Je lui passerai le message. Au revoir, Munch.

Je le laissai seul face à ses questions sans réponse.

Je trouvai Ragna occupée à faire bouillir des œufs. Elle ne me regarda pas en face mais jeta un coup d'œil au rouleau de papier dans ma main, les lèvres pincées, comme offusquée.

Je la saluai avec une amabilité toute particulière.

Elle se contenta de grogner, concentrée sur sa casserole d'eau bouillante, comme un scientifique qui s'apprête à faire une incroyable découverte.

Elle n'avait pas encore commencé à préparer le café, le petit déjeuner ne serait donc pas servi avant un bon moment. Je courus à l'étage et frappai à la porte de la chambre de Tullik.

— Oui ?

— C'est moi, chuchotai-je.

La porte s'ouvrit en grand. Tullik m'attrapa par le bras et m'entraîna à l'intérieur.

— Tu es de retour !

Elle rayonnait de bonheur. Elle me serra dans ses bras comme si elle ne m'avait pas vue depuis des semaines.

— J'ai quelque chose pour toi, annonçai-je en tendant le rouleau. C'est de sa part.

Tullik poussa un petit cri et m'arracha le dessin des mains. Elle l'approcha de la fenêtre pour profiter de la lumière du jour.

— Regarde !

Le dessin avait été exécuté avec un mélange de crayon, d'encre, de fusain et de peinture. Il représentait une femme, de toute évidence Tullik, encadrée par les arbres de la forêt, avec le fjord en arrière-plan. Munch avait commencé par dessiner Tullik au crayon, puis avait souligné les contours à l'encre noire. Elle se tenait les mains dans le dos, le menton levé, la poitrine en avant, exactement comme je l'avais aperçue quelques nuits plus tôt. Les arbres étaient dessinés au fusain, certains maculés de peinture sombre. Sur la gauche du dessin, il y avait une trouée entre les pins, et Munch y avait dessiné une colonne de clair de lune à la surface de l'eau, grossièrement soulignée de jaune. Au-dessus de la tête de Tullik, on apercevait des branchages, parfois teintés de vert. La lune et les feuillages apportaient les seules notes de couleur dans cette image noir et blanc. Munch avait dessiné sur la mer une barque minuscule ; trois silhouettes y étaient assises, ignorant tout de la beauté qui se cachait sous la frondaison des arbres.

— Je vais le conserver précieusement, souffla Tullik.

— Tu ferais bien de le cacher quelque part.

Tullik ouvrit l'énorme armoire de sa chambre, triomphante.

— Personne ne fouille jamais là-dedans, affirma-t-elle en cachant le dessin derrière une rangée de manteaux et de robes.

— Il t'attend dehors.

Un nouveau cri de surprise. Tullik me saisit par les coudes.

— Dis-leur que je suis sortie cueillir des fruits ou prendre l'air. Raconte-leur ce que tu voudras, Johanne. Il me faut le rejoindre.

Ses yeux brillaient d'un feu intérieur attisé par ce goût du danger auquel elle ne savait résister.

9

Bleu

Ils sont comme deux fleuves qui prennent leur source sur une montagne, mais coulent dans des conditions tout à fait différentes vers deux contrées opposées.

Traité des couleurs,
JOHANN WOLFGANG VON GOETHE.

Munch aimait à marcher sans but. Tel un caméléon, il avait le don de se rendre invisible et de se fondre silencieusement dans le décor pour mieux observer le monde. Il n'était pas aisé de l'approcher, mais il me fascinait depuis toujours. Il peignait et dessinait, choses dont je ne pouvais que rêver. Il s'exprimait au moyen de formes et de couleurs, comme je le faisais. Enfant, j'aimais m'installer à distance respectueuse pour lui tenir compagnie, lointaine et proche à la fois. Il me savait là : il sentait ma présence, comme je sentais la sienne.

Progressivement, je me rapprochais, sans que cela semble le gêner. Je l'observais observer la nature. Parfois il arrachait une feuille de son carnet de croquis pour que je puisse travailler à ses côtés. Je dessinais des coquillages, des galets, les bateaux sur le fjord, des dessins simples à travers lesquels je traduisais mes émotions. Et pourtant nous parlions à peine. Jusqu'à ce jour de l'été passé où je l'avais rencontré sur la plage : il avait plu, le sable dégageait une odeur fraîche et humide ; il ne portait pas de veste et s'était réfugié sous la branche tombée à terre d'un arbre renversé.

Je m'étais arrêtée en le voyant.

— Bonjour, Johanne, me dit-il en m'appelant à lui d'un de ses rares sourires. Viens voir. J'ai quelque chose pour toi.

Un peu effrayée de cette attention soudaine, je lui obéis tout de même. Il avait un livre entre les mains.

— Tiens. Tu devrais l'étudier.

Silencieuse, j'acceptai son cadeau.

— Tu te poses des questions sur les couleurs, la lumière, la perspective, n'est-ce pas, Johanne ?

— Je dessine, répondis-je, un peu perdue.

— Alors tu dois lire ce livre. Il est de Goethe. Regarde, il s'appelle Johann, presque comme toi. Lis-le, étudie-le. Il t'aidera à comprendre la lumière.

Je tournai les pages, découvrant quelques schémas : des cercles, des étoiles, des damiers, des triangles.

— Et la nature, ajouta Munch. Cela t'aidera à comprendre la nature.

Il se tenait debout derrière moi et ouvrit le livre au tout début.

— Tiens, lis ce passage, à partir de « Ainsi la nature fait-elle descendre ses paroles ».

Je m'éclaircis la gorge. Je n'étais pas très bonne lectrice.

— *Ainsi la nature fait-elle descendre ses paroles jusqu'à d'autres sens connus, méconnus, inconnus* ; *ainsi se parle-t-elle à elle-même et nous parle-t-elle par mille phénomènes.*

— Continue, ordonna Munch.

J'approchai le livre de mon visage, les mains crispées sur la couverture.

— *Pour le témoin attentif, elle n'est nulle part morte ou muette ; elle a même donné au corps rigide de la terre un confident : le métal, dont les plus infimes parcelles nous feront percevoir ce qui se passe dans sa masse tout entière. Si divers, si complexe et incompréhensible que nous paraisse souvent ce langage, ses éléments restent pourtant toujours les mêmes. Usant de poids et de contrepoids légers, la nature est prise dans un balancement, et ainsi naissent un en deçà et un au-delà, un en haut et un en bas, un avant et un après déterminant tous les phénomènes qui nous apparaissent dans le temps et dans l'espace.*

J'avais peine à comprendre les mots que je lisais, mais je sentais qu'ils avaient un pouvoir presque magique et que cet homme, Johann, avait réussi à percer à jour le secret de la nature elle-même.

J'étais fascinée.

J'enfouis le livre sous une pile de mouchoirs dans le tiroir du haut de la commode de Milly. Entre ses pages se trouvaient les deux seuls dessins que j'étais parvenue à soustraire à ma mère : l'un représentait la côte, l'autre la baie. C'étaient les premiers dont j'étais fière. En dissimulant le dessin de Munch au fond de l'armoire et le livre, Tullik et moi entamâmes une longue série de cachotteries et de mensonges. Alors que les fraises mûrissaient et que la belle saison s'épanouissait, la passion de Tullik et la créativité de Munch atteignirent leur apogée. Tullik commença à s'absenter de longues heures durant. L'après-midi, elle évitait l'heure des visites et disparaissait dans la forêt, invoquant le besoin de prendre l'air. Quand je pouvais être libérée de mes fonctions, elle m'entraînait avec elle, heureuse de m'utiliser comme prétexte : pouvait-on priver la Cueilleuse de fraises de ses fruits ? Elle posait la question à sa mère et insistait pour que nous allions en ramasser ensemble. Mais dès que je me dirigeais vers l'Hôtel Victoria pour vendre ma récolte, elle s'empressait de rejoindre Munch. Ragna et Fru Berg étaient exaspérées par mes absences ; Tullik, sur un nuage. C'était visiblement tout ce qui comptait aux yeux de Fru Ihlen.

Un après-midi, j'étendais le linge dans le jardin quand Tullik vint me trouver à son retour de la forêt. Elle avait les joues rosies par l'émotion et les cheveux en désordre. Elle n'avait pas même fait l'effort de se recoiffer.

— Inger est rentrée à Kristiania, annonça-t-elle.

— Pourquoi ?

— Laura est très malade. Elle ne parle presque plus.

Je songeai à la femme du tableau, toute de noir et de gris. La sœur cadette de Munch avait fini par succomber à son ombre.

— Ils l'envoient à Gaustad.

— Où cela ?

— A Gaustad, un hôpital pour femmes, à Ekeberg. Edvard dit qu'elle y sera bien soignée. Peut-être qu'ils sauront l'aider là-bas.

— Est-ce qu'elle va y rester longtemps ?

— Personne ne le sait. Inger et sa tante Karen vont en discuter avec les médecins. Il est possible qu'elle y reste pour toujours.

C'était une triste nouvelle, et pourtant je ne pouvais m'empêcher de détecter une pointe de triomphe dans les yeux de Tullik.

— Ils doivent être très inquiets, tentai-je.

— Terriblement. Pauvre Edvard. Il lui faudra bien sûr quelqu'un à ses côtés pour l'aider dans ces moments difficiles. Je ne peux pas le laisser tout seul avec ses idées noires, n'est-ce pas ?

Après cela, les absences de Tullik se firent plus longues, plus fréquentes. Elle rentrait toujours avec un dessin. Après avoir trouvé un morceau de tissu noir dans le placard de Caroline, nous l'accrochâmes dans l'armoire, créant ainsi un véritable double-fond derrière lequel nous pouvions cacher les dessins. Abritées derrière les tenues de bal, les manteaux et les robes de Tullik, les œuvres de Munch se terraient en silence, blotties dans le noir.

Tullik testait les limites de sa liberté et restait chez Munch jusque tard dans l'après-midi. Elle manquait même parfois le dîner.

Et puis un soir, elle ne rentra pas.

— C'est la troisième fois cette semaine qu'elle ne dîne pas, remarqua Caroline alors que je débarrassais la table.

— Où peut-elle bien être, Nils ? demanda Fru Ihlen en se mordillant les lèvres.

— Tu la connais, la rassura l'amiral. Elle aime se promener dans les bois, partir à l'aventure. Laisse-la tranquille. Elle va bientôt rentrer.

Ils passèrent au salon pour prendre le café et je retournai à la cuisine faire la vaisselle.

— Tu sais où elle est, pas vrai ? lâcha Ragna qui raclait un reste de confiture pour le remettre dans le pot.

— Non. Comment le saurais-je ?

— Vous êtes toujours ensemble. Ça n'est pas correct, dit-elle en secouant la tête.

Je l'ignorai et continuai à m'affairer. J'essuyai le service en porcelaine avant de le ranger dans la salle à manger, je pris la nappe pour la secouer au jardin, je passai le balai et nettoyai toutes les surfaces. J'allai jusqu'à astiquer les couverts. Les heures s'écoulaient lentement, sans que Tullik donne signe de vie. J'évitai de rester sans rien faire, allant jusqu'à tout nettoyer deux fois pour tuer le temps. Je commençai même les corvées du lendemain pour repousser le moment d'aller me coucher, incapable de me détendre tant qu'elle ne serait pas rentrée. Enfin, quand minuit approcha et que la maison fut rutilante, je montai dans ma chambre.

Debout à la fenêtre, je scrutai chaque ombre dans l'espoir de l'apercevoir. Mes yeux balayaient le paysage — la lisière du bois, le cimetière, la rue tout entière —, mais je ne voyais Tullik nulle part. En bas, les Ihlen étaient plongés dans une grande discussion. Caroline était furieuse, Julie anxieuse. Je ne comprenais pas ce qu'ils disaient, mais je percevais le ton de leur conversation, des éclats de voix suivis de silences, ponctués par la voix grave de l'amiral. Ils ne monteraient pas tant que Tullik ne serait pas rentrée.

J'entendis la porte du salon s'ouvrir puis des pas dans l'escalier. L'on frappa à ma porte. Fru Ihlen entra sans plus attendre, suivie de Caroline.

— Ah, tu es encore debout, Johanne ! s'exclama-t-elle en me trouvant à la fenêtre. Je suis désolée de te déranger, mais Tullik n'est toujours pas là. Vous vous entendez bien, sais-tu où elle est passée ?

— Non, je l'ignore. Peut-être chez des amies à Åsgårdstrand ?

— A cette heure-ci ?

— Tu sais parfaitement où elle se trouve, n'est-ce pas, Johanne ? intervint Caroline.

— Sincèrement, non, répondis-je, impassible, bien déterminée à protéger Tullik. Elle ne m'a pas dit où elle allait.

— Veux-tu aller la chercher, chère enfant ? me supplia Julie. Normalement, je ne te demanderais pas cela, mais nous sommes tellement…

— Bien sûr, l'interrompis-je. J'y vais de ce pas.

Je saisis mon châle et me dépêchai de descendre. L'amiral m'attendait avec une lanterne au bas des marches. Son regard pénétrant m'incita à me hâter et je sortis en courant par la porte principale.

Le ciel était nuageux, l'air étonnamment froid. D'une main, je serrais mon châle contre ma poitrine et de l'autre, la lanterne. La forêt était plongée dans l'obscurité, menaçante. Des brindilles craquaient sous mes pas. Au-dessus de ma tête retentissait le cri désolé des corbeaux, les arbres s'étendaient à perte de vue ; je me mis à courir. La lanterne se balançait au rythme de mes pas, projetant une flaque de lumière ambrée qui éclairait à peine mon chemin. J'avais beau en connaître le moindre recoin, les bois me paraissaient soudain étrangers, hostiles, comme s'ils cherchaient à me chasser de leur territoire.

Je fus soulagée de voir la ferme des Nielsen apparaître sur ma droite, bien que la maison fût plongée dans le noir et les animaux silencieux. Je décidai de passer par Nygårdsgaten plutôt que par la plage, pour ne pas courir le risque d'être vue par ma mère depuis les cabanes de pêcheurs. Mieux valait ne pas avoir à lui expliquer ce que je faisais dehors à cette heure. Je remontai la rue à pas furtifs, comme une voleuse, ma lanterne au ras du sol. J'aurais pu parcourir Nygårdsgaten les yeux fermés, et n'avais nul besoin de sa flamme timide.

Quand j'atteignis la maison de Munch, je sentis la peur me saisir à la gorge de ses doigts glacés. *Et si Tullik n'était pas là ? Et si elle s'était réellement perdue ? Qu'allais-je dire au peintre ? Qu'allais-je dire aux Ihlen ?* J'ouvris le portail et retins mon souffle pour mieux écouter, immobile. Un bruissement provenait de l'arrière de la maison. En m'approchant, je compris qu'il s'agissait de voix, presque inaudibles, comme des vagues au loin sur l'océan. Je m'appuyai un instant contre le mur de la maison et respirai un grand coup pour me donner du courage, sous le regard paniqué des personnages qui cherchaient à s'échapper du tableau. Terrifiée par ce que je risquais de découvrir, je me dirigeai lentement vers l'arrière de la maison.

Ils étaient assis sur un banc de jardin, enlacés. Munch tenait Tullik dans ses bras ; elle avait le visage tendu vers lui, et il lui murmurait quelque chose, des mots qui s'enroulaient autour de son cou et glissaient au creux de son oreille. Elle avait les yeux clos, l'air grave. L'on distinguait une bouteille sombre et deux verres vides à leurs pieds. Ils étaient si absorbés l'un par l'autre que j'eus envie de rebrousser chemin. J'étais embarrassée de les regarder ainsi, ma lanterne à la main, au beau milieu de la nuit.

— Tullik, dis-je simplement. Il est temps de rentrer.

Elle ouvrit brusquement les yeux et fouilla la pénombre pour trouver d'où provenait la voix.

— C'est moi, Tullik, lançai-je en m'approchant. Je suis venue te chercher. Il est temps de rentrer chez toi.

Munch se leva et me tendit la main, tandis que Tullik secouait la tête pour sortir de sa torpeur.

— Je suis désolé, s'excusa Munch. Nous n'avons pas vu le temps passer.

— Quelle heure est-il ? demanda Tullik en sautant sur ses pieds.

— Minuit passé. Tes parents s'inquiètent.

— Ah, constata-t-elle sans guère montrer d'émotion. Edvard, il me faut te quitter.

Ils échangèrent un baiser. Je voulus détourner les yeux mais ne pus m'empêcher de regarder, fascinée. Je n'avais jamais vu pareille intensité. Enfin, Munch relâcha son étreinte et Tullik tituba vers moi, comme un lutteur qui vient de perdre son combat.

— Souhaitez-vous que je vous raccompagne ? demanda Munch.

Je serrai Tullik contre moi, comme une enfant.

— Non, je connais la forêt par cœur, répondis-je, effrayée à l'idée d'être vue en sa compagnie et d'avoir à expliquer ce que nous faisions là.

Tullik avait froid et je la sentis se blottir contre moi.

— Il faut nous dépêcher. Combien de temps êtes-vous restés ainsi dehors ?

— Je ne sais pas, confessa-t-elle alors que je l'entraînais.

Il flottait autour d'elle une odeur d'alcool.

— Tullik, tu as bu ?

— Un peu. Du porto qu'Edvard a rapporté d'Allemagne. Il utilise l'alcool pour brouiller les contours.

— Les contours de quoi ?

— De la vie, fit-elle d'un air absent.

Les sens émoussés par la boisson, elle ne se rendait pas compte de la situation dans laquelle elle s'était mise. Elle s'était réfugiée dans son monde, emportée par ses rêveries, en oubliant tout de la réalité qu'elle avait laissée derrière elle. Elle avait étiré le temps, *brouillé les contours* : rien ne comptait plus, si ce n'est la passion qui la dévorait.

— Attendez, ne partez pas, lança Munch. Le tableau, Tullik ! Je veux que tu l'aies.

Il renversa sans le vouloir les verres vides en se dirigeant vers les quelques marches à l'arrière de la maison. Tullik se précipita pour les ramasser et les reposa soigneusement dans l'herbe.

Munch réapparut avec une toile sous le bras.

— Le voilà, annonça-t-il. C'est pour toi. *C'est* toi, Tullik. C'est ta voix, telle qu'elle résonnait dans la forêt. Emporte-le. Je l'ai appelé *La Voix*, tout simplement.

Tullik prit le tableau sans le regarder. Elle déposa un baiser sur la joue de Munch et il lui donna une caresse dans le dos, d'un geste presque paternel.

— Il est temps que tu y ailles, dit-il. Rentre avec Johanne. Bonne nuit.

J'aidai Tullik à porter le tableau jusqu'à la rue. Sans même l'étudier de près, je vis qu'il s'agissait d'une autre version, peinte cette fois-ci, du dessin qu'il avait déjà donné à Tullik, celui qui la représentait dans la forêt. On retrouvait les lignes brunes des arbres et le blanc nacré de la robe de Tullik au clair de lune. Je soulevai l'œuvre dans mes bras, laissant à Tullik le soin de prendre la lanterne. Nous nous dépêchâmes de traverser la forêt pour rentrer chez elle.

— Où vas-tu le mettre ? demandai-je.

— Il tiendra dans l'armoire, je pense.

— Tullik, ton père nous attend. Comment veux-tu faire croire que tu n'étais pas chez Munch si nous arrivons avec *ceci* dans les bras ?

— Oui, tu as raison, pouffa-t-elle. Il faut le cacher quelque part jusqu'au matin. L'église ! Allons le mettre là-bas.

— Elle sera fermée à cette heure-ci.

— Alors au cimetière. On le glissera derrière une

tombe. Tu iras le récupérer avant que Ragna et les autres ne se lèvent.

Quittant la forêt, nous empruntâmes le chemin qui menait à l'église. Tullik ouvrait la marche, la lanterne à la main, et je tentais de suivre, gênée par le tableau. On voyait des bougies luire aux fenêtres de Solbakken : Julie et l'amiral guettaient notre retour. Nous quittâmes la route et nous dirigeâmes derrière l'église, longeant le mur d'un pas prudent par crainte de réveiller les morts.

— Là, chuchota Tullik.

Elle s'était éloignée parmi les tombes et montrait du doigt une stèle imposante sous le couvert des tilleuls.

— Peut-être pourrions-nous le cacher ici ?

Je lui tendis le tableau. Une fois sur le côté et posé derrière le bloc de pierre, il était invisible.

— Il est bien caché par le feuillage, approuva Tullik. Et puis ce n'est que pour quelques heures.

Nous nous éloignâmes. Le tableau, tout comme les morts qui l'entouraient, était entre les mains de Dieu.

L'amiral attendait devant la porte, droit comme un I, tel que je me le représentais à la proue de son navire.

— Regine Ihlen, où étais-tu ?

C'était la première fois que je l'entendais prononcer le véritable prénom de Tullik.

— Bonsoir, Père. Veuillez m'excuser pour ce retard.

— Où était-elle ? me demanda-t-il.

— Dans Åsgårdstrand.

— Où cela, dans Åsgårdstrand ?

— Elle était déjà sur le chemin du retour, dis-je, consciente de mon mensonge. Je l'ai trouvée de l'autre côté de la forêt.

— Au lit, toutes les deux, tout de suite ! ordonna-t-il en nous poussant à l'intérieur et en claquant la porte derrière nous.

Je m'empressai de monter dans ma chambre et me jetai au lit sans même me déshabiller. Enfonçant la tête dans l'oreiller, je me pris à regretter le lit superposé que je partageais avec Andreas. Je ne rêvais soudain que d'une chose : retrouver la vie simple qui était la mienne, parmi ces petites maisons de pêcheurs au plancher branlant.

Je dormis d'un sommeil agité, et dès que l'aube envahit la pièce, je sautai du lit et quittai la maison pieds nus. La rosée matinale rendait le sol glissant. Je courus vers le cimetière et retrouvai *La Voix* là où nous l'avions laissé. Je fis un signe de croix pour remercier Dieu, puis récupérai le tableau et le rapportai à la maison. Les Ihlen dormaient encore.

Je m'arrêtai d'abord dans l'arrière-cuisine. Je posai le tableau sur le plan de travail et retournai fermer la porte. Puis, sur la pointe des pieds, je me rendis dans la cuisine pour vérifier que Ragna n'était pas là. Pas un bruit. Je pris la toile dans mes bras, traversai en courant le vestibule puis montai discrètement l'escalier. Mes pieds nus humides de rosée laissaient des traces sur les marches.

Je fis irruption sans frapper dans la chambre de Tullik. A mon grand étonnement, je trouvai les rideaux ouverts et Tullik déjà debout, à côté de la fenêtre. Nerveuse, elle se mordillait le pouce gauche.

Elle me dit à voix basse :

— Dieu merci, tu l'as trouvé. Je t'attendais. Je songeais au tableau.

Son visage était pâle et ses yeux fatigués, cerclés de rouge, dénués d'expression.

— Le voici. Il faut le cacher, répondis-je.

Tullik le posa contre l'armoire et nous prîmes le temps de l'admirer ensemble. La longue colonne de lune reflétée à la surface de l'eau luisait d'un éclat doré dans la pénombre de la pièce. Elle illuminait la robe de Tullik sur le tableau et tissait ses cheveux auburn de fils d'or délicats.

— Crois-tu que ce soit moi ? demanda-t-elle, rongeant son pouce.

— Quoi ? Bien sûr que c'est toi, tu ressemblais exactement à cela ce soir-là.

— Mais est-ce bien moi ?

— Absolument. Qui d'autre ?

— Tu ne trouves pas qu'on dirait Milly ? Ma sœur ?

Je n'avais vu la sœur aînée de Tullik que sur les photographies qui ornaient le piano — elle apparaissait, enfant, sur certaines d'entre elles, et son lien de parenté avec Tullik ne se devinait qu'à de rares détails : la forme de la bouche, les yeux. Mais sur des portraits plus récents, la ressemblance avec ses sœurs était frappante, si l'on faisait abstraction des tenues et des chapeaux extravagants de Milly : elles avaient les mêmes paupières alanguies, le même nez fin et la même expression boudeuse.

— Allons, Tullik. Tu sais bien que c'est toi, Munch l'a dit lui-même. Il a dit que c'était toi, ta *voix*, ce sont ses propres mots, souviens-toi.

— Mais cela pourrait aussi être Milly. Ce n'est pas impossible. Ces yeux creusés d'ombre, cela lui ressemble, n'est-ce pas ?

— Tullik, ce tableau te représente, c'est tout. C'est toi, dans les bois, le soir du bal. Et maintenant, cachons-le.

Tullik arracha une peau au coin de son ongle. Une goutte de sang apparut. Suçant son doigt, elle ouvrit l'armoire, écarta les vêtements et ôta les punaises qui maintenaient le tissu. J'adossai *La Voix* contre le fond de l'armoire. Tout fut bientôt remis en place : le tableau était celé ; et notre secret, bien gardé.

A la table du petit déjeuner, Julie, Nils et Tullik ne s'adressèrent pas la parole. Je m'agitais, déposant des ustensiles sur la table, en débarrassant d'autres, dans un silence si épais que j'aurais pu y enfoncer le couteau à beurre. Personne ne commenta la mauvaise conduite de Tullik la nuit précédente et aucune punition ne fut évoquée.

Une lettre à l'attention de Caroline était posée sur la table.

— Quand est-elle arrivée ? demanda-t-elle en l'ouvrant avec son couteau.

— C'est Fru Berg qui l'a apportée, répondit Julie. Je crois qu'elle est de Milly.

— Oui, effectivement ! confirma Caroline en dépliant la lettre.

Elle but une gorgée de café puis lut à voix haute :

Ma chère Nusse,

Nous venons célébrer Sankthansaften à Åsgårdstrand, et nous espérons bien trouver un grand feu à notre arrivée ! Nous arrivons samedi par le Jarlsberg. Dis bien à Mère de ne pas se soucier de notre hébergement : nous irons au Grand Hôtel et non à Solbakken. Lila est tout excitée. Je lui ai acheté une nouvelle tenue absolument adorable spécialement pour l'occasion. Cet été, les tissus sont divins et nous avons déjà fait l'admiration de ces dames lors de nos promenades sur Karl Johan. Lila est un amour avec ses manches bouffantes et sa petite ombrelle : tout le monde dit que c'est moi en miniature. Comme tu peux l'imaginer, j'ai investi dans un nouveau chapeau pour la saison, tu le verras à notre arrivée.

Transmets mes pensées affectueuses à Père, Mère et Tullik,

Ta sœur qui t'aime,

Milly.

Caroline replia la lettre et la glissa dans sa poche.

— Elle arrive samedi… Mais c'est demain ! s'exclama-t-elle.

Comme personne ne répondait, Julie prit la parole, s'essuyant le coin des lèvres avec sa serviette.

— Quelle bonne nouvelle, ma chérie. Mais malheureusement, je ne serai pas là pour Sankthansaften.

— Pourquoi, Mère ? s'indigna Caroline.

— Kitty et Thrine organisent une réunion à Kristiania. Je dois aller y passer quelques jours. Fru Esmark rédige un article pour l'*Aftenposten*. L'organisation est en train de devenir officielle : elle va s'appeler la Société des femmes norvégiennes pour la prévention de la cruauté envers les animaux.

— Mais tu vas manquer le grand feu de joie sur la plage ! continua Caroline, que les bonnes œuvres de sa mère impressionnaient peu. Il y aura de la musique et des danses. Nous y passons toujours un moment exquis !

— Bravo, très chère, dit l'amiral Ihlen à l'intention de sa femme. Vous faites un travail admirable. Quant à vous, mesdemoiselles, vous pourrez vous rendre toutes les trois à la plage, à condition de bien rester ensemble.

Il jeta un regard sévère à Tullik qui était affalée sur le côté, le menton dans les mains. Elle n'avait pas précisé où elle avait disparu la nuit précédente, mais à en croire son visage, elle se trouvait toujours dans le jardin de Munch. Peut-être Julie Ihlen avait-elle déjà surpris cette expression chez sa fille aînée ? Peut-être avait-elle déjà vu le peintre dans les yeux de Milly ? Quoi qu'il en soit, elle semblait effrayée par ce qu'elle lisait sur les traits de Tullik. Elle refusait de regarder sa fille cadette et ne cessait de s'essuyer le coin des lèvres.

Une fois le petit déjeuner terminé, Tullik retourna dans sa chambre. Je ne la revis que tard dans la soirée, alors que je nettoyais l'âtre. Le reste de la maisonnée était monté se coucher et la maison craquait doucement, bercée par le tic-tac des horloges.

— Milly va venir, constata-t-elle simplement.

Je me retournai pour la regarder. Elle s'écroula sur une chaise et regarda fixement la table de la cuisine.

— C'est ce que j'ai cru comprendre, répondis-je.

— Et s'il la voit ? Que va-t-il se passer ?

— Milly est une femme mariée, répliquai-je en vidant les cendres dans un seau.

— Cela ne l'a jamais arrêtée.

Elle me regarda. Ses yeux trahissaient sa peur.

— C'est de moi dont il est épris.

— As-tu la moindre raison d'en douter ?

— Non, j'imagine, dit-elle en jouant nerveusement avec son pouce.

— Alors quelle importance ?

— Tu ne la connais pas. Elle déteste voir les autres heureux, elle déteste qu'ils puissent avoir ce qu'elle a… que ce soient de belles robes, des chapeaux… ou l'amour. A ses yeux, tout se vaut.

— C'est ta sœur, Tullik, tentai-je en m'essuyant les mains à un torchon. Elle ne veut sans doute pas ton malheur.

Tullik se mit à rire : un éclat bleu, vide, amer.

— Edvard m'a dit qu'elle l'avait humilié. Elle se comportera de la même façon avec moi, j'en suis certaine.

— Pourquoi apprendrait-elle ce qui se passe entre Edvard et toi ?

— Oh ! Je voudrais tant qu'elle le sache ! Je voudrais qu'ils le sachent tous.

Elle repoussa sa chaise et me laissa à mon ménage. Je l'entendis monter l'escalier d'un pas lourd.

Danger, à nouveau. Pourpre. Rubis. Danger.

Le soir de Sankthansaften, nous célébrions la Saint-Jean. Les vieux paysans racontaient que les Vikings qui occupaient autrefois ces rivages avaient pour coutume de célébrer le solstice d'été en allumant de grands feux pour renforcer la puissance du soleil. C'était une période de renouveau et de magie, et les gens croyaient que les pouvoirs que l'on attribuait aux lieux sacrés redoublaient cette nuit-là. Les infirmes et les malades venaient toujours boire à la source de Borre, dans l'espoir d'être guéris.

Mais l'Eglise avait transformé la fête païenne en une célébration de la naissance de saint Jean Baptiste, et nos feux de joie flambaient désormais pour chasser les sorcières et les esprits maléfiques. Pour le bien de Tullik, je souhaitais que cela fonctionne.

Ce jour-là, on me renvoya tôt. Les Ihlen prirent la voiture pour se rendre à la jetée d'Åsgårdstrand, où ils devaient attendre Milly et Ludvig à leur descente du *Jarlsberg*. Forcée elle aussi d'aller accueillir sa sœur et de saluer le départ de sa mère, Tullik avait l'air misérable, éteinte. Ils n'allaient pas la quitter des yeux un seul instant.

Je rentrai chez moi par la forêt en prenant tout mon temps. Il faisait frais et humide, et une odeur d'herbe et de trèfle en fleur flottait dans l'air. Les mouches me tournaient autour mais je ne les chassais pas. J'avais appris qu'il était futile de lutter contre la nature : je les laissai en paix. Comme chaque chose. La nature commençait à fleurir, dans un crescendo coloré, et les bois étaient tapissés de jacinthes pourpres et de grands lupins ambrés. Des baies d'églantier juteuses et éclatantes illuminaient les haies, et les roses sauvages commençaient à déployer leurs pétales délicats.

La plage de galets bourdonnait d'activité, entre les gens débarqués du bateau à vapeur, les pêcheurs rentrés plus tôt qu'à l'accoutumée et les femmes qui s'occupaient des préparatifs de la fête. Les enfants ramassaient des fleurs pour s'en faire des guirlandes dont ils ornaient leurs cheveux. Ils collectaient branches et brindilles pour alimenter le feu que l'on construisait sur la plage de sable où nous allions manger et danser. Je vis Marie, la petite-fille de Jacob, les bras chargés de fleurs, courir vers le rivage, son petit chien sur les talons. L'espace d'un court instant j'enviai ses pieds nus, ses manches courtes, l'innocence de son cœur, elle qui ne connaissait pas encore le trouble des sentiments.

Quand j'atteignis la maison, je trouvai ma mère en train de transporter une marmite d'eau.

— Te voilà, Johanne ! Tant mieux, lança-t-elle en guise de bienvenue. Aide-moi.

Je saisis l'une des poignées.

— Je fais un ragoût pour ce soir. Tu peux préparer les morues, si tu veux.

Elle me désigna une assiette de poisson sur la table maculée de peinture. Ce n'était pas une offre, mais un ordre.

— Le couteau est là.

— Cela fait beaucoup de poissons, remarquai-je en retroussant mes manches et en enfilant un tablier. Où les as-tu trouvés ?

Ma mère resta muette, ce qui n'était pas dans ses habitudes. Je crus qu'elle ne m'avait pas entendue.

— Mère ? Où as-tu eu tous ces…

— Ton père les a reçus de la part de ce…

Elle se tut pour allumer le fourneau et attiser la flamme. Quand elle se retourna, elle était toute rouge.

— Ton père les a acceptés de la part de Thomas. Ce garçon pense pouvoir nous acheter à coups de palettes de poisson. S'il croit entrer ainsi dans notre famille ! J'espère que tu le feras travailler un peu plus dur que cela, Johanne.

Je souris au fond de moi, tout en fendant de mon couteau les belles écailles argentées. C'était là la meilleure bénédiction dont ma mère était capable.

10

Mélange

Jaune appelle violet, bleu appelle orange, pourpre appelle vert, et inversement.

Traité des couleurs,
JOHANN WOLFGANG VON GOETHE.

Julie Ihlen avait une sœur jumelle, Fredrikke Vihelmine Regine, dont Tullik avait hérité le nom ; elle était décédée à l'âge de vingt-trois ans. J'avais vu des photos d'elle dans les cadres qui tapissaient le couloir et ornaient le piano. Lorsque l'on voyait Milly et Tullik côte à côte pour la première fois, l'on pouvait presque les croire jumelles, comme Julie et Regine, malgré leurs douze ans d'écart.

Des trois filles, Milly était celle qui ressemblait le plus à Julie. Elle était le portrait de sa mère, dont elle avait les yeux turquoise, le nez régulier et les lèvres pleines. Aucun détail, chez elle, ne rappelait son père. La seule différence entre mère et fille tenait au fait que l'air parfois solennel de Julie se transformait en dédain chez Milly. Elle marchait le long de la plage, le dos bien droit, le menton relevé, en prenant une série de poses savamment étudiées.

Le feu de joie flambait, et la plage s'embrasait sous les reflets cuivrés des flammes et du soleil couchant. Les manières de Milly n'avaient aucun effet sur les gens d'Åsgårdstrand, qui dansaient en rond, main dans la main, et s'entraînaient les uns les autres dans des quadrilles au son du violon. Les musiciens étaient assis sur le talus herbeux.

Milly portait une robe blanche froncée sur la poitrine, avec des manches bouffantes, et un ruban de velours autour du cou d'où pendaient des breloques qui soulignaient son port de tête. Elle était d'une minceur incroyable et avait la taille aussi fine que celle de Tullik. Ses cheveux blonds étaient noués sous un chapeau de paille incliné couvert de fleurs et retombaient en cascade dans son dos. J'aidais ma mère à faire la vaisselle quand je les vis s'avancer vers moi. Tullik était éblouissante dans une robe écarlate, avec ses cheveux lâchés aux reflets aussi rouges que les flammes sur le sable. Milly, derrière sa sœur, me toisa de haut en bas.

— Voici donc la bonne qui dort dans mon lit ! ricana-t-elle.

— Non, voici Johanne, répliqua Tullik. Mon amie.

Milly m'intimida aussitôt. Je ne lui trouvai rien de sympathique, contrairement à Tullik ou même à leur mère.

— Bonjour, Fru Bergh, dis-je, tremblante.

Je ne pouvais m'empêcher de trouver drôle que le nouveau nom de femme mariée de Milly ressemble tant à celui d'une de leurs servantes.

Milly ne daigna même pas me jeter un regard. J'étais déjà oubliée.

— Eh bien, allons-nous rester là à récurer des casseroles toute la nuit, ou bien veux-tu danser près du feu, Tullik ? demanda-t-elle.

— Tu peux faire ce que tu veux.

— Tu sais bien que je n'ai pas le droit de te laisser seule tant que les autres ne sont pas revenus de leur promenade. C'est assommant, aussi bien pour toi que pour moi, mais c'est ainsi. Pourquoi n'irions-nous pas…

Elle jeta un coup d'œil par-dessus mon épaule et plissa les yeux pour mieux discerner quelque chose derrière moi.

— Grands dieux ! s'exclama-t-elle avec un large sourire. Mais c'est ce cher Edvard ! Je vais aller le saluer. Viens, Tullik.

Tullik se retourna brusquement. Elle m'écarta, tendant le cou pour mieux voir.

— Pourquoi veux-tu lui parler ? demanda-t-elle.

— Après tout, nous sommes de vieux amis, répondit Milly qui s'éloignait déjà.

— Fru Lien, dit Tullik à ma mère qui avait fait mine de ne rien entendre. Pourriez-vous vous passer de Johanne ? J'aimerais beaucoup qu'elle m'accompagne.

Ma mère était scandalisée.

— Laisse donc la jeunesse s'amuser un peu, Sara, intervint Fru Jakobsen qui nettoyait des assiettes dans une bassine en zinc non loin de là. Nous allons nous débrouiller. Va danser, Johanne.

Mère et moi échangeâmes un long regard. Je connaissais parfaitement l'expression de colère rentrée qu'elle affichait maintenant. Les lèvres pincées, elle voulut ajouter quelque chose, mais les circonstances l'en empêchaient.

— Je serai vite de retour, m'écriai-je, déjà entraînée par Tullik.

Munch était assis dans l'herbe, son carnet de croquis sur les genoux, une bouteille de bière coincée entre ses pieds. Sa main dansait sur le papier ; il esquissait de larges courbes, avant de se concentrer à traits denses et rapides sur une section du dessin. Il était indifférent aux gens qui l'entouraient et ne leva même pas les yeux quand une petite fille trébucha et se raccrocha à son épaule.

— Bonjour, Edvard, fit Milly avec un sourire en coin qui n'était pas sans rappeler Tullik.

— Edvard, ajouta Tullik. C'est moi.

Il leva le visage. Quand il vit les deux sœurs côte à côte devant lui, il laissa tomber son carnet et son crayon roula dans le sable.

— Milly, bredouilla-t-il, intimidé. Tu es là.

Milly eut un petit rire.

— Oui, très cher. Je suis là. Veux-tu danser ?

— Tu sais bien que je ne danse pas.

— Alors fais quelques pas avec nous, proposa Milly en inclinant la tête de côté et en le toisant du regard. La soirée est si belle.

Munch se leva et Milly lui offrit sa main.

Il la saisit.

Tullik était folle de rage. Ses mains se refermèrent sur moi comme des pinces de crabe.

Milly prit le bras de Munch et, tournant le dos à la plage, l'entraîna en direction de la jetée. Elle gazouillait à voix basse et il penchait la tête pour mieux l'écouter.

Munch se laissa happer par la conversation de Milly et ils marchèrent sans plus se soucier de notre présence. Chacun de leurs pas piétinait le cœur de Tullik, et lorsque nous atteignîmes le bas de la plage, elle s'arrêta et les laissa s'éloigner.

— Il ne m'a même pas jeté un regard, articula-t-elle. Je la hais.

— Peut-être essayait-il tout simplement de te protéger, Tullik. Pour que ta famille n'apprenne pas la vérité.

— Il m'a ignorée, répéta-t-elle avec émotion. A cause *d'elle*. Je la hais. Quel besoin avait-elle de venir ici ?

Je la guidai vers la plage. La mer était calme, nous nous assîmes sur un rocher. De l'autre côté du fjord, nous devinions la faible lueur des feux allumés sur le rivage de l'île de Bastøy. Notre propre feu de joie crépitait gaiement, envoyant des étincelles en direction du ciel.

Tullik torturait son pouce.

— Ils sont partis dans la forêt, n'est-ce pas ?

— Je ne sais pas, je n'ai pas vu.

— Peut-être sont-ils allés chez lui ?

— Crois-tu que Milly aurait fait une chose pareille ? Avec son mari juste…

— Elle ne se préoccupe que d'elle-même. C'était la même chose avec Carl. Elle n'en faisait qu'à sa tête.

— Ont-ils été mariés pendant longtemps ?

— Dix ans. Je n'avais que neuf ans à leur mariage et elle, vingt et un. Elle se vantait sans cesse d'avoir un mari si bon qu'il la laissait faire tout ce qu'elle voulait. Il y a eu d'autres hommes, en dehors d'Edvard ; des acteurs, des écrivains. C'est pour cela qu'elle aime l'idée de la bohème. C'est un mode de vie qui l'autorise à faire ce que bon lui semble.

— Et son nouveau mariage, avec Ludvig ?

Tullik désigna la jetée.

— Qui sait où il se trouve ? demanda-t-elle. Et elle, que fait-elle à présent ?

Silencieuses, nous restâmes assises là, sur la plage, au milieu des échos de la fête. Tullik était comme une boule de feu incandescente dans sa robe rouge. Elle serrait les mâchoires, soupirait, s'impatientait. Elle se mit à jeter des cailloux dans l'eau de toutes ses forces, d'humeur belliqueuse. Quand elle ne parvint plus à contenir sa colère, elle se leva brusquement et reprit le chemin de la jetée.

— Attends, Tullik ! Où vas-tu ?

— Tu n'es pas obligée de m'accompagner, je ne veux pas t'attirer d'ennuis.

— Attends-moi. J'arrive.

Elle marchait devant moi, muette, en direction du sentier qui longeait le rivage. Elle dépassa d'un pas rageur l'Hôtel Central et le pavillon des bains, puis la villa Kiøsterud et le Grand Hôtel, et ne s'arrêta que lorsqu'elle atteignit le jardin de Munch, enjambant alors la barrière sans prendre garde à ce qu'elle faisait, déchirant sa robe en plusieurs endroits.

Elle traversa le jardin à pas furieux, passant devant la galerie de tableaux sans leur accorder un regard, eux qui l'avaient tant enchantée le jour où nous nous étions baignées. La maison paraissait vide. La porte était ouverte, mais il n'y avait ni lumière, ni bougies à la fenêtre.

— Edvard ! cria-t-elle en grimpant les marches à l'arrière de la maison. Edvard ? Es-tu là ?

Elle frappa à la porte puis au carreau, sans recevoir de réponse.

— Puisque c'est ainsi, je vais l'attendre, annonça-t-elle en pénétrant dans la cahute.

Je la suivis. La maisonnette n'était qu'une enfilade de trois petites pièces sombres, encombrées. Cela sentait la fumée de cigarette et l'essence de térébenthine. Tullik alluma une bougie et se mit à chercher un verre sur une étagère remplie de tubes de peinture.

— Tullik, suppliai-je. Tu ne peux pas rester ici. Tes parents…

— Mes parents ? Je m'en moque éperdument, rétorqua-t-elle en disparaissant dans la cuisine.

Mes yeux s'habituaient à la lueur des bougies et je commençais à distinguer des détails : le plafond bas, le plancher épais, le papier peint orné de fleurs marron. Des toiles jonchaient le sol et des chevalets étaient alignés contre le mur. Le lit dépassait dans la pièce, recouvert d'une couverture grise au liseré doré ; à son pied se trouvait une petite table pliante sur laquelle étaient posés une pipe et des paquets de tabac.

Tullik réapparut avec une bouteille de porto. Elle s'en versa un verre et s'assit sur le lit.

— Tullik, penses-tu vraiment que…

— Ah, assez, Johanne ! Tu ne vaux pas mieux qu'eux. Ne fais pas ceci, ne fais pas cela… Assez ! Dorénavant, je ferai tout ce que je voudrai. Si Milly peut se le permettre, pourquoi pas moi ?

Son explosion me fit taire immédiatement. J'hésitai un instant sur le seuil avant de sortir. Je m'assis sur les marches.

Au loin, j'entendais les cris des danseurs et la musique qui provenaient de la plage. Mère et Thomas devaient se demander où j'étais. J'avais promis à Thomas que nous irions plus tard cueillir des herbes dans la forêt. C'était l'une des traditions du solstice d'été : si une jeune fille parvenait à réunir sept types d'herbes différents cette nuit-là et les plaçait sous son oreiller, on disait qu'elle rêverait de l'homme de sa vie. Thomas plaisantait toujours en disant qu'une fille comme moi pouvait trouver cent herbes différentes dans la forêt de Fjugstad, mais je courais maintenant le risque de n'en trouver aucune. La fête battait son plein et durerait jusque tard dans la nuit. Il s'écoulerait peut-être des heures entières avant que Munch ne revienne.

Je restai assise là, à penser à Sankthansaften et aux esprits maléfiques : flottaient-ils dans l'air ce soir ? Avaient-ils jeté un sort à Tullik ? Sur la plage, on chantait désormais, des histoires d'hommes malhonnêtes, méchants ou lâches. Ces chansons ancestrales évoquaient des fermiers paresseux, des femmes de petite vertu, pour nous inciter à suivre le droit chemin, à l'image des fidèles. J'en vins à penser à Milly, à son absence de scrupules. Les flammes du bûcher léchaient toujours le ciel et je priai pour qu'elles emportent avec elles ce qui s'était emparé de mon amie, quelle qu'en soit la nature.

Je jetai à nouveau un coup d'œil vers la maison et vis que Tullik s'était allongée sur le lit. Elle contemplait le plafond, les mains croisées sur la poitrine. Je ne souhaitais pas la déranger mais ne pouvais pas non plus la laisser seule. J'attendis donc le retour de Munch, assise sur les marches, cherchant des yeux les tableaux dans l'obscurité. Je devinai de vagues contours, des silhouettes, des formes. Certaines se détachaient nettement : un grand tableau d'Inger dans une robe blanche lumineuse, assise sur un rocher au bord de l'eau. D'autres, tel le portrait de Laura et Tullik contemplant leur ombre, disparaissaient complètement dans le noir.

La tête appuyée contre la rambarde du petit escalier, je regardai vers le jardin, les yeux perdus dans le vague. Puis je remarquai la porte de l'atelier entrouverte, comme une invitation. Tullik était toujours sur le lit. Elle avait changé de position et me tournait le dos : elle ne remarquerait rien. Personne ne me verrait. Je me faufilai vers l'atelier et me glissai à l'intérieur.

J'y fus accueillie par le tableau sur lequel Munch avait travaillé dans le jardin : l'homme sur le pont, face au fjord. Il avait ajouté de la couleur dans la partie inférieure droite du tableau : un vert sale, apposé par petites touches, et de grands traits bleu foncé agressifs qui griffaient le dos de l'homme. Mais ce qui me frappa le plus, ce fut le ciel. Au-dessus des bateaux de la baie et de la ligne mauve de l'horizon, Munch avait ajouté une flamme incandescente, une fulgurance blanc-jaune recouverte d'un rouge furieux dont le vermillon venait lacérer le ciel de ses crocs.

Une douleur envahit à nouveau ma poitrine. Je me penchai pour mieux étudier les coups de pinceau de Munch, rapides, comme jetés en catastrophe. Deux peintres semblaient se disputer l'espace de la toile : un jaune et un rouge intenses se livraient une bataille féroce, comme deux dieux courroucés. La silhouette solitaire jetait au spectateur un regard désespéré, consciente que le combat qui se jouait au-dessus de sa tête n'était pas de ceux dont l'on ressortait vainqueur.

Sans réfléchir, je saisis un pinceau. J'ôtai la toile du chevalet et partis à la recherche de la mienne. Je la trouvai dans un coin, appuyée contre le mur : mon soleil éclatant aux rayons ondulants paraissait briller comme un talisman. Je dénichai rapidement la palette et les tubes de peinture, éparpillés de-ci de-là dans la pièce, j'allumai une bougie et me saisis de la palette. Bleu. Il me fallait du bleu. Mes doigts fouillèrent parmi les tubes et choisirent les plus sombres. J'écrasai de petits tas de couleur sur la palette et posai mon tableau sur le chevalet.

Tristesse.

Le cœur lourd, malade, muet.

Indigo. Outremer. Bleu nuit du fond des mers.

Les ténèbres m'encerclent, ombres allongées, lugubres et inquiétantes. Noir d'encre.

Tullik, ivre. Etendue sur le lit.

Un chagrin inconsolable. La nature, inconsolable. Les croassements des corbeaux. Des cris d'oiseaux qui passent.

Terre d'ombre. Fusain. Etaler des traits épais. Amalgamer, condenser.

Tullik s'avance dans les marécages, ralentie, empêtrée. Elle cherche, elle étouffe, happée.

Tullik perdue dans les eaux stagnantes, le gouffre insondable de son cœur, noir.

Peinture s'égouttant, tombant comme des larmes.

— Johanne, pour l'amour du ciel, que fais-tu ici ?

Je lâchai mon pinceau. Des éclats de peinture volèrent sur le sol et une sensation de chaleur envahit ma poitrine. J'avais un goût métallique dans la bouche, les mains tremblantes. Je laissai tomber ma palette.

— Johanne ? Tu peins ?

Je me retournai.

C'était Herr Heyerdahl.

Sa lourde silhouette se découpait dans l'encadrement de la porte. J'étais piégée.

— Ne dites rien à ma mère, suppliai-je d'un ton paniqué.

Il éclata de rire.

— Est-ce qu'Edvard sait que tu es là ?

— Non. Mais il m'a donné une toile pour que je puisse m'exercer.

— Qui est cette femme ?

— Quelle femme ?

Est-ce qu'il parlait de moi ? M'avait-il enfin autorisée à grandir et à m'échapper de son tableau ?

— Là, indiqua-t-il en désignant la toile derrière moi.

— Elle… Personne en particulier, répondis-je, surprise de découvrir une silhouette solitaire qui tournait le dos au soleil.

— C'est très intéressant, ce contraste, affirma-t-il.

Je posai à nouveau la toile à terre, et rangeai tubes et pinceaux.

— Edvard m'a envoyé chercher une bouteille de vin. Il y a de la musique et l'on danse, ne veux-tu pas te joindre à nous ? Edvard m'a dit que la porte était ouverte et que je pouvais me servir.

Il sortit de l'atelier.

— Mlle Tullik est là, dis-je en lui courant après. Elle l'attend.

— Edvard est sur la plage, annonça-t-il en ouvrant la porte de la maison.

— Tullik ! criai-je. Tullik, Herr Heyerdahl est là !

Elle était assise au bord du lit, le dos courbé, et buvait.

— Enchantée de faire votre connaissance, Herr Heyerdahl.

Elle avait les lèvres noircies par le porto et les cheveux emmêlés.

— Bonsoir, mademoiselle Ihlen, la salua-t-il en soulevant son chapeau. Je connais votre sœur, Milly. J'ai eu l'occasion de la croiser plusieurs fois, il y a quelques années.

— Comme je vous plains, répondit Tullik d'une voix traînante.

Herr Heyerdahl marmonna quelque chose à propos du vin et s'éclipsa dans la cuisine. Je fixai Tullik, mais sa tête était retombée et elle détournait le regard.

— J'ai trouvé ce que je cherchais, triompha Herr Heyerdahl, de retour dans la pièce et brandissant une bouteille devant nous. Munch est sur la plage. Souhaitez-vous que j'aille le chercher ?

— Non, je vais l'attendre ici, répondit Tullik.

— Mais il pourrait se passer des heures avant que…

— J'attendrai.

— Très bien. Johanne, souhaites-tu que je te raccompagne ?

Je consultai Tullik du regard.

— Vas-y, maugréa-t-elle.

— Tullik, je peux rester avec toi si tu le désires.

— Non, laisse-moi.

Saisissant la bouteille de porto, elle s'en servit une nouvelle rasade.

Aux côtés de Herr Heyerdahl, je me sentais à nouveau une enfant, sa Cueilleuse de fraises. Tullik m'effrayait et je ne savais comment l'aider ; aussi descendis-je le jardin auprès du peintre dont l'œuvre m'empêcherait à jamais de grandir.

Herr Heyerdahl ne posa aucune question, malgré la tension évidente qui avait régné dans la maisonnette. Il parla d'Åsgårdstrand, soulignant le plaisir qu'il avait à vivre chez nous et me disant qu'il avait été très prolifique depuis son arrivée. Je l'écoutais mais ne pensais qu'à Tullik.

Nous enjambâmes la barrière et empruntâmes le sentier, dépassant Kiøsterud et le Grand Hôtel. Alors que nous atteignions le pavillon des bains, je vis Caroline s'avancer dans notre direction. Sans un regard pour Herr Heyerdahl, elle se précipita vers moi, pointant un index accusateur.

— Toi ! s'écria-t-elle. Johanne, Milly m'a raconté que Tullik et toi vous étiez enfuies dès qu'elle a eu le dos tourné !

— Ce n'est pas vrai, répliquai-je. Ils se sont éloignés…

— Es-tu en train de traiter ma sœur de menteuse ?

Je niai vigoureusement.

— Où est Tullik ? *Où est-elle ?* Ne me raconte pas de sornettes !

— Je n'en sais rien, dis-je faiblement.

— Je n'ai pas besoin que tu me le dises. J'ai mon idée sur la question. Viens avec moi.

Elle me prit par le bras avec brusquerie, abandonnant Herr Heyerdahl, stupéfait.

— Nous y voilà, s'exclama-t-elle à la lisière du jardin de Munch.

Caroline me força à enjamber la barrière puis fit de

même, sans élégance et en maudissant l'obstacle. Elle prit les devants pour monter la colline. A chaque fois qu'elle croisait un tableau, elle laissait échapper un petit cri d'effroi et se couvrait les yeux.

— Tullik ! criait-elle en fouillant le jardin des yeux.

Une fois arrivée à la maison, elle scruta l'obscurité, les poings sur les hanches.

— Tullik ! Je sais que tu es là. Sors de ta cachette ! Tullik ?

— Je suis là, marmonna-t-elle en apparaissant sur le seuil de la porte, les cheveux en désordre.

Caroline se retourna.

— Je le savais ! s'exclama-t-elle. C'est là que tu disparaissais chaque jour !

— L'as-tu conduite ici, Johanne ? me demanda Tullik d'un air déçu.

— Je n'ai même pas eu besoin de son aide, répliqua Caroline. Avec tes belles et grandes idées sur les artistes, la bohème... je savais bien que tu venais ici. Que cherches-tu au juste, Tullik ? Un frisson ? Un peu d'attention ? Est-ce que tu espères qu'il va faire ton portrait ?

Caroline ne pouvait savoir que Munch avait déjà peint sa sœur à maintes reprises.

— Edvard m'aime, et moi aussi, siffla Tullik.

Une flamme dansait à nouveau dans ses yeux.

— Tu n'es qu'une petite cruche ! fulmina Caroline. Edvard Munch est un malade, un ivrogne, c'est de notoriété publique. Et il est épris de Milly, pas de toi !

Tullik leva fièrement la tête.

— Ce n'est pas ce qu'il dit quand il m'embrasse, assena-t-elle. Ou quand il me fait l'amour.

— Espèce de traînée ! Tu ne sais pas ce que tu dis, tu ne vaux pas mieux que lui ! Si tu l'as laissé t'embrasser, alors tu n'as fait que nourrir ses fantasmes envers Milly. Ce n'est pas à toi qu'il fait l'amour, ce n'est même pas à toi qu'il s'intéresse, c'est à elle. Ils ont eu une liaison. Voilà, maintenant, tu es au courant. Il est obsédé par elle. Mais comme il ne peut l'avoir, il t'utilise comme piètre substitut.

— Et toi, que connais-tu à l'amour ? ricana Tullik. Je suis sûre que tu n'as jamais laissé Olav te toucher, que tu ne l'as même jamais embrassé. Tu es plus frigide qu'une nonne.

Caroline bondit en haut des marches et se précipita sur sa sœur, mais Tullik ne bougea pas.

Je m'élançai vers elles.

— Toi, la paysanne, rentre chez toi ! glapit Caroline en me repoussant.

Je tâchai de m'interposer, mais déjà Tullik agrippait Caroline par les épaules et la poussait vers le bas des marches. Accrochées l'une à l'autre, elles s'arrachaient des touffes de cheveux, les lèvres retroussées, toutes griffes dehors, comme deux chats enragés.

— Arrêtez ! Tullik ! Tullik, lâche-la !

Elles continuaient à lutter. Férocement.

J'avais beau m'époumoner, ni l'une ni l'autre ne répondait à mes cris de désespoir. Je hurlais leurs prénoms sans discontinuer.

Soudain une voix grave résonna derrière moi. Quelqu'un remontait la colline en courant.

— Elle vous a dit d'arrêter ! Assez !

En me retournant, je vis Thomas traverser le jardin, les traits convulsés. Je reculai instinctivement. Je m'étais absentée pendant des heures, j'avais manqué les danses et la promenade dans la forêt, je lui avais fait faux bond. Je crus qu'il allait s'en prendre à moi, mais il me dépassa sans un regard et s'interposa entre Tullik et Caroline. Les deux femmes n'étaient pas de taille à se mesurer à lui. Il les sépara sans aucun effort, comme deux jeunes enfants.

— Vous devriez avoir honte de vous, lança-t-il.

Caroline fit un pas en arrière, s'essuya le visage et réarrangea ses cheveux, vexée qu'un homme du rang de Thomas l'ait vue se quereller ainsi avec sa sœur. Elle se redressa et s'éclaircit la gorge.

— Tullik, suis-moi, nous nous expliquerons à la maison, dit-elle de son air le plus digne.

Munch ne rentrerait pas, Tullik le savait bien. Elle quitta la petite maison en fermant la porte derrière elle. Les deux sœurs passèrent devant nous sans un mot, puis Caroline s'arrêta et me lança un regard perçant.

— Notre mère ne saura rien de tout cela, ordonna-t-elle, *absolument rien*. Tu m'as bien comprise ?

Je lui fis signe que oui.

Le visage de Tullik était strié de larmes. J'en avais le cœur lourd, mes lèvres frémissaient. Je voulus dire quelque chose, mais il n'y avait rien à ajouter.

— Viens, Johanne, murmura Thomas, la voix adoucie, en passant son bras autour de mes épaules. Tu as des herbes à ramasser ce soir. Tu m'as promis une promenade, souviens-toi.

Je le pris par la taille et nous nous dirigeâmes vers Nygårdsgaten baignée de clair de lune, en direction de l'orée de la forêt.

11

Palette

Tous deux sont des effets élémentaires généraux, obéissant à la loi générale de la dissociation et de la tendance à l'union.

Traité des couleurs,
JOHANN WOLFGANG VON GOETHE.

Milly resta encore trois jours à Åsgårdstrand. Elle venait prendre le thé tous les jours à Solbakken avec son mari, Ludvig, et sa fille, Lila. Je les servais discrètement, dans un silence aux tons pastel. La petite fille était vêtue de façon si princière qu'elle avait du mal à respirer dans cette chaleur. Tullik jouait parfois avec elle et se montrait polie avec Ludvig, qui était d'un naturel plutôt affable. Mais elle n'échangeait pas un mot avec sa sœur.

Julie, à son retour de Kristiania, trouva une maison au bord de l'implosion. Elle ne savait pas que Caroline et Tullik s'étaient querellées, mais fut effrayée par ce qu'elle lut sur le visage de Tullik et se prépara à affronter le pire, comme si un ouragan menaçait leur foyer.

Le troisième jour, juste après le déjeuner, j'étais occupée à étendre des draps sur la corde à linge avec Fru Berg quand le murmure d'une conversation entre Caroline et Milly me parvint. Elles se tenaient sur les chaises en fer forgé à côté de la table de jardin. Milly était perchée sur le rebord de son siège, le dos bien droit, la tête haute, le visage dissimulé par l'ombre de son chapeau.

— Tu dois tout faire pour que cela cesse, disait-elle à Caroline qui l'écoutait, penchée en avant, les mains jointes devant la bouche comme en prière. C'est de l'enfantillage, ni plus ni moins. Il ne peut pas s'intéresser à elle, pas réellement.

— Bien sûr que non, répliqua Caroline. Mais tu la connais, avec ses grandes idées sur les artistes, les peintres…

— Il ne peut se passer de moi, ajouta Milly d'un ton nonchalant. C'est d'un ennui…

— Mère se remet tout juste de cette affaire, et elle est ravie de te voir heureuse avec Ludvig. Imagine sa honte si Tullik devait avoir une liaison avec le même homme. Nous ne serons donc jamais débarrassés de ce fou ?

Milly laissa échapper un rire qu'elle réprima vite de sa main gantée.

— Je ne vois pas ce qu'il y a de drôle, s'agaça Caroline. Ne vois-tu pas combien cela serait mortifiant pour notre famille ?

— Excuse-moi. Je ne peux m'empêcher d'en rire… Il est toujours fou de moi, n'est-ce pas ? Il me vénère, et il pense avoir accès à une petite partie de moi à travers ma sœur. C'est pathétique. Il faut que tu fasses en sorte que cela cesse, Nusse chérie, avant qu'elle ne commence à croire à ses mensonges.

Milly déplia son ombrelle et parcourut les quelques pas qui la séparaient de l'arrière de la maison, paradant comme à l'heure de la promenade sur Karl Johan.

— Ludvig, très cher, il est temps d'y aller ! Lila chérie ? appela-t-elle.

Caroline me fusilla du regard en rangeant sa chaise sous la table.

— Retourne travailler, siffla-t-elle.

*
* *

Le départ de Milly se transforma en véritable événement. Ludvig et elle se donnèrent en spectacle, lançant des baisers depuis la voiture, tels un roi et une reine de pacotille sur la scène d'un théâtre. L'on avait posé Lila à côté de Milly comme un accessoire, une jolie fleur ou un bijou. Suivant l'exemple de sa mère, l'enfant agitait sa main gantée de dentelle.

Quand toute cette agitation inutile fut enfin terminée et que le bruit des sabots eut disparu, Ragna me prit à part dans la cuisine.

— Il nous faut du lait, va en chercher à la laiterie du presbytère. Et prends ce pot.

Elle me fourra un bidon en fer-blanc entre les mains et me fit signe de sortir.

— Tu sais où se trouve le presbytère ? ajouta-t-elle en articulant lentement, comme si j'étais simple d'esprit.

La question ne méritait pas de réponse mais je hochai la tête.

— Bien sûr.

— Ne traîne pas. J'ai pris du retard à cause de cette visite.

J'étais contente de pouvoir m'éloigner un peu de la maison. L'atmosphère avait été lourde lors du séjour de Milly, et Tullik et moi n'avions pas discuté depuis Sankthansaften. Je ne m'étais rendue dans sa chambre que pour faire le ménage. A chaque fois que j'entrais, elle plongeait le nez dans un gros roman intitulé *Les Démons*. Elle ne m'adressait pas la parole, et restait seule des heures entières, pendant que ses deux sœurs aînées conspiraient contre elle.

A la laiterie, je fus servie par Isabel Ellefsen, une fille de mon âge rondelette, aux bras potelés. Nos mères se connaissaient ; je l'avais déjà vue à l'église le dimanche, bien que nous nous soyons rarement adressé la parole.

— Alors, tu te plais chez l'amiral ? demanda-t-elle en versant le lait dans le bidon d'un geste assuré.

— Oui, ça va.

— Ce sont des gens bien, tu as de la chance de travailler pour eux.

Elle se pencha vers moi et baissa la voix pour ajouter :

— Mais prends garde à Ragna. Rien ne lui échappe.

C'était une drôle de réflexion de la part d'une employée de laiterie qui ne connaissait sans doute pas bien la cuisinière de la famille Ihlen.

— Elle vient ici de temps en temps, avec ses yeux mauvais qui traînent partout, ajouta-t-elle en replaçant le couvercle sur le bidon. Pas étonnant qu'elle n'ait trouvé personne pour l'épouser. Elle joue les agneaux, tout sourire, mais cela ne prend pas avec moi. Ma sœur m'a dit qu'elle a eu un fiancé, mais qu'il l'a quittée pour une autre. Il s'est fait la malle avant qu'il ne soit trop tard. Si j'étais toi, je surveillerais mes arrières. Elle cache quelque chose.

Je brûlais d'envie de lui poser mille questions, mais me retins de le faire — je ne pouvais me permettre d'être surprise à échanger des ragots avec les commerçants. Je ne m'étais jamais demandé pourquoi Ragna ne s'était pas mariée et j'avais du mal à m'imaginer qu'elle ait pu être fiancée, ou même amoureuse de qui que ce soit. Isabel me tendit le pot de lait comme si elle levait un verre pour trinquer à notre complicité.

— Fais attention, Johanne. Elle t'a à l'œil.

Je pris le bidon et me hâtai de rentrer, en me demandant si Isabel savait réellement quelque chose ou si, et c'était plus inquiétant, elle savait que Ragna avait *aperçu* quelque chose. Moi. Le cimetière. Le tableau.

Lorsque j'atteignis l'église, Ragna cueillait de la menthe dans le jardin, devant la maison. De l'autre côté de la rue, un homme se tenait à l'ombre du tilleul.

— Non, murmurai-je. Pas maintenant, Munch. Pas maintenant.

Blottie contre le mur de l'église, j'attendis la suite des événements. Adossé à l'arbre, Munch regardait la maison, un long rouleau de papier à la main. Il avait l'air perdu, abandonné : je sentis une vague de tristesse me glacer le cœur. Je voulus courir vers lui, mais craignis que Ragna ne me voie. Je tâchai alors d'attirer l'attention du peintre en agitant le pot de lait. Mais ses yeux étaient fixés sur la maison, scrutant la moindre planche, ardoise, le moindre clou ou panneau de verre, à la recherche de ce qu'on lui avait dérobé. Il semblait prêt à attendre indéfiniment.

Ragna se pencha pour ramasser les herbes et j'en profitai pour jaillir de ma cachette et lui faire signe. Lorsqu'il me vit, il se précipita vers moi.

— Johanne !

— Chut !

Je posai un doigt sur ma bouche et l'invitai à me suivre derrière l'église. Quand nous fûmes à l'abri des regards, il me tendit le rouleau.

— S'il te plaît, pourrais-tu lui donner ceci de ma part ? Je suis incapable de travailler sans elle. Cela fait des jours qu'elle n'est pas venue. Je n'arrive plus à peindre ni à réfléchir.

— Vous pensiez vraiment qu'elle allait vous rendre visite ? Après…

— Après quoi ?

Son regard triste s'assombrit encore et il porta la main à son cœur.

— Après quoi ?

— Milly.

Ce mot, isolé, ne signifiait rien pour lui, et il continua sans même s'y arrêter :

— Je n'arrive pas à travailler sans elle, et si je ne travaille pas, je meurs. Apporte-lui cela. S'il te plaît, Johanne, convaincs-la de me revenir.

Il était impossible d'ignorer son désespoir. Sa respiration était laborieuse : Tullik était l'oxygène dont il ne pouvait se passer. Peut-être ne cherchait-il qu'à la protéger, l'autre soir, sur la plage ? Peut-être avait-il déguisé ses sentiments pour ne pas révéler leur liaison à sa famille ? Quelles que soient les raisons de sa conduite, ce n'était pas le moment de l'interroger. Je pris le rouleau d'un air solennel.

— Dis-lui que je l'attendrai près du tilleul aussi longtemps qu'il le faudra, supplia-t-il.

Ragna était retournée dans la cuisine et m'accueillit avec un regard plein de méfiance.

— Où étais-tu ? Je t'avais juste demandé d'aller à la laiterie.

— Je suis désolée, répondis-je en lui tendant le bidon. Je discutais avec Isabel.

— Et moi, je t'attendais…

Elle me détailla des pieds à la tête, fixa le rouleau de papier et sembla le dérouler du regard. Je tressaillis. Elle savait. Elle savait que c'était l'œuvre impie du *dépravé*.

— Je dois passer le balai sur le palier d'en haut, dis-je en m'éloignant brusquement.

Caroline était au salon avec sa mère. L'amiral s'était retiré dans son bureau. Fru Berg croulait sous une pile de vêtements et de draps à essorer. Tullik, quant à elle, devait se trouver dans sa chambre.

Henriette gardait la porte.

Je l'enjambai et cognai à la porte.

— Tullik, appelai-je à voix basse. Puis-je entrer ?

Pas de réponse.

— Tullik, répétai-je, un peu plus fort. J'ai quelque chose pour toi.

La porte s'ouvrit enfin. Henriette se glissa à l'intérieur, et se frotta contre la jambe de sa maîtresse avec un petit miaulement.

— De quoi s'agit-il ? demanda Tullik qui venait de se réveiller, les cheveux épars.

— Puis-je entrer ? J'ai besoin de te parler.

Elle recula.

— Tiens, c'est pour toi, soufflai-je en refermant la porte.

Je lui tendis le rouleau.

— Qu'est-ce que c'est ?

— Je crois que c'est une de ses œuvres. Il t'attend.

— Je ne veux pas le voir, balbutia-t-elle d'une voix brisée.

— Il ne partira pas avant de t'avoir vue.

— Et elle ?

— Il ne se souvient même plus de son nom.

Tullik hésita un instant puis m'arracha le rouleau des mains. Elle ferma les yeux, toussota et déroula le papier épais jusque sur le lit.

Le tableau, un mélange d'aquarelle et d'encre, était ensorcelant.

C'était Tullik, dans l'eau, le jour où elle avait nagé nue et s'était allongée devant Munch sur la plage. Il l'avait représentée en sirène, l'extrémité de ses jambes se fondant en une queue à peine visible. Une colonne de clair de lune, l'un des motifs récurrents du peintre, illuminait son teint pâle. Son abondante chevelure auburn retombait de part et d'autre de ses épaules. C'était bien Tullik, dans toute sa beauté éthérée, élégante, une vision provocante, créature mythique née de la douce nuit d'été.

Tullik dévora le dessin des yeux.

— C'est moi ? hésita-t-elle, les larmes aux yeux.

— Bien sûr. Telle que tu étais ce jour-là.

Au bas de la page se trouvaient les mots *E. Munch, Sirène, 1893.*

— Mon pauvre chéri, dit-elle. Où est-il ?

— Sous le tilleul.

— Aide-moi à me préparer. Je dois aller le rejoindre.

Elle se précipita sur son armoire et arracha plusieurs robes de leurs cintres.

— Laquelle devrais-je porter, Johanne ? Celle-ci ?

— Peu importe ! Toutes te vont à merveille.

— Vraiment ? Tu penses ce que tu dis ?

— Bien sûr, répondis-je en écartant ses cheveux de ses épaules.

Elle choisit une robe d'été couleur crème. Ses cheveux couraient dans son dos et elle vaporisa un nuage de parfum frais au creux de son cou et derrière ses oreilles.

— Dis-leur que je suis partie me promener dans la forêt, s'ils te posent la question.

Je me pliai à ses mensonges et me fis une fois de plus la gardienne de ses secrets.

Après son départ, je restai dans la chambre, à contempler le tableau. Tullik m'appelait de son air implorant, m'attirait vers la mer. Avec ses mains plongées dans l'eau et sa queue de sirène, elle semblait désarmée. *Viens*, disait-elle, *viens m'étreindre dans cette eau baignée de clair de lune*. Mes doigts suivaient la ligne de ses cheveux qui flottaient à la surface comme des algues orangées. La lumière de la lune dorait sa peau, enflammait ses cheveux. Elle était comme un feu vivant, de l'or liquide, fait souffle, fait chair. L'essence même de la vie.

Juin passa le relais à juillet dans un pacte de fièvre et de feu. Le mercure grimpa en flèche. De mémoire d'homme, l'on n'avait jamais vu été si chaud. Quand la plupart d'entre nous flétrissaient au soleil, Tullik se fit plus rayonnante que jamais. Sa peau devint dorée, sa chevelure fauve se fit plus magnifique encore, éclaircie par le soleil. Son âme s'embrasait, débordante de vie, de sensations, de danger.

La canicule ôtait toute force à l'amiral et à Fru Ihlen. Ils se déplaçaient avec effort dans la maison, hébétés. Caroline n'allait guère mieux et errait d'une pièce à l'autre dans l'espoir de trouver un coin d'ombre ou une bouffée d'air frais. La chaleur mettait Fru Berg dans tous ses états. Ses joues rondes luisaient comme des pommes et elle ne cessait de s'éponger le front, incapable d'endiguer le flot de sueur qui dégoulinait de ses tempes.

Mais Ragna était plus alerte que jamais. Tel un lézard, ses sens s'éveillaient sous la chaleur. Rien n'échappait à son regard perçant. Elle observait mes moindres faits et gestes, tandis que je faisais l'intrigante pour permettre à Tullik de poursuivre son petit jeu.

Nous parlions de récitals et d'après-midi de baignade ; de bals à l'hôtel et de bals sur la plage ; de promenades en forêt et de cueillettes de fruits sauvages. L'amiral et Julie avalaient nos mensonges comme s'il s'agissait du nectar sucré des fleurs de chèvrefeuille. Tant que Tullik ne rentrait pas trop tard, ils ne lui posaient pas de questions. C'est ainsi que Tullik put, pendant quelque temps, faire ce que bon lui semblait, comme elle se l'était promis.

Puis la bohème de Kristiania s'en vint à Åsgårdstrand.

Etonnamment, ce fut ma mère qui m'en informa la première. Elle l'annonça à la table du dîner un dimanche soir.

— Nous voilà envahis par les barbares, grogna-t-elle. Je les ai entendus toute la nuit.

— Hmm ? marmonna mon père en tirant sur sa pipe.

— Ces drôles de gens. Chez le fou. Ils sont arrivés de Kristiania il y a quelques jours, et ils ont passé la nuit à faire la noce et à boire. C'est une honte.

— Qui est-ce ? demandai-je.

— Cela ne te regarde pas, Johanne. Tu ferais mieux de te tenir à l'écart de ces saletés, il ne manquerait plus que cela se répande. Ses amis sont de vrais malotrus. On ne pourrait pas tomber plus bas. Tu as intérêt à les éviter ! Qui sait, je vais peut-être devoir te trouver un travail en ville, t'envoyer à Kristiania. Bientôt, Borre ne sera plus assez loin. On dirait qu'il n'y a guère que Herr Heyerdahl pour avoir encore un peu de décence.

Il s'agissait sans doute d'écrivains et de peintres : Tullik allait les trouver irrésistibles. Je savais que tôt ou tard, un de mes mensonges — une histoire de bal ou de promenade — allait être percé à jour et que l'on me surprendrait au milieu de ces gens que ma mère redoutait tant. Que se passerait-il alors ? Allait-elle m'exiler ? M'envoyer à Kristiania ? Après dîner, je m'échappai de la maison et courus vers la côte rocheuse où la mer m'appelait. Je me débarrassai hâtivement de mes chaussures et de mes bas, soulevai ma jupe et m'élançai vers les vagues. La tête penchée, je répondis à l'appel de l'océan, me laissant envahir par le soleil couchant, l'écume salée sur mon visage, le cri des mouettes qui tournoyaient au-dessus de ma tête. Je restai ainsi un long moment à réfléchir : comment éviter l'inéluctable ?

Quand je me décidai enfin à rentrer, le ciel s'était assombri et je dus chercher mes chaussures dans la pénombre. Je ne tentai même pas de trouver mes bas, lancés je ne sais où.

— Que fais-tu, Johanne ?

La voix provenait des rochers devant moi.

C'était Thomas.

— Je cherche mes chaussures, je suis sortie prendre l'air, dis-je.

— Il a fait tellement chaud, les femmes ont du mal à supporter ces températures.

— On étouffe. Il n'y a pas d'air ici, pas même sur le rivage.

— Et si on faisait une petite promenade ? demanda-t-il tout sourire, en me tendant la main.

— Pas trop longtemps, alors.

Nous empruntâmes la jetée des bateaux à vapeur et nous arrêtâmes à mi-chemin pour nous accouder à la rambarde. Même de nuit, fatiguée, Åsgårdstrand était magnifique. Les fenêtres des hôtels se détachaient, brillantes, contre la belle nuit d'été. On avait suspendu des lampions sur la galerie qui courait derrière le Grand Hôtel. D'autres, accrochés aux arbres, projetaient la forme des branches en ombres colorées. Les bateaux se balançaient doucement à nos pieds dans le port, et l'on n'entendait rien d'autre que le bruit de la mer qui venait se briser contre la digue.

— As-tu réfléchi, pour le mariage ? me demanda Thomas, enfouissant son visage dans mon cou.

— Tout ce que je sais, c'est que je suis trop jeune.

— Ce n'est pas un non, dis-moi ?

— Non. Ce n'est pas un non.

Parler de mariage revenait à inviter ma mère à se mettre entre nous, avec ses airs consternés et ses hochements de tête.

— Je dois rentrer maintenant, dis-je en m'écartant de lui.

— Mon père me laisse prendre le bateau dimanche prochain. Veux-tu venir avec moi, à l'aventure ?

— Je doute que ma mère accepte.

— Pourquoi l'apprendrait-elle ?

Le mensonge m'était devenu une seconde nature : j'aurais pu sans difficulté en inventer un autre, mais je commençais à me lasser des ruses et des secrets. L'idée de mentir à nouveau me déplaisait : tous ces plans à bâtir, ces fables à raconter, ces pistes à brouiller… Une descente en eaux troubles. Spirale brune, ocre sale, visqueuse, sombre.

— Je ne peux rien te promettre.

Nous rentrâmes sans nous presser, empruntant le sentier qui longeait les hôtels en direction des cabanes de pêcheurs. La tranquillité ambiante se dissipa quand nous atteignîmes le jardin de Munch. Un rire strident retentit. Je regardai par-dessus la clôture et vis un homme et une femme agrippés l'un à l'autre, qui tournoyaient follement dans la pente. Autour d'eux, l'on devinait au rougeoiement de leurs cigarettes la présence d'hommes dans la pénombre. J'entendis le bruit de verres qui s'entrechoquaient et des bouchons sauter en l'air. Un chant, des applaudissements.

— Je vois que ce fou de Munch a encore des invités, observa Thomas. Il paraît qu'hier, cela a duré toute la nuit.

Je contemplai le couple qui valsait vers nous.

— Ils n'obéissent qu'à leurs propres règles, s'esclaffa Thomas. Peut-être qu'on devrait faire un peu comme eux ?

Je ne demandais pas mieux. Je voulais cette liberté qui se déversait du jardin de Munch, je voulais y goûter, malgré son goût amer. J'en connaissais les revers et craignais ses conséquences ; et pourtant elle m'attirait, m'ensorcelait. J'avais envie de me joindre à cette danse qui tourbillonnait sous le couvert des arbres ; je désirais que Thomas m'entraîne et me fasse danser au milieu des tableaux éparpillés sur la colline. Dans l'écrin de cette nature florissante, bercée par le soleil, la lune et la mer, cette danse n'avait rien de démoniaque — elle célébrait la force de la vie.

Je voulais à mon tour entrer dans la ronde.

12

Outremer

Nous voyons bleus le ciel dans les hauteurs, les montagnes au loin, et de même une surface bleue semble reculer devant nous.

Traité des couleurs,
JOHANN WOLFGANG VON GOETHE.

Un tourbillon de vert, d'émeraude, de jade.

Audacieux. Hésitant, sinueux, rampant. Une pointe de cyan. Le prisme s'ouvre.

Tullik, vagabonde. Les mains tendues — les mains repliées. S'éloignant du soleil, marchant vers l'inconnu.

Je la suis, curieuse, indiscrète.

J'ai peur du jardin. Peur d'y aller. J'entends leurs voix. Un puits sans fond. Un rire rauque, abrasif comme un vent de sable. J'entends leurs verres tinter. Le carillon — le glas. Bleu. Cyan. Ils viennent vers moi.

La peinture est mon refuge.

Un homme, derrière moi, fredonne une mélodie.

La peinture est mon refuge.

— Tu vas rester cachée là tout l'après-midi, Johanne ?

Je rinçai mon pinceau dans un bocal d'essence de térébenthine avant de me retourner.

Il tira sur sa pipe. Son haleine sentait l'alcool.

— Je me sens bien ici, répondis-je. J'aime peindre.

— Elle est magnifique. Hantée par quelque chose. Et ce soleil dans son dos ? Est-ce qu'elle cherche à s'échapper ?

— Je n'en sais rien, je ne fais que m'entraîner. Munch me laisse emprunter son matériel.

— Cela me plaît.

L'homme avait un nez incroyablement long et un grand front dégarni. Il étudiait intensément mon travail, son menton pointu penché sur le côté.

— Excusez-moi, Herr…

— Delius, Fritz Delius.

Il parlait le norvégien avec un fort accent et écorchait abondamment ses mots.

— Peut-être est-il temps pour Tullik et moi de rentrer à la maison ?

— Balivernes ! Vous n'allez pas nous quitter si vite. Il te faut un verre, quelque chose qui t'aide à entendre les notes.

Il retenait la porte de l'atelier, qui laissait entrer un flot de lumière. Je fis un pas dans ce soleil dansant de poussière, suivie de Delius.

— Jens, cria-t-il à un homme qui se tenait dans le jardin. Un verre pour Johanne ! Elle l'a bien mérité, elle peint depuis des heures.

Jens, un homme de petite taille avec une barbe noire, disparut dans la maison. Munch et Tullik étaient assis à une table au milieu du jardin en compagnie d'un troisième homme, un Danois un peu étrange, avec un nez busqué, un menton fuyant, des oreilles minuscules et une touffe de cheveux noirs sur le dessus du crâne. Il gesticulait tout en parlant.

— Viens, Johanne, dit Delius. Assieds-toi à table. Nous parlions de lumière.

Tullik était accrochée au bras de Munch, immobile, attentive à la conversation.

— Il est en train de me voler ma pièce, Delius, s'exclama le Danois.

— Allons donc, Helge ! C'est un peintre !

— L'idée vient de moi, *Dansen Gaar,* « on danse ! » poursuivit son interlocuteur. Mon personnage, l'artiste, dit : *« Mon tableau s'appellera* La Danse de la vie ! *On y verra un couple qui danse dans des vêtements flottants, par une nuit claire, le long d'une avenue de cyprès et de buissons de roses. Le sang glorieux de la terre luira, éclatant, à travers les fleurs rouges, Claire. Il la serre contre lui. Il est profondément sérieux, et profondément heureux. Il y aura comme une atmosphère de fête. Il la serrera si fort qu'elle sera presque écrasée contre lui. Elle aura peur — véritablement peur — et quelque chose s'éveillera en elle. Une force jaillie de lui et qui l'envahit, elle. Et devant eux s'ouvre l'abîme. »*

— La danse de la vie ! Quelle idée merveilleuse, s'exclama Delius. J'entends déjà les premiers accords. Envoie-moi ta pièce, Rode, j'aimerais la lire.

— Est-ce que quelqu'un sait où se trouve l'absinthe ? demanda Jens, de retour de la maison.

— Ici, répondit Munch en sortant une bouteille de dessous sa chaise.

— Eh bien, sers, Johanne. Son verre est vide.

Munch le remplit à ras bord d'un épais liquide vert.

— Voilà pour toi, Johanne, dit Delius. Il faut le boire d'un seul coup.

Je refusai le verre, mais il insista.

— Vas-y, Johanne, renchérit Tullik. Cela t'aidera à peindre.

Je pris le verre des mains de Herr Delius et y trempai les lèvres. Le liquide vert coula dans ma bouche — je l'avalai d'un trait. Son goût fort, anisé, caressa ma langue, avant de descendre le long de ma gorge. J'en eus les larmes aux yeux et je dus me forcer à sourire.

— Bravo ! applaudit Delius. En voilà une bonne fille !

— Alors, Munch, demanda Jens en me poussant vers la table. Qu'est-ce que c'est que cette histoire ? La danse t'inspire ?

— J'ai quelques idées. Ce n'est pas simplement une

danse, c'est une frise tout entière, la frise de la vie — c'est une étude de l'existence, de l'amour, de la mort.

— Je l'entends déjà tourbillonner, s'élever, retomber, s'enthousiasma Delius en s'installant à côté de moi. Il faut absolument que cela se déroule ici, dans ce paysage magnifique. Dans ce pays à la beauté sauvage qui est le tien, au cœur des montagnes et des fjords. Comme j'aimerais rester ici à jamais !

Il leva son verre avant de continuer :

— Ah, rester à jamais en Norvège, ma deuxième patrie ! Ou bien est-ce la troisième ? La quatrième ?

— L'Angleterre est ta terre natale, intervint Jens. A moins que ce ne soit l'Allemagne ?

— La Floride, peut-être ? dit Delius. L'Amérique serait-elle ma patrie véritable ?

— Mais ta prochaine destination, c'est la France, déclara Munch. Tu t'y sens aussi chez toi, non ?

— Que le monde entier soit ma patrie, alors, et que la Norvège — que la Norvège soit mon âme !

Ils continuèrent à boire et la conversation se fit confuse. Je conclus des quelques bribes saisies de-ci de-là que Fritz Delius était un compositeur anglais d'origine allemande et que Munch l'avait rencontré à Paris par l'intermédiaire d'amis communs. D'après les références aux lettres et aux cartes de Delius, les deux hommes entretenaient une correspondance régulière. Helge Rode, le Danois, était poète et écrivain. Je ne saisis pas quelle était la profession du troisième homme, Jens Thiis, mais il suivait le fil de leurs pensées sans difficulté et paraissait avoir une très bonne connaissance des arts, citant le nom de peintres étrangers dont je n'avais jamais entendu parler. Ils semblaient tous amis avec un dénommé Gauguin, qui revenait souvent dans la conversation.

La discussion autour de la pièce de Rode et l'idée de la danse de la vie se poursuivit de façon sporadique tout au long de l'après-midi. Je la consignai dans ma tête, sans mentionner le fait que le même concept m'avait traversé l'esprit la veille. Des idées poétiques, sublimes — sur le sang de la terre, sur le sang de Munch lui-même s'enfonçant dans la terre pour fertiliser les fleurs —, résonnaient autour de la table comme des prières, avant d'éclater en fragments plus grossiers, des plaisanteries sur les prostituées des rues mal famées de Paris.

Je suivais le métronome de leurs voix. L'esprit brouillé par l'absinthe, j'écoutais ou dérivais, selon le sujet abordé et le volume de la conversation. La voix de Munch vint me tirer d'une de mes vagues de somnolence.

— Cette force qui circule entre l'homme et la femme, tu la fais aller dans le mauvais sens, Rode, était-il en train d'expliquer. Ce n'est pas l'homme qui tient la femme serrée contre lui, mais l'inverse. La femme enserre l'homme, s'accroche à lui. Et l'abîme qui s'ouvre aux pieds de cet homme, c'est l'abîme dans lequel l'amour nous précipite.

Tullik lui sourit d'un air fier, sans comprendre qu'il s'agissait d'une mise en garde.

Les rayons du soleil se firent de plus en plus intenses tout au long de l'après-midi. La chaleur m'écrasait et me faisait tourner la tête. Je commençais à voir double, l'air me manquait et l'alcool me donnait des nausées. Nous étions là depuis des heures maintenant, à mon corps défendant. Tullik m'avait forcée à la suivre, comme d'habitude, sous quelque prétexte fallacieux. J'en étais presque à la supplier à genoux de bien vouloir rentrer, quand Munch se leva brusquement et nous ordonna à tous de quitter les lieux.

— Je dois travailler, gronda-t-il en repoussant sa chaise et en posant violemment son verre sur la table. Allez, partez. Tous autant que vous êtes.

Ses amis commencèrent par en rire et Helge se versa un autre verre.

— Non, Helge. Il faut absolument que je travaille, et je ne peux pas m'y mettre si l'on ne me laisse pas en paix. Partez, s'il vous plaît.

Les trois hommes éméchés se levèrent péniblement. Delius avait du mal à tenir debout.

— Message bien reçu, bredouilla-t-il en donnant au peintre une petite tape amicale.

Il s'éloigna en titubant, suivi par Helge Rode et Jens Thiis. Tous trois entamèrent la traversée du jardin en tenant des propos incohérents sur les toiles qu'ils croisaient en chemin.

Une fois qu'ils eurent disparu, Tullik se lova contre Munch et glissa son bras au creux du sien. Le cou tendu, elle lui offrit ses lèvres.

— Toi aussi, ordonna Munch en la repoussant. Il faut que je travaille. Tu ne comprends donc pas ? Va-t'en !

Tullik eut un mouvement de recul, comme sous l'effet d'une gifle.

— Edvard, mon amour… Ne veux-tu pas que…

— Va-t'en ! cria-t-il.

— Edvard ?

— Pars donc !

Exaspéré, il lui tourna le dos. Sa présence le contaminait, l'étouffait.

— Mais…

Je saisis le bras de Tullik et la guidai gentiment vers la pente.

— Il est temps de rentrer à la maison, dis-je. Nous avons disparu une journée entière. Tes parents doivent commencer à s'inquiéter.

— Et si je te disais que ma maison, c'est ici, maintenant ? répondit-elle en se dégageant brusquement et en commençant à le suivre.

— Mais ce n'est pas le cas, n'est-ce pas, Tullik ?

— Et pourquoi pas ? Pourquoi n'en ferais-je pas qu'à ma tête ? Pourquoi ne pourrais-je pas aller où bon me semble — être qui je veux ? Et pourquoi ne serais-je pas ici chez moi, avec Edvard et nos amis ?

— Viens, Tullik, il a besoin de travailler.

— Comment pourrais-tu le savoir ? lâcha-t-elle avec mépris. Tu n'es qu'une bonne.

Je sentis la morsure de ses mots, mais les mis sur le compte de l'alcool.

— Tullik, je t'en prie, laisse-le tranquille.

Munch était en train de préparer son chevalet et d'aligner ses couleurs sur ses paquets de journaux. Tout à sa tâche, il semblait déjà avoir oublié notre présence.

— Tullik, murmurai-je. Il est temps de rentrer.

Elle leva les yeux vers lui et l'observa dans l'espoir qu'il porte sur elle son regard triste. Il ajouta des couleurs sur sa palette, la plaça sur son pouce, puis posa une grande toile sur le chevalet. Il s'agissait de l'homme sur le pont sous le ciel tourbillonnant. Le pinceau de Munch s'attaqua aux eaux mouvantes du fjord. Plongé dans sa peinture, il n'était déjà plus parmi nous.

Mes doigts étaient couverts de peinture à l'huile vert de jade, mais je ne m'en rendis compte qu'après notre retour à la maison. Mon souci premier avait été de faire en sorte que Tullik regagne sa chambre sans que personne ne s'aperçoive qu'elle était ivre. Ne pouvant utiliser de térébenthine, je dénichai du savon dans la cuisine et me frottai les mains à l'aide d'une brosse à récurer, jusqu'à ce que mes doigts soient rouge vif. Mais la peinture résistait.

Je repris mon travail sous le regard mauvais de Ragna. Elle eut une moue de dégoût à la vue des taches vertes sur ma peau, visiblement écœurée par mon attitude : j'étais sortie de mon rôle, j'avais négligé mes tâches, et voilà que je me mettais à peindre.

— Mlle Tullik a manqué le dîner une fois de plus. Peut-on savoir pourquoi ? demanda-t-elle avec un regard noir, lourd d'accusations.

— Elle est fatiguée. Elle s'est retirée dans sa chambre pour se reposer.

— Il y a comme une odeur d'anis dans l'air.

— Tiens ?

— Où étiez-vous aujourd'hui ?

— A Åsgårdstrand.

— Où exactement ?

— Nous rendions visite à des amies de Tullik, des dames de la capitale.

— Ne me prends pas pour une idiote, siffla Ragna en sortant un couteau du tiroir, les doigts crispés sur le manche. Je sais où vous allez et il suffirait que j'en touche un mot à l'amiral… Fru Ihlen, non, elle en mourrait de honte. Mais l'amiral, lui, il n'hésitera pas à frapper un grand coup avant que cela ne prenne des proportions plus graves. Tu ferais bien de donner quelques conseils à Tullik, de lui dire de ne pas s'engager dans cette voie-là, si elle ne veut pas tout perdre. Ses parents n'accepteront pas de revivre cela une seconde fois.

— Et pourquoi m'écouterait-elle ? Je ne suis qu'une bonne.

Ragna se tut. Elle se mit à nettoyer son couteau à l'aide d'un torchon, faisant glisser la lame crantée entre le pouce et l'index, à quelques millimètres seulement de la peau. Je me détournai, mais la sentis me fusiller du regard quand je sortis de la cuisine et montai l'escalier.

Tullik était à plat ventre sur son lit, la tête et les épaules dépassant du rebord, les yeux fixés au sol. Elle avait étalé par terre les dessins de Munch. Maintenu par un livre à chaque extrémité, *Sirène*, déroulé, s'offrait au regard.

— Tullik, tu as perdu la tête ? m'exclamai-je en réunissant hâtivement les dessins. Quelqu'un pourrait entrer à tout moment. Et si ta famille apprenait que tu caches ses œuvres ?

— Et pourquoi pas ?

Elle se retourna sur le dos, le regard fixé au plafond. Ses yeux étaient deux puits gris, insondables.

— Tu sais, Johanne, il m'aime. Ce n'est pas ce que tu imagines.

Elle se remit à jouer nerveusement avec son pouce.

— C'est un artiste. Il a besoin de respirer, c'est tout, dit-elle.

— Bien sûr.

— M'aime-t-il vraiment, pourtant ? Je veux dire, sait-il seulement ce qu'est l'amour ? Peut-il aimer ? Il a besoin que je lui serve de guide — oui, c'est cela ! Nous allons y retourner dès demain.

— Est-ce vraiment une bonne idée, Tullik ? S'il travaille ?

Elle se redressa contre le mur tout en continuant à torturer son pouce.

— Je saurai mieux m'y prendre que Milly. Elle ne sait rien de lui. Regarde-la, lança-t-elle en montrant du doigt *La Voix*, qui représentait Tullik elle-même dans la forêt. Regarde-la, avec ses yeux noirs et ses mains dans le dos. Elle ne savait pas comment le séduire, encore moins comment l'aimer, n'est-ce pas, Johanne ? Que sait-elle de la vie ? Rien. Regarde-la, cachée au milieu de ces arbres, à tenter de l'ensorceler. Et là, dans la mer. A quoi pensait-elle ? Elle ne peut pas l'aimer. Pas avec la même intensité que moi, pas de toute son âme. Mon âme et celle de Munch sont accordées, tu le vois bien, Johanne ? Reliées à jamais.

Son pouce s'était mis à saigner et elle le porta à la bouche.

— Ce n'est pas moi, continua-t-elle en faisant un geste vague en direction des dessins, comme s'ils étaient bons pour aller au rebut. Ce n'est pas moi. Ce n'est pas moi !

— Tullik, Tullik, dis-je doucement en rassemblant les rouleaux de papier pour les cacher à nouveau dans l'armoire. Bien sûr que c'est toi. Il l'a dit lui-même. Et ils te ressemblent. Tiens, celui-là dans les bois. J'étais là, je t'ai vue, telle qu'il t'a peinte. Et celui-ci dans l'eau. J'étais présente ce jour-là. Que t'arrive-t-il ?

Elle s'était mise à pleurer et enroulait nerveusement des mèches de cheveux autour de ses pouces blessés.

— Tu te fais du mal, Tullik. Tu devrais t'allonger et te reposer un peu.

— Demain, j'irai le voir, et tu viendras avec moi. Tu verras qu'il m'aime autant que je l'aime. Ce n'est pas Milly qui lui plaît, c'est moi.

— Allons, allons, dis-je en refermant la porte de l'armoire et en l'aidant à s'étendre sur son oreiller. Repose-toi un peu.

— Il m'aime, n'est-ce pas, Johanne ?

— J'en suis persuadée.

Tullik s'effondra sur le côté et cessa enfin de martyriser ses doigts.

Elle me faisait peur. Comme dans le tableau où je l'avais représentée, elle s'éloignait du soleil pour s'avancer vers l'inconnu, vers l'abîme que Rode et Munch avaient évoqué.

Le lendemain, en fin de matinée, j'étais en train de battre les tapis du salon au jardin quand elle vint me trouver.

— Tu es prête ? demanda-t-elle, en nouant sous son menton le ruban qui retenait son chapeau de paille à large bord.

— Tullik, je suis occupée. Je dois rattraper le travail d'hier et Fru Berg a besoin de mon aide pour les lessives. C'est le jour où elle change les draps.

— Cela attendra. Tout peut attendre. Rien de tout cela n'a d'importance, n'est-ce pas ?

— Pour tes parents, si. C'est pour cela qu'ils m'ont engagée.

— Mais tu dois m'accompagner. J'ai dit à ma mère que nous allions à la plage.

— Quand ferai-je mes tâches ménagères ?

— Tu détestes le ménage.

— Là n'est pas la question.

— Mais tu es *ma* servante, et c'est à *moi* que tu dois obéir, dit-elle dans un sourire en me prenant la main.

Elle affectait un ton léger, mais je n'étais pas d'humeur à plaisanter. J'aurais voulu la mettre en garde. Comment lui faire comprendre que Munch avait besoin d'espace pour travailler ? Une autre visite allait faire voler sa concentration en éclats. Il lui fallait du temps pour développer le motif de son tableau.

— Il sera occupé, tentai-je.

— Eh bien, je le laisserai tranquille.

— Mais il a besoin de paix pour pouvoir avancer. Tu ne…

— Je ne quoi ? Je ne *comprends pas* ? Pourquoi ? Parce que je ne suis pas peintre ? Contrairement à toi ?

— Non, Tullik, ce n'est pas ce que je voulais dire.

— Alors va te préparer. Je t'attends ici.

Fru Berg se tenait assise près du poulailler, les bras plongés jusqu'aux coudes dans l'eau trouble de la bassine en étain.

Je tentai de traverser le jardin sans me faire remarquer, mais elle me surprit à la hauteur de la porte de l'arrière-cuisine.

— Que se passe-t-il ? Où est-ce que tu disparais encore ?

— Mlle Tullik veut que je l'accompagne à Åsgårdstrand, répondis-je. Je finirai les tapis plus tard.

— Tu vas finir les tapis tout de suite ! s'exclama-t-elle, ses joues soudain cramoisies.

— Elle vient avec moi, intervint Tullik. C'est ma servante, pas la vôtre.

— Elle a du travail à faire, mademoiselle Tullik.

— Il sera fait.

— Aujourd'hui ?

— Bien évidemment.

— Vous me le promettez ?

— Je vous le promets, répondit Tullik sans se soucier de savoir si ce serait vraiment le cas.

Mon cœur se serra. Quelle que soit l'heure à laquelle nous rentrerions, il me faudrait encore faire chauffer les fers à repasser sur la cuisinière, m'attaquer à la pile de linge, battre les tapis, faire la poussière et nettoyer les sols de toute la maison. Quand allais-je pouvoir dormir ?

Tullik m'entraîna de force, comme on emmène un prisonnier. Fru Berg réarrangea son bonnet et secoua la tête en retournant à sa bassine. Depuis la cuisine, Ragna nous suivait de son regard noir. Ses gestes semblaient lourds de menace tandis qu'elle mélangeait quelque chose dans un bol hors de portée du regard. Telle une sorcière qui prépare une potion en marmonnant des formules magiques, elle ricanait tout en tournant sa mixture, ravie de tenir notre destin entre ses mains. Ragna nous talonnait de près. Nos mensonges ne feraient guère illusion plus longtemps.

13

Jaune

C'est la couleur la plus proche de la lumière. Elle naît lorsque celle-ci est le moindrement adoucie, soit par des milieux troubles, soit par le reflet jeté par des surfaces blanches.

Traité des couleurs,
JOHANN WOLFGANG VON GOETHE.

Je ramassais des groseilles à l'orée du bois, petites billes luisantes, irrésistibles, aux reflets rouge et or. L'été était à son apogée, puissant, fertile, et le parfum des fleurs infusait dans l'air. Dans les bois, j'oubliais Tullik et Munch, Ragna et Fru Berg. Je ne voyais ni ne sentais rien d'autre que la nature, les cadeaux généreux que m'offrait la forêt, la beauté d'Åsgårdstrand si chère à mon cœur. Niché au creux des collines escarpées, éclatant de soleil, l'été, perché au bord du fjord, entonnait son refrain d'abondance.

Tullik me précédait et ne s'arrêta qu'une fois parvenue à la grille de Munch. Il travaillait déjà dehors, à trois chevalets différents. Nous fîmes discrètement le tour de la maison et je m'assis sur les marches tandis que Tullik allait lui parler.

— Edvard chéri, puis-je t'interrompre ?

Il se détourna de ses toiles. L'une représentait l'homme

désespéré sur le pont, près du fjord ; une autre reprenait ces éléments dans une version un peu différente. Les dimensions étaient les mêmes, mais la silhouette sur le pont s'était faite plus abstraite. La troisième n'était qu'un simple morceau de carton : Munch était à court d'argent. Il y avait tracé les contours du même motif, le ciel ondulant, le fjord, le pont, mais il n'y avait là nulle silhouette et la partie inférieure du tableau était vide. Il réfléchissait. Tâtonnait.

— Johanne a ramassé des groseilles, annonça Tullik avec tendresse. En veux-tu ?

— Je travaille, déclara-t-il en la saluant rapidement d'un baiser sur la joue. J'aurai d'autres invités dimanche. Les Krohg vont arriver, ils voudront sans doute venir peindre.

— Christian et Oda ? demanda Tullik, les yeux brillants.

— Eux-mêmes. Il faudra que je te les présente. Je te les présenterai, tu verras, insista-t-il en agitant son pinceau.

— Je vais à l'intérieur, dit-elle. Je ne veux pas te déranger. Johanne et moi, nous allons préparer du jus avec les groseilles. Je vois qu'il y en a aussi dans ton jardin.

Il marmonna quelque chose et hésita un instant, avant de se remettre à ses tableaux.

— Johanne peut peindre, si elle le souhaite.

Tullik me fusilla du regard.

— Elle commencera par presser les fruits. C'est son rôle, après tout.

Elle m'arracha les groseilles des mains et grimpa les marches qui menaient à la porte de derrière.

— Va en cueillir d'autres, Johanne, ordonna-t-elle. Suffisamment pour faire du jus.

Je traversai le jardin et trouvai un coin d'ombre près de la haie où poussaient les fruits. Je cueillis autant de groseilles que possible, les détachant délicatement des arbustes pour les faire tomber dans la poche de mon tablier. Courbée en deux, je travaillai méthodiquement, progressivement, vers le fond du jardin. Quand j'atteignis l'extrémité du buisson, je m'efforçai de récolter une dernière petite grappe difficile à atteindre.

— Johanne ! Que fais-tu ici ?

Fru Jørgensen se tenait de l'autre côté de la haie, occupée à discuter avec une voisine.

Je restai agrippée à la branche du groseillier, figée sur place. Ma peau prit la teinte cramoisie des baies sauvages.

— J'ai suivi la haie, je cherchais des groseilles, dis-je, d'un air aussi étourdi que possible.

— Tu es dans le jardin de Munch. Est-ce que ta mère sait que tu es là ?

— Oh ! Non ! Je ne m'en étais pas rendu compte. J'ai suivi la haie, c'est tout.

Une voix surgit dans mon dos, telle une flammèche dévastatrice.

— Elle ramasse des fruits pour moi, lança Tullik. Elle est ma servante et je lui en ai donné l'ordre. Cela pose-t-il un problème ?

Le ton snob de Tullik atteignit Fru Jørgensen comme un soufflet.

— Non, répondit-elle, piquée au vif. Je suis la propriétaire de ce terrain, et je le loue à Munch. Est-il conscient que vous ramassez des fruits dans son jardin ?

— Parfaitement, répliqua insolemment Tullik. Viens, Johanne, nous commençons à avoir soif.

Fru Jørgensen pinça les lèvres, verte de rage. Qu'aurais-je pu ajouter pour tenter de me défendre ou de m'expliquer ? Sans doute cet épisode parviendrait-il aux oreilles de ma mère avant même que le soleil ne disparaisse en cercles orangés à la surface du fjord. Au matin, j'allais être jetée à bord du *Jarlsberg* et expédiée à Kristiania pour y chercher l'absolution de cet odieux péché.

— J'ai dit qu'elle pouvait peindre, répéta Munch quand nous revînmes à la maison. Ton tableau est dans l'atelier, Johanne, là où tu l'as laissé. Il est très réussi. Tu peins ce que tu ressens, et non pas ce que tu vois. C'est la seule façon de faire. Tullik, tu peux t'occuper du jus. Laisse Johanne s'exercer tant qu'elle est là.

Je crus que Tullik allait m'étrangler. Elle se dirigea vers moi à grandes enjambées, se saisit de mon tablier par le cordon et me l'arracha, me laissant toute décoiffée.

— Très bien, souffla-t-elle. Je vais m'occuper du jus.

Il faisait chaud dans l'atelier et le mélange de peinture à l'huile et de térébenthine rendait l'air suffocant, mais je ne voulais pas courir le risque d'être à nouveau surprise dans le jardin. J'installai mon chevalet dans un coin à l'abri des regards, tout au fond de la pièce. Sur mon tableau, la femme qui tournait le dos au soleil s'avançait à travers un marécage verdâtre, empli d'ombres, s'enfonçant dans des ténèbres qui étaient apparues d'elles-mêmes au gré de mon pinceau. Le vert foncé contrastait avec la boule de feu du soleil et semblait entraîner la femme dans ses eaux troubles. Elle n'avait pas de pieds, rien qui vienne lui servir de socle. J'avais encore du travail ; la toile était restée nue à certains endroits.

Le ciel n'était pas bleu mais ambré. Teinté, infecté par les cheveux roux de Tullik — des langues de cuivre jaillies d'un volcan, qui refroidissaient au soleil. Elles se figeaient, durcissaient. Tullik, dont les pieds disparaissaient, sombrait sous ce ciel de braise. Quelques mèches de cheveux s'embrasaient au soleil, flammes tendues comme autant de doigts suppliants. Elles se mêlaient aux vagues du ciel. Se tressaient aux rayons de l'astre. Or. Jaune. Tullik liait tout, le soleil, le ciel, les ténèbres et la terre. Tullik, qui sombrait.

Elle surgit derrière moi.

— Je ne peux pas faire de jus. Il n'y a ni passoire ni torchon. Pas même un bol. Et Delius est arrivé, ils boivent de l'absinthe. Je doute que mon jus de groseille l'intéresse.

Elle s'arrêta à mes côtés et glissa son bras autour de ma taille.

— C'est moi, n'est-ce pas ? Sur ton tableau ?

— Je n'y avais pas vraiment réfléchi.

— C'est bien moi. Je me reconnais, dit-elle. Je suis désolée de m'être montrée méchante tout à l'heure. C'est juste que j'ai besoin d'être avec Edvard. Mon cœur est si lourd, mon esprit si obstiné. J'aimerais ne pas avoir besoin de lui, mais c'est ainsi. Je l'aime comme je respire. J'ai peur de devenir folle dès que nous ne sommes plus ensemble. Nous sommes liés, lui et moi, Johanne. Nos âmes sont étroitement tissées entre elles, comme des fils sur un canevas. Comme mes cheveux, là, sur ton tableau. Nous sommes inséparables, à jamais. Sur la terre comme au ciel.

Je posai mon pinceau.

Tullik resserra son étreinte.

— Il me faut être avec lui, Johanne, sinon je vais perdre la raison.

J'entendais le rire de Delius s'élever dans le jardin. La température montait et une vague de panique me fit tourner la tête. Ces après-midi interminables, ces conversations sans queue ni tête. Le soleil intense, l'absinthe, le vertige. Tout ce travail à effectuer. Mère. Je dois m'éloigner. Je dois m'éloigner de lui ou c'est *moi* qui vais devenir folle.

— Tullik, je crois que nous devrions y aller. J'ai encore beaucoup de choses à faire et Fru Jørgensen m'a aperçue ici. Les gens vont jaser.

— Eh bien, qu'ils jasent ! Si cela les distrait. Nous ne bougerons pas d'ici.

— C'est moi qui vais en payer les conséquences. Je ne peux pas rester.

Je rangeai mes pinceaux et ma palette et sortis dans le jardin. Delius et Munch se tenaient face aux trois chevalets.

— Johanne ! appela Delius.

Je tressaillis. Fru Jørgensen était-elle toujours dans les parages ? Pouvait-elle entendre crier mon nom ? Et ma mère ? Et Andreas ? Ou bien Thomas ?

— Herr Delius, répondis-je plus discrètement. Puis-je vous parler en privé ?

Il sourit et traversa le jardin. Ses longs bras se balançaient ; il renversa le contenu de son verre. Il était si grand que je dus plisser les yeux pour pouvoir le regarder à contre-jour.

— Je dois rentrer, annonçai-je. J'ai beaucoup de travail aujourd'hui. Mais Tullik souhaite rester ici, auprès de Munch. Puis-je vous demander de vous assurer qu'elle rentrera bien ? A une heure convenable ? Elle est tellement…

J'allais dire *perturbée* ou *dérangée*, mais je me retins au dernier moment, envahie par un sentiment de culpabilité. Pourtant Herr Delius parut comprendre, comme si l'entourage de Munch connaissait bien le prix à payer pour son amitié.

— Pauvre Tullik, dit-il. Il n'a aucune idée de l'effet qu'il a sur elle.

— Vous l'avez vu, vous aussi ?

— Nous sommes tous dans le même cas, Johanne. Ses tableaux me font réagir, pas toi ? Chacun est touché à sa manière. Sa maladie — cette anxiété, cette peur qu'il pense si nécessaires à son travail, cette quête infinie de l'authenticité absolue… Seule une âme forte peut supporter tout cela.

J'essuyai la sueur qui perlait sur mon front et je me demandai s'il existait quelqu'un, quelque part, capable d'accompagner Munch sur son chemin, même parmi ceux qui l'aimaient.

— Tu peux me faire confiance, assura Delius. Je la raccompagnerai. Mais nous te verrons dimanche, n'est-ce pas ? Christian et Oda seront là.

— Dimanche, c'est jour de messe.

Il sembla prendre cela pour une plaisanterie et me sourit.

— Eh bien, Dieu est le bienvenu, lui aussi.

Je souris poliment et m'éloignai, laissant derrière moi Tullik, seule, dans le jardin de Munch.

Mon après-midi de travail fut long et éprouvant. Tullik ne rentra qu'à l'heure du dîner. Elle se joignit aux autres à table, mais ouvrit à peine la bouche ; elle avait trop bu. Une fois encore.

Caroline avait reçu une lettre de Milly, qu'elle posa, ouverte, à côté de son assiette. Fru Berg tenta d'apercevoir quelques lignes en distribuant le pain. Caroline ne la lut pas à voix haute, mais réagit aux différents points abordés en les ponctuant de remarques : « Pour l'amour du ciel ! », « Oh mon Dieu, pauvre petite », ou encore « Bien sûr, cela ne m'étonne pas d'elle ».

— Nusse chérie, veux-tu partager avec nous les nouvelles de Milly ? Tu serais gentille d'en faire profiter les autres, demanda Julie en prenant délicatement une cuillerée de soupe.

— Elle m'annonce que les Krohg vont venir séjourner à Åsgårdstrand.

— Ah, répondit Fru Ihlen en tapotant la commissure de ses lèvres.

— Les Krohg sont des amis de Munch, lança Tullik par provocation. Et de Jæger.

— Jæger. Ce sinistre personnage, dit sombrement Caroline. Savez-vous qu'il pense que nous devrions nous donner la mort plutôt que de vivre dans le sacrement du mariage ? Peut-être devrais-je mentionner cela à Olav ?

— Pourquoi ? rétorqua Tullik. Tu penses qu'il préférerait se suicider plutôt que de t'épouser ?

— Tullik ! s'exclama l'amiral en fronçant les sourcils.

— C'est sans importance, Père. Elle ne prétend défendre cette opinion que parce qu'elle sait parfaitement que personne ne voudra jamais l'épouser, elle.

— Les filles, assez ! Allons, intervint Julie. Et Milly, que dit-elle d'autre, ma chérie ?

— Simplement que les rubans du nouveau bonnet de Lila étaient trop serrés et que Ludvig donne un récital au Théâtre national.

— Fascinant, n'est-ce pas ? s'exclama Tullik en jetant sa serviette à terre. Quelle information capitale ! Cela ne vous donne-t-il pas matière à réfléchir au sens de l'existence ? Pensez-y, chère Mère : les rubans du nouveau bonnet de Lila étaient trop serrés. Qu'est-ce que cela peut bien vouloir dire ? *Réellement ?*

Julie s'essuya à nouveau la bouche.

— Tullik, tu ne te sens pas bien ? Peut-être devrais-tu monter te reposer, proposa-t-elle.

— Me reposer ! s'écria Tullik en sautant sur ses pieds. Me reposer de quoi ? De la vie éprouvante que je mène ? De la fatigue de cette merveilleuse et stimulante conversation ?

— Tullik ! gronda l'amiral. Comment oses-tu parler à ta mère sur ce ton ? Qu'est-ce qui te prend ? Monte immédiatement dans ta chambre et cesse ces manières désobligeantes.

Tullik ouvrit la bouche et partit d'un grand éclat de rire. Elle regardait avec un mépris non dissimulé les trois visages médusés qui lui faisaient face et se riait de leur crédulité.

Fru Berg m'ordonna de la suivre à la cuisine. Là, elle me saisit par le coude et me traîna dehors jusqu'au poulailler.

— Où Mlle Tullik a-t-elle passé tout l'après-midi ? demanda-t-elle rapidement, avant que quelqu'un ne nous voie. Dis-moi la vérité.

— Je ne sais pas, répondis-je.

Elle me dévisagea, perplexe.

— Ces gens dont ils parlaient, dit-elle en désignant la maison de son double menton, est-ce que Tullik a passé du temps avec eux ?

Je regardai en direction du poulailler. Dorothea et Cecilia picoraient quelques miettes. Je ne répondis pas.

— Ta mère m'a dit qu'elle les entendait, la nuit. Chez lui. Même des dames. Il paraît que ça danse, que ça boit, que ça crie. Si Mlle Tullik est mêlée à tout cela, les bavardages vont aller bon train.

— Quel genre de bavardages ? demandai-je nonchalamment.

— Le genre de bavardages qui achèverait Fru Ihlen… et le reste de la famille.

Elle se dandina d'un pied sur l'autre et chassa un moustique qui l'importunait.

— Tu dois la protéger des cancans. Je ne laisserai pas Fru Ihlen se faire humilier en public. C'est une femme très bien. Tu es proche de Mlle Tullik, alors parle-lui. Dis-lui de se tenir à l'écart d'Edvard Munch et de ses amis.

— Pourquoi est-ce à moi de le faire ?

— Elle t'écoute, toi.

— Rien ne l'y oblige. Je ne suis qu'une bonne. Je suis là pour la servir.

Fru Berg m'attrapa par le bras et se mit à me secouer comme un paquet de linge.

— Parle-lui, c'est dans ton intérêt comme dans le nôtre.

Une fois le reste de la famille monté se coucher, je me glissai dans la chambre de Tullik. Il était tard, mais elle se tenait à la fenêtre en se mordillant les doigts.

— Tullik, pourquoi n'es-tu pas au lit ?

— Je n'arrive pas à dormir. Il est avec elle en ce moment, n'est-ce pas ?

— Avec qui ?

— Milly. Il est avec Milly.

— Milly est à Kristiania, répondis-je, déconcertée.

— Mais dans sa tête ? Dans sa tête ? Avec qui est-il, Johanne ? Avec elle ou avec moi ? Je n'en sais rien. *EM*. Il y a marqué *EM*.

— Où ça ?

— Là. Là-bas. Sur tous ses tableaux.

Ses yeux se posèrent sur l'armoire tandis que la peur assombrissait son visage.

— *EM*. *E* et *M*. Edvard et Milly. Il ne s'en cache même pas. C'est écrit noir sur blanc. Est-ce un message qui m'est destiné ?

— Ce sont ses initiales, Tullik. Edvard Munch. *EM*. Elle se mit à ronger son pouce au niveau de l'articulation, le regard toujours fixé sur l'armoire. Elle m'ignorait totalement.

— Il ne m'a pas parlé de l'après-midi. Il a bu avec Delius, et puis il a peint. Delius et moi sommes allés nous promener sur la plage. Quand je suis partie, Edvard s'en moquait bien. Je n'ai pas eu droit à un au revoir, pas même à un regard. Que se passe-t-il, Johanne ? Je ne comprends pas.

— Il travaille, répondis-je, sans conviction.

— Il travaille ? Il boit, tu veux dire. Il faut que j'y retourne. Que je sache s'il m'aime. Je ne supporte pas cette incertitude. Je m'y rendrai dimanche, quand Oda Krohg sera là.

— Penses-tu que ce soit judicieux, Tullik ? demandai-je en essayant de ne pas la brusquer. Quand il travaille de façon si intense ? Les gens vont jaser et ta mère ne le supportera pas. S'il te plaît, Tullik. N'y va pas. Pas si vite.

— Je dois être avec lui, murmura-t-elle d'un air désespéré. Je dois être avec lui.

— Mais c'est le jour de la messe, dimanche.

Et il y avait Thomas. Je me souvins soudain qu'il voulait m'emmener en promenade sur le bateau de son père.

— Après. Après l'église. J'irai, et tu viendras avec moi, annonça-t-elle.

— Je ne peux pas retourner chez Munch, Tullik, dis-je en lui caressant le bras. Il va y avoir des cancanages, et ma mère menace de m'envoyer à Kristiania.

— Mais tu dois m'accompagner. Nous leur dirons que nous sommes parties cueillir des baies sauvages. C'est mon cœur qui parle, Johanne. Je dois l'écouter, je n'ai pas le choix. Qu'y a-t-il, à part cela ? Si nous n'écoutons pas notre cœur, que nous reste-t-il ?

Elle prit mon visage entre ses mains. Ses yeux débordaient d'amour et de souffrance.

— Tu dois écouter ton cœur, Johanne, et faire abstraction de tout le reste.

Ses mots pénétrèrent en moi et m'accompagnèrent pendant les deux jours qui suivirent. La nuit, dans le lit de Milly, je restai éveillée à parcourir le livre pour tâcher de comprendre la couleur du cœur de Tullik. Je lus bien des choses sur la couleur, sa nature, sa force, la façon dont le moindre changement intervenant dans les parties constitutives d'un corps suffisait à la faire changer. Et moi, avais-je changé ? Avais-je été mélangée aux rouges de Tullik et aux bleus de Munch ? Je me représentai Thomas et je le mélangeai aux mots du livre sur ma palette, pour voir si l'alchimie se réalisait. *Ecoute ton cœur, et fais abstraction de tout le reste*. Thomas était-il mon destin, comme Munch pour Tullik ?

Dimanche arriva sans que j'aie trouvé de réponse. Je me retrouvai assise aux côtés de ma mère dans l'église de Borre. Avec ses murs en pierre et ses dalles polies par les ans, l'église offrait une fraîcheur bienvenue, mais les femmes continuaient de s'éventer avec leurs bibles et leurs livres de chants. Les Ihlen se tenaient au premier rang, élégants, sérieux, tirés à quatre épingles. Une boule de tristesse se logea au creux de mon estomac. Ce joli tableau ne durerait pas. Tullik courait à sa perte, de tout son cœur, de toute son âme. Je joignis les mains en prière. Pourvu qu'elle n'y aille pas ! Pas chez Munch. Pas sans moi. Pas aujourd'hui.

Après la messe, l'assemblée se déversa sur le parvis sous un soleil brûlant. Les dames se précipitèrent à l'ombre des tilleuls pendant que les hommes échangeaient quelques politesses dans la chaleur écrasante. Je regardai les groupes habituels se former, leurs dos tournés créant des frontières. Le cercle des Ihlen était fermé et m'empêchait de voir Tullik.

Nous rentrâmes à travers bois, un trajet pénible par cette chaleur. Andreas et moi marchions en silence aux côtés de nos parents. Thomas était un peu plus loin derrière moi ; je sentais sa présence, comme un léger frisson. A notre arrivée aux cabanes de pêcheurs, un groupe de jeunes gens commença à se détacher.

— Nous allons à la plage ! cria l'un des garçons. Qui nous accompagne ?

Quelques filles suivirent le mouvement et je vis là l'occasion de saisir ma chance.

— J'arrive ! lançai-je. Mère, je vais avec eux. Je rentrerai tard, à l'heure du dîner.

Je m'enfuis en courant avant qu'elle n'ait le temps de protester, consciente que Thomas me suivait des yeux.

J'avais déjà atteint la jetée quand il me rattrapa.

— Alors, tu viens avec moi ? demanda-t-il en me faisant pivoter pour me regarder en face. Le bateau est prêt. Je l'ai pour l'après-midi.

— Oui, acquiesçai-je. Oui, je viens avec toi, mais il faut que je sois rentrée pour le dîner.

Le visage de Thomas débordait de joie et nous courûmes vers le bateau amarré au débarcadère, au pied du Grand Hôtel. La barque était modeste, mais équipée d'une voile et assez grande pour contenir cinq rameurs. C'était suffisant pour que Thomas se sente l'âme d'un capitaine. Il sauta dans le bateau et m'offrit sa main.

— Madame, dit-il avec un sourire si large qu'il devait en avoir mal aux joues.

Je fis un pas sur la petite passerelle qui permettait d'enjamber le rebord glissant de la jetée. Thomas me prit le bras. Je sautai à bord ; le bateau se mit à osciller et je m'installai à la proue.

— Où veux-tu aller ? demanda Thomas en saisissant les rames. A Kristiania ? Au Danemark ? En France ?

— Emmène-moi à Bastøy. Jusqu'au phare. Nous n'avons pas beaucoup de temps.

Thomas ramait sans effort. Le bateau fendait les eaux tranquilles et nous nous retrouvâmes bientôt au beau milieu du fjord. Notre embarcation dansait sur la mer comme les voiles sur les tableaux de Herr Heyerdahl. Le soleil poudrait l'eau d'une pellicule blanche et jetait des diamants à la crête des vagues. Appuyée sur mes coudes, la tête rejetée en arrière, je laissais ses rayons me baigner de leur lumière, réveillant un picotement familier. Je repensai à Munch et à la façon dont les sujets des tableaux grandissent et changent ; à la façon dont ils sont la vie elle-même. Je me redressai et regardai en direction du rivage, à la recherche de la maisonnette aux murs moutarde et du jardin en pente — mais nous étions trop loin maintenant. Thomas hissa la voile. Le vent eut tôt fait de la gonfler et de nous pousser vers l'île de Bastøy.

— A quoi penses-tu ? demanda Thomas, une fois la voile bien attachée et le cap fixé.

— A la peinture.

— Comment cela ?

— A ce qui inspire un peintre — les couleurs, les émotions qu'elles contiennent.

— Il n'y a pas d'émotion dans la peinture, Johanne. Ce sont juste des images qui représentent des choses.

— Pas si tu regardes bien. Elles peuvent te faire *ressentir* des choses, aussi.

— Comme quoi ?

— De la tristesse, de la peur, de la joie, de la nostalgie. De l'amour.

Ce dernier mot retint son attention.

— Comment peux-tu ressentir de l'amour en regardant un tableau ?

— Je ne sais pas, répondis-je en visualisant les tableaux que Munch avait peints de Tullik. C'est quelque chose que tu sens, c'est tout. Tu ressens ce que le peintre a lui-même ressenti.

— Comment peux-tu savoir si le peintre ressent quelque chose ? s'enquit-il en s'installant sur le banc en face de moi.

— Parce que c'est cela, l'art. Une façon de s'exprimer.

Thomas se mit à rire.

— Moi, je crois que tu passes trop de temps avec tous ces gens guindés de la capitale. Tu commences à parler comme eux.

— Ah oui ? Et comment veux-tu que je parle ? Comme une poissonnière ? A discuter morue, maquereau, écailles et filets ?

— Ne t'énerve pas, Johanne.

Je compris alors que j'étais en colère

— Je veux juste que tu sois toi-même, ajouta-t-il en s'installant à mes côtés. Une fille qui parle de fruits, de forêt, de nature et de saisons…

— Tu me crois donc si savante ? demandai-je alors qu'il m'enlaçait.

— Tu appartiens à la forêt. Tu y as grandi.

— Peut-être, répondis-je.

— Tu es une drôle de fille.

Il m'embrassa l'épaule et j'attendis que ma colère retombe. Je fermai les yeux, attentive, dans l'espoir que mon âme me dise si oui ou non, cet homme était ma destinée, si oui ou non, j'écoutais mon cœur.

— Je prendrai bien soin de toi. Quand nous serons mariés. Je travaillerai dur. Tu ne manqueras de rien. Tu le sais, n'est-ce pas ?

Je suppliai mon âme de se manifester.

— Oui, répondis-je. Bien sûr que je le sais.

Je lui pris la main. Thomas était quelqu'un de bien. Je ne doutais pas un seul instant qu'il serait bon avec moi et que nous vivrions heureux ensemble. Mais saurait-il vraiment me comprendre ? Ce besoin viscéral de peindre, les sentiments qui s'agitaient en moi, tout ce que Munch m'avait appris. Thomas allait-il m'ôter tout cela ? Devrais-je renoncer à mon âme pour devenir sa femme ?

Je l'embrassai.

Il prit mon visage entre ses grandes mains, et pressa ses lèvres contre les miennes. Je laissai ses doigts errer sur ma poitrine. Violet. Bleu profond. Mauve rosissant. Tous mes sens en éveil. Nos corps se rapprochèrent et nous nous retrouvâmes bientôt à demi allongés contre la proue du bateau. Je passai la main dans ses cheveux et il laissa échapper un gémissement sourd. Désir. Il m'embrassa le cou. Feu brûlant. Sa langue contre le lobe de mon oreille, douce. Un léger cri de plaisir. Un feu dévorant. Il me prit par les hanches, m'attira à lui. Rouge cerise. Lui dur qui me veut, sous ses vêtements. Cette faim, cette passion. Bleu. Rouge. Rubis. Halètement. Baisers. Incapable de nier mon propre plaisir.

Mais mon cœur restait silencieux. Comment le suivre, ce cœur, en faisant fi de tout le reste, s'il ne me disait où aller ?

— Avons-nous déjà atteint Bastøy ? demandai-je en m'asseyant et en rajustant ma robe.

Thomas avait la respiration entrecoupée. Il se redressa sur un coude.

— Le phare se trouve dans la baie d'à côté, là où les rochers forment comme une sorte d'aiguille.

— Emmène-moi là-bas, dis-je. Cela fait tellement longtemps que je ne l'ai pas vu.

Ses yeux bruns brillaient de frustration, mais il fit comme si de rien n'était et s'avança pour ajuster la voile. Je le regardai s'occuper du mât et du gréement. Il nous fit adroitement contourner les rochers, et mena le bateau jusqu'à la bande côtière où se dressait le phare, à l'extrémité de l'île.

— Le voilà ! s'exclama-t-il. Le voilà !

Je changeai de place pour mieux voir la tour avec sa lampe qui guidait les navires. Mon cœur allait-il enfin se manifester et me mener à lui comme un bateau perdu en mer ? Je retins mon souffle et fermai les yeux, mais je n'entendis rien, rien que le cri douloureux et lointain des mouettes.

14

Obscurité

Le jaune apporte toujours une lumière, et l'on peut dire que de même, le bleu apporte toujours une ombre.

Traité des couleurs,
JOHANN WOLFGANG VON GOETHE.

Le temps que nous rentrions à Åsgårdstrand, l'après-midi touchait déjà à sa fin et la morsure du soleil n'était plus si féroce. Thomas amarra le bateau et je me dépêchai de regagner le quai, poussée par un puissant sentiment de culpabilité. Je fouillai le port des yeux mais n'y découvris pas le visage que je redoutais le plus : celui de ma mère.

— Merci pour l'excursion, dis-je.

— Je peux te raccompagner jusque chez toi, si tu veux.

— Ce n'est pas la peine. Ma mère me ferait des réflexions.

— Eh bien, qu'elle en fasse. Les mots n'ont jamais tué personne.

Je sentis un frémissement au creux de mon ventre et je lui souris.

— Il y a un bal à la fin de la semaine, ajouta-t-il. J'imagine que je t'y verrai, avec Mlle Ihlen ? Les gens commencent à parler de vous.

— Que veux-tu dire ? demandai-je en repensant aux mises en garde de Fru Berg.

— Eh bien, ils trouvent cela un peu bizarre, c'est tout, une servante et sa maîtresse qui se promènent ensemble. Mlle Ihlen ne se comporte pas comme les autres dames.

— Eh bien tant pis, répliquai-je. Les mots n'ont jamais tué personne.

Je m'apprêtais à partir quand j'entendis quelqu'un m'appeler. Je me retournai et vis s'avancer vers nous un homme très grand, vêtu d'un costume blanc. Delius.

— Johanne ! s'exclama-t-il en portant la main à son chapeau.

J'aurais voulu disparaître sous terre. Thomas nous fixait sans ciller.

— Nous qui pensions vous voir cet après-midi ! Vous joindrez-vous à nous ?

— Non, répondis-je. Je dois rentrer dîner à la maison.

— Oh ! quel dommage ! dit-il en souriant à Thomas, et s'attendant visiblement aux présentations d'usage.

— Il se fait tard, m'empressai-je d'ajouter. Ma mère va commencer à s'inquiéter. Au revoir, Thomas ; au revoir, Herr Delius.

Je partis en courant, laissant derrière moi les deux hommes dans un face-à-face inconfortable. Thomas cria mon nom mais je ne répondis pas.

Je me fis rapidement une natte, consciente de l'impression de désordre et de négligence que j'avais dû donner. C'était l'heure du dîner, et des odeurs de viande grillée, de ragoût et de soupe de légumes s'échappaient des jardins et des cuisines. Les gens installaient des tables dehors et déposaient des bols débordants de fruits et des corbeilles à pain. Je vis Fru Nedberg porter un plateau à son mari, qui fumait la pipe sous les arbres. Elle posa sur la table une bouteille et deux verres, avant de me faire un petit signe de main quand je passai devant elle.

Ces odeurs de dîner qui flottaient dans l'air me firent accélérer le pas. Je fus heureuse d'apercevoir enfin les maisons de pêcheurs : j'allais être à l'heure, Mère ne me harcèlerait pas de questions. J'étais presque à la porte, quand un cri strident me figea sur place. Des éclats de voix retentirent et quelqu'un hurla, de douleur semblait-il. Je me retournai pour suivre la direction du bruit : il s'échappait du jardin de Munch.

Je me précipitai vers la clôture, du côté où elle longeait les maisons de pêcheurs. Trop effrayée pour aller plus loin, je m'accroupis sous un buisson près de la remise. En me penchant sur le côté, j'aperçus une femme et laissai échapper un petit cri que je rattrapai aussitôt, plaquant les mains sur ma bouche.

C'était Ragna.

J'étais tellement choquée de la voir dans le jardin de Munch que je ne remarquai pas immédiatement Caroline, plus bas sur la colline, les poings sur les hanches. C'était elle qui vociférait.

— Tu pensais pouvoir nous le cacher, hein ? s'époumonait-elle.

Je contournai le buisson pour jeter un coup d'œil de l'autre côté du cabanon. Tullik se tenait face à sa sœur, les poings serrés, haletante.

Elle avait rendu visite à Munch. Sans moi.

— Je savais que je te trouverais ici ! continuait Caroline. Madame se prend pour une artiste, n'est-ce pas ? J'ai trouvé tes livres — toutes ces cochonneries que tu lis, dont *il* t'a bourré le crâne !

Elle pointait un doigt accusateur par-dessus son épaule et, me retournant à nouveau, je vis Munch debout sur les marches à l'arrière de la maison. Il fumait une cigarette, accoudé à la balustrade. Son regard était trouble et il tenait à peine sur ses jambes.

— Edvard et moi, nous nous aimons, répondit Tullik, hors d'elle. Je me fiche de ce que tu en penses. Et lui aussi.

— Petite sotte ! Cet homme est amoureux de Milly, cela ne te saute pas aux yeux ? Tu crois appartenir à ce monde-là, mais tu n'en as pas la carrure. Tu ne fais que te ridiculiser. Monte dans la voiture, nous rentrons à la maison.

Les yeux de Ragna allaient et venaient entre Munch et les deux sœurs engagées dans une lutte sans merci. Elle semblait ravie que Tullik ait été démasquée. J'aperçus des voisins à l'autre bout du jardin : quelques têtes surgissaient derrière les arbres ou du côté des maisons. Je voulus me précipiter vers Tullik, prendre sa défense, mais j'avais trop peur — peur d'être surprise par ma mère, peur de perdre mon travail chez les Ihlen, peur d'être expédiée à Kristiania. Je me surpris même à m'inquiéter, comme ma mère, du qu'en-dira-t-on.

— Je n'irai nulle part, gronda Tullik. Je reste ici avec Edvard.

La voix de Caroline se fit plus basse, menaçante.

— Comment peux-tu être aussi vile et égoïste et infliger cela à notre mère ? la morigéna-t-elle. Ragna, emmène-la.

Celle-ci saisit le bras de Tullik et Caroline les suivit en maintenant les mains de sa sœur dans le dos. Elle lui donna une tape sur l'épaule.

— Monte dans la voiture !

Tullik semblait sur le point de lui cracher au visage.

— Ce n'est pas terminé, lança-t-elle.

Ses mots étaient noirs d'amertume. La tête haute, elle se laissa entraîner vers le haut de la colline. Elle leva les yeux vers Munch, qui la regardait passer d'un air pitoyable. Ragna et Caroline tournèrent le dos au peintre quand elles le virent ôter lentement sa cigarette de la bouche et souffler sa fumée en direction de leurs visages.

En cet instant, je ne ressentais que de la haine envers lui. Pourquoi ne s'était-il pas battu pour Tullik ? Pourquoi ne l'avait-il pas défendue ? Pourquoi n'avait-il pas contredit Caroline quand elle avait évoqué Milly ? Pourquoi n'avait-il pas dit qu'il aimait Tullik, ou bien plaidé sa cause de quelque manière que ce soit ?

Une fois qu'elles eurent disparu, il resta planté là, face à ses trois chevalets, comme s'il revivait la séquence qui venait de se dérouler. D'une chiquenaude, il envoya valser la cendre de sa cigarette dans la haie et rentra à l'intérieur de la maison pour aller chercher une nouvelle bouteille.

Je me redressai. La colère affluait dans mon sang. Je m'apprêtais à escalader la clôture pour lui courir après quand j'entendis la voix de ma mère derrière moi.

— Johanne Lien, éloigne-toi de là tout de suite ! s'égosillait-elle.

Je me retournai.

— Le dîner est prêt. Où étais-tu ?

— Dehors, répondis-je.

— Dehors ? C'est donc là que tu as oublié ta tête ? Ta cervelle s'est envolée avec le vent du large, peut-être ? Rentre, et au trot ! fulmina-t-elle en me plantant son index dans les côtes. Fru Jørgensen a écrit à sa sœur à Kristiania pour se renseigner sur les places à pourvoir en ville. Cela vaudrait mieux pour toi, tu ne crois pas ? Nous ne voulons que ton bien, Johanne, et cela veut dire qu'il faut t'éloigner de… de tout *ça* !

Elle grimaça, balaya l'air de la main et claqua la porte au nez d'un fléau invisible.

La soirée fut insupportable. Je ne pensais qu'à Tullik. J'avais bien essayé de la mettre en garde, mais mes paroles n'avaient guère eu de poids face à l'attrait de ce danger dont son âme semblait se nourrir. Et maintenant, elle allait en payer le prix. Malgré tous les secrets que nous avions partagés, malgré les nombreuses fois où je m'étais mise en danger pour elle, elle n'avait pas voulu m'écouter. Ma loyauté, mon amitié ne signifiaient donc rien pour elle ?

Je préférais ne pas penser au châtiment qui l'attendait, maintenant qu'elle avait couvert sa famille de honte et subi pareille humiliation. Julie allait se rendre malade à l'idée que les gens d'Åsgårdstrand et de Borre puissent encore parler d'une de ses filles en l'associant à *cet homme-là*.

Je ne parvins pas à trouver le sommeil. Quand bien

même le lit d'Andreas n'aurait pas grincé, cela n'y aurait rien changé. Je me tournais et me retournais en tous sens, en proie à mille tourments, le cœur palpitant comme les ailes d'un papillon. J'avais l'impression qu'on me versait sur la tête un filet d'eau glaciale qui gouttait dans mon crâne et me figeait le sang. J'évitais même de fermer les yeux, par crainte des images que ferait naître mon esprit enfiévré. Je me contentai de me recroqueviller sur le côté et de fixer le plancher inégal aux lattes disjointes.

Je me levai avant ma mère et m'éclipsai sans la réveiller. Le petit matin était blême ; un voile de nuages venait étouffer tout espoir de soleil. Un silence inquiétant régnait sur la forêt et j'en parcourus les sentiers comme si j'étais l'unique survivante dans un monde ravagé. Je traînai les pieds, retardant le moment d'atteindre la maison et d'affronter les Ihlen. On m'informerait de ce qui s'était passé et je devrais écouter le récit de l'humiliation de Tullik. Ragna et Fru Berg s'en donneraient à cœur joie — elles me rapporteraient avec délectation les mille détails que je connaissais bien.

Nul soleil ne venait réchauffer la maison. Elle paraissait percluse de tristesse. Cachée à l'ombre du mur, je me glissai sur la pointe des pieds jusqu'à la porte de derrière, frôlant au passage le bosquet de lilas aux fleurs éclatantes. Je pris mon tablier au portemanteau, partis à la recherche de mes gants, puis m'agenouillai devant la cuisinière pour nettoyer les cendres de la veille. Le plancher grinçait au-dessus de ma tête ; l'amiral et Fru Ihlen étaient toujours les premiers à donner signe de vie. Je remplis mon seau de charbon de bois, avant de donner un coup de balai au pied de la cuisinière. Il ne restait plus de bûches dans l'alcôve prévue à cet effet. Je préparai le petit bois puis me rendis dans la réserve pour me réapprovisionner.

Lorsque je fis demi-tour pour regagner la maison, je vis que Ragna m'observait depuis la fenêtre de la cuisine. Nos regards se croisèrent. Elle savait que je l'avais vue, mais elle n'en continua pas moins de me fixer intensément de ses yeux noirs, menaçants.

— Tu es en retard, annonça-t-elle lorsque je revins au fourneau.

— Ah ? répondis-je. Pourtant, je suis partie tôt.

— Ils sont déjà debout. Tu ferais bien de mettre la table. Pour trois seulement. Mlle Tullik aura un plateau.

Elle énonça cela d'un air triomphal, comme si c'était elle qui avait décidé de bannir Tullik de la salle à manger.

— Tullik ne se sent pas bien ?

— *Mademoiselle* Tullik est confinée dans sa chambre, lâcha-t-elle en prenant son pilon et son mortier sur l'étagère et un couteau dans le tiroir. Elle doit y rester toute la journée.

J'allumai le feu, puis me dépêchai de dresser la table. La place vide de Tullik soulignait son absence. Pour contrer cette impression, je fis glisser les pots de confiture et le beurrier de ce côté de la table et écartai les assiettes plus qu'à l'accoutumée. Mais quand les Ihlen descendirent prendre le petit déjeuner, rien ne pouvait compenser l'absence de Tullik ni le vide qu'elle créait. Fru Ihlen avait une mine défaite. Elle mangea à peine et ne toucha pas à son café, comme s'il avait été versé pour quelqu'un d'autre. Caroline et l'amiral parlaient du temps qu'il faisait. Personne ne prononça le nom de Tullik.

Je trouvai Fru Berg et Ragna en train de discuter à voix basse au cellier quand je retournai à la cuisine pour préparer le plateau de Tullik. Je m'attelai à ma tâche avec fracas, laissant s'entrechoquer tasses et soucoupes, faisant tinter la cuillère contre la porcelaine. Andreas était le spécialiste de ce genre de protestations puériles à la maison. Il n'avait pas son pareil pour se faire entendre sans ouvrir la bouche.

— Tu le lui montes et tu redescends tout de suite, ordonna Fru Berg en nouant son tablier. Mlle Tullik ne voudra pas que tu l'importunes aujourd'hui.

Je sortis et coupai un brin de lilas que je plaçai sur le plateau, dans un vase en argent.

— Ce n'est pas son anniversaire, m'arrêta Fru Berg. Ce n'est pas demain la veille qu'elle aura droit à des douceurs.

Je montai le plateau à l'étage et entrai sans frapper.

— Tullik, chuchotai-je. Voici ton petit déjeuner.

Elle était étendue sur son lit. J'eus un tel choc en la voyant que je dus d'abord détourner la tête, sous prétexte de lui décrire ce que j'avais apporté. Elle avait le teint livide, la peau cireuse. Ses joues étaient creusées et ses yeux noyés, cernés de gris. Je ne l'avais jamais vue si éteinte. Toute trace de sa vivacité, de sa vitalité habituelles était partie. Même ses cheveux, étalés en corolle sur l'oreiller, semblaient ternes et filasse.

— Tullik, dis-je en m'asseyant à côté d'elle sur le lit. Que s'est-il passé ?

— Ils vont m'empêcher de le revoir.

Les yeux fixés sur l'armoire, elle ne me regardait pas.

— Pourquoi ne m'as-tu pas écoutée, Tullik ? Je t'avais dit de ne pas y aller.

— Il le fallait. Il fallait que je sois auprès de lui.

Je pris sa main dans la mienne : elle retomba, molle, sans réagir à mon contact.

— Que puis-je faire pour toi ?

La douleur dans ma poitrine était si oppressante que j'avais du mal à m'exprimer.

Les larmes lui montèrent aux yeux mais elle ne les chassa pas.

— Je l'aime, souffla-t-elle simplement.

— Il faut que tu te forces à manger quelque chose, Tullik, murmurai-je en lui caressant le bras.

Je lui versai un verre de jus de pomme et l'approchai de son visage, mais elle se retourna vers le mur.

— Je reviendrai tout à l'heure, promis-je.

Je me penchai pour embrasser sa joue. Elle ferma les

yeux, recluse dans sa douleur. Les larmes qui embuaient ses yeux débordèrent et roulèrent le long de sa joue.

Tullik ne quitta pas sa chambre, ni ce jour-là ni le jour suivant. La séparation d'avec Munch était comme une maladie si dévastatrice que nous nous en retrouvâmes tous affectés. La maison se fit silencieuse. La famille tout entière ployait sous la douleur qui émanait de la chambre de Tullik. Elle souffrait comme elle aimait, à l'extrême. Les premiers jours, elle n'aurait pu quitter sa chambre quand bien même elle l'aurait voulu. Son corps était à bout de forces, son esprit éreinté. Elle ne pouvait que rester au lit, affaiblie comme une fleur sans eau, lentement minée par le manque.

La nuit, étendue sur mon lit, les yeux grands ouverts, dans la chambre de Milly, j'entendais les échos de la souffrance de Tullik traverser les murs. Parfois, lorsqu'elle en avait la force, elle pleurait. J'en vins à préférer ces larmes car je pouvais les comprendre. Plus effrayants étaient les gémissements, les longs cris qu'elle poussait : des sons inhumains, comme ceux d'un animal qui s'attaquerait à lui-même et se dévorerait les entrailles. Tullik hurlait et gémissait, puisait dans ses dernières réserves, détruisant ce qui restait quand plus rien ne sortait.

Elle cessa de parler et se mit à marmonner des paroles incohérentes. Je tentai d'engager la conversation avec elle, sans réaction de sa part. Elle avait le regard éteint, lointain, une fenêtre ouverte sur l'angoisse et la terreur qui l'habitaient. Quand les Ihlen comprirent l'effet destructeur qu'avait leur punition sur Tullik, ils l'autorisèrent à faire de petites promenades avec moi dans la forêt. Mais elle s'y refusa. Le mal était fait ; elle était perdue. Les mauvaises langues commencèrent à parler : où donc était Mlle Ihlen ? *Elle est folle. Elle boit trop. Elle est aussi dérangée que cet artiste, Munch. Ils sont fiancés. Elle porte son enfant.*

Dans l'espoir de faire cesser les rumeurs, les Ihlen racontèrent à qui voulait l'entendre que Tullik souffrait de la grippe et devait rester alitée. C'était un mensonge bien fragile comparé à ceux que Tullik et moi inventions. Cela n'arrêta pas les mauvaises langues, ni ne blanchit sa réputation, entachée à jamais.

Chaque jour, je faisais de mon mieux pour inciter Tullik à sortir, à montrer au monde entier qu'elle n'était ni folle, ni sous l'emprise de la boisson, ni enceinte. Mais rien n'y faisait. Elle parlait parfois, sans réellement s'adresser à moi, sans engager la conversation. Elle me posait des questions sans attendre de réponse : « Va-t-elle venir ? Est-il avec elle ? Est-il là ? Tu es sûre ? Va-t-elle venir ? »

Je refoulais mes émotions : le brun sombre de ma haine envers Ragna ; le gris de ma rancœur à l'égard de Caroline et de Fru Berg ; la rouille de ma frustration envers les Ihlen. Un jour, je n'y tins plus et me précipitai chez Munch, sans me préoccuper le moins du monde de qui pourrait me voir.

C'était un dimanche après-midi. Il se tenait dans son jardin, au milieu de ses tableaux, les bras ballants, le regard vers le large. La tristesse de ses yeux s'était encore accentuée : l'épreuve qu'il venait de vivre semblait les avoir recouverts d'un voile.

— Il faut que je peigne, annonçai-je sans préambule.

Munch leva sa main gauche devant mon visage. Il avait noué des bouts de ficelle à chacun de ses doigts.

— J'essaye de me souvenir de quelque chose. Est-ce que tu peux m'aider, Johanne ?

— Comment cela ?

— Si je savais. J'ai noué ces bouts de ficelle pour me souvenir de ce que j'avais à faire. Mais impossible de me rappeler quoi.

— Sans doute vouliez-vous peindre.

— Tullik est-elle avec toi ?

— Non. Sa famille l'empêche de venir. Elle est cloîtrée dans sa chambre.

— Peux-tu la faire venir, Johanne ? Je n'arrive plus à travailler.

— Tullik est malade, elle n'est plus elle-même. Elle doit se reposer.

— Alors porte-lui ce tableau. Je voulais le lui donner.

Je le suivis dans l'atelier, où il se mit à fouiller parmi les toiles appuyées contre le mur. Il en sortit un simple lavis sur papier, l'image d'un homme accroupi sur une plage, penché vers la mer où une femme s'avançait vers lui à la nage. Leurs visages étaient abstraits, un œil noir se détachait sur leurs profils. Le ciel délavé était grossièrement recouvert de strates rouille et lavande dont la peinture coulait dans la mer indigo. Les coups de pinceau étaient visibles. La femme, nue. Ses cheveux plongeaient comme des cordages dans les profondeurs de l'eau brune. Une force invisible poussait l'homme vers la femme et je pouvais presque le voir bouger. Munch avait capturé ce moment chargé de magie et de désir, lorsque le nez et les lèvres s'alignent dans l'instant qui précède le baiser.

— C'est magnifique.

— Je ne sais jamais si elle est femme ou sirène, répondit-il, roulant le papier et me le tendant. Tu le lui donneras à ton retour. Tu disais que tu voulais peindre ? J'ai réorganisé l'atelier, poursuivit-il en se dirigeant vers le fond de la pièce. Je mets le chevalet ici, maintenant.

Le troisième tableau de la série du désespoir, celui peint sur un carton, était posé dans un coin de l'atelier.

— Laisse-moi l'enlever et te donner le tien.

— Je peux peindre sans chevalet, si vous l'utilisez.

— Je vais le mettre dehors, annonça-t-il. Il a besoin d'un peu d'air. Comme les bêtes. Cela leur fait le plus grand bien.

Je me tournai vers le tableau au moment où il le soulevait.

Dès que je le vis, j'entendis un son. Un geignement, un gémissement — comme Tullik dans la nuit.

Munch avait peint le ciel, qui était maintenant d'un rouge sang mêlé d'or éclatant. Il y avait tracé une forme elliptique étirée, semblable à un œil qui m'observait. Le fjord était pur outremer, souligné de traits noirs, et les minuscules bateaux sans voiles qui naviguaient au loin s'approchaient, inconscients, des remous jaunes au centre du fjord. Mais ce qui choquait le plus, c'était le personnage sur le pont. Il ne s'agissait plus d'un homme portant un chapeau, accoudé à la balustrade, mais d'une silhouette abstraite tournée vers nous. Ce n'était encore qu'une esquisse, mais l'on voyait déjà sa forme onduler comme la flamme d'une bougie dans le vent. Et le bruit, le gémissement, semblait s'échapper de cette silhouette, de cet être, là, sur le pont.

— Je ne sais pas, Johanne, je ne parviens pas à lui donner de visage. Plus elle reste éloignée de moi, plus il me semble que ce n'est pas seulement moi mais la nature elle-même qui crie pour échapper à cet enfer. Et à quoi peut bien ressembler le visage de la nature ?

— J'entends un son, dis-je en me penchant vers le tableau pour mieux *l'écouter*. Le même que celui qu'elle laisse échapper, la nuit.

— On m'a toujours dit qu'on ne pouvait pas peindre les sons, et pourtant tu l'entends ?

Je déglutis. Le tableau provoquait une telle nervosité en moi, une telle sensation de panique et de confusion, que je me demandai si j'avais réellement entendu quelque chose. Je le regardai à nouveau puis je fermai les yeux.

— Oui, répondis-je, alors que le gémissement s'élevait à nouveau. Je l'entends distinctement.

— Je vais le mettre dehors pour qu'il ne te dérange pas, lança-t-il en fixant ma toile sur le canevas. Nous la peignons tous les deux, ajouta-t-il. Mais tu la vois différemment de moi. Sur ton tableau, elle se détourne du soleil. Dans les miens, elle est la lumière même.

Ses yeux s'étaient faits las, sa voix douce.

— Je n'y avais pas vraiment réfléchi, dis-je.

— Non, et c'est très bien ainsi. Si tu réfléchis trop à tes peintures, tu les tueras. Tu peux abandonner ta toile à n'importe quel instant, Johanne. Elle n'a pas besoin d'être entièrement recouverte pour que ton tableau soit terminé.

— Je sais, répondis-je en caressant les angles du tableau du bout des doigts. Ce n'est pas le tableau lui-même qui est inachevé. C'est ce que je *ressens*.

Je sentis les larmes me piquer les yeux.

— Bien, conclut-il.

Il me laissa sans offrir la moindre parole de réconfort.

Seule face à mon œuvre, je tâchai de ne penser à rien. De ne pas voir Tullik en cette femme. Et si ce n'était pas elle, après tout ? S'il s'agissait de quelqu'un d'autre ? De moi, peut-être ?

Je sortis les pinceaux, les couleurs et saisis une palette à la manière de Munch.

Je pris une seule inspiration, profonde.

Des lignes taupe, brique, beiges. La plage au soleil. Je lui tourne le dos. Ma famille, oubliée. J'avance dans les eaux vertes, marécage bourbeux. J'entends Thomas crier mon nom. Sa voix aux tons crème. Blé. Sable. Je ne me retourne pas. Les ombres s'allongent. Bronze, fauve. La couleur m'entoure. Je la ressens. Je la vis. Le fond de l'océan, du vert au rouge. Corail et auburn. Couleurs qui s'amoncellent, comme du sable, du limon. Munch et Tullik, bleu roi et rubis. Ragna : noir. Julie : vert olive. Caroline : brun. Milly : blanc-gris. Moi : jaune. Retour au soleil, à la lumière. A l'amour. Le feu m'attire. Source de vie. Source de l'âme, où tout se mêle, où tout ne fait qu'un. Où l'unique couleur est celle de l'amour.

15

Vermillon

Qui connaît la formation prismatique du pourpre ne verra aucun paradoxe dans cette affirmation : cette couleur contient toutes les autres couleurs, en partie actu*, en partie* potentia.

Traité des couleurs,
JOHANN WOLFGANG VON GOETHE.

Je rencontrai Thomas sur le chemin du retour. Rouge. Chaleur. Emoi. Il surgit sur la plage, un filet sous le bras.

— Johanne, hésita-t-il, comme s'il doutait qu'il s'agisse bien de moi. Où étais-tu ? Je t'ai cherchée après la messe, mais je ne…

— Nulle part, tranchai-je.

— Qu'est-ce que tu as là ?

Je cachai dans mon dos le dessin destiné à Tullik.

— Rien.

— Et qu'as-tu sur les mains ? De la peinture ?

Heureusement pour moi, il ne me laissa guère le temps de répondre.

— Et cet homme avec qui tu discutais la semaine dernière ? Qui est-ce ?

— Personne. Un ami de Tullik, c'est tout.

— Tu n'as pas la moindre idée de ce qui se raconte

à propos de Mlle Ihlen, n'est-ce pas ? lança-t-il comme s'il cherchait à me monter contre elle.

— Elle a la grippe.

— Tu crois vraiment que les gens gobent cette histoire ? Tu n'entends pas les ragots ? On dit que Munch est l'envoyé du diable, qu'il est bon pour l'asile, que Regine Ihlen a humilié sa famille et qu'elle est en train de finir comme lui. Complètement folle, assena-t-il en se tapotant le front. Il paraît qu'elle est fiancée à son peintre. Peut-être même enceinte. C'est vrai, Johanne ?

— Ce n'est pas toi qui disais que « les mots n'ont jamais tué personne ? »

— Johanne, on parle de toi également. On t'a vue dans le jardin de Munch, avec elle, en train de cueillir des fruits.

— Et alors ?

— Je crois que tu ne comprends pas dans quoi tu te laisses entraîner.

Il posa son filet à terre et se mit à le démêler.

— Ah oui, parce que toi, tu comprends tout, bien sûr ? rétorquai-je.

— Tu as changé… Tu passes trop de temps avec Mlle Ihlen. Je n'aime pas l'effet que cela a sur toi.

Je tournai les talons et m'éloignai.

Mère non plus ne me laissait pas en paix. Chaque fois que je rentrais à la maison, il n'y avait désormais qu'un seul sujet de conversation. Elle m'asphyxiait de questions dès l'instant où je franchissais le seuil. Elle se faisait un sang d'encre pour ma réputation et pour la sienne, craignant que nous ne nous relevions jamais de voir nos noms associés à celui de Tullik. Je cachai le tableau près de la clôture, derrière la remise dans le jardin de Munch, et me préparai mentalement à un interrogatoire en bonne et due forme.

— Te voilà, Johanne, ronchonna ma mère. Où étais-tu ?

— Je me promenais.

— Avec elle ? Tu as encore passé l'après-midi avec elle ?

— Non, Mère, j'étais seule.

— Tu ne pouvais pas ne pas être au courant, répéta-t-elle pour la énième fois. Comment aurais-tu pu ignorer que Mlle Ihlen fréquentait ces gens-là ? Elle ne t'en a pas parlé ? Tout le monde vous a vues vous promener en ville, toutes les deux. Et Fru Jørgensen t'a même surprise dans le jardin de tu-sais-qui.

— Je t'ai déjà dit que je ne faisais que suivre ses ordres, soupirai-je en frottant énergiquement mes mains dans la cuvette posée à côté d'elle. Je dois obéir à Tullik, c'est elle qui m'emploie. Je croyais que tu serais heureuse que je passe autant de temps avec une dame de Kristiania.

— Pas si elle nuit à ta réputation. On va devoir te trouver une nouvelle place. Fru Jørgensen doit me donner des nouvelles d'un jour à l'autre. Et puis, qui sait ce qu'il va advenir de Mlle Ihlen à présent ? Tu vas faire ton travail, sans faire de vagues, sans lui adresser la parole. Désormais, tu prendras tes ordres auprès de Fru Ihlen et de l'amiral, et de personne d'autre. C'est bien compris ?

Une fois au lit, je restai troublée, le cœur et l'esprit en désaccord. Ma mère avait si bien réussi à me communiquer ses angoisses que je voyais déjà ma réputation sombrer avec celle de Tullik. Thomas avait peur lui aussi, peur d'épouser une femme qui frayait avec les fous, qui buvait à l'excès et faisait fi de la morale, tout cela au nom de son art. Chaque fois que je fermais les yeux, je voyais Mère et Thomas se dresser devant moi pour me tourmenter.

Mais il y avait l'amour. Cette force irrésistible que Munch retranscrivait si bien dans ses tableaux. Cette élévation de l'âme quand les bouches s'unissent, cette voix, impérieuse, qui nous guide, nous entraîne, nous mène à l'apaisement ou à la folie. Et tout cela ne rimerait à rien ? Cet amour que Tullik poursuivait sans relâche ne pouvait être dénué de sens ni de but. Qui étais-je pour me mettre en travers de son chemin ?

Le lendemain matin, je lui apportai le tableau. Je dus plier le rouleau de papier pour le cacher sous mon châle, et une fois arrivée chez les Ihlen, je le glissai dans la poche de mon tablier. Quand je gagnai enfin la chambre de Tullik, je tremblais à l'idée de l'avoir abîmé ; mais une fois étalé, le dessin resurgit dans toute sa beauté sous le soleil matinal et je pus l'admirer à loisir. Ce temps suspendu, cet élan de désir, l'attraction de deux âmes que rien ne peut séparer, Munch avait su saisir tout cela avec une aisance et un naturel déconcertants.

— Regarde, Tullik. Il l'a peint pour toi. Vous voilà réunis.

Je voulais qu'elle le regarde et s'en trouve transformée, qu'elle saute à bas de ce lit et s'échappe de sa prison. Si seulement elle pouvait retrouver cette petite flamme aventureuse, cette nature passionnée qui l'avait poussée vers Munch en premier lieu ! C'est seulement en parvenant à ranimer cette flamme qu'elle pourrait mettre fin à ses souffrances, j'en étais persuadée.

Elle jeta un regard vers le tableau, sans guère montrer de réaction.

— Quand va-t-il venir ? demanda-t-elle. Est-il toujours avec elle ? Flotte-t-il à la dérive ? Dans les airs ou au fond des mers ? Où est-il, Johanne, dis-moi ?

— Chez lui. Il a peint ce tableau pour toi, Tullik. Il a dit que tu étais la lumière.

Heureusement qu'il ne pouvait pas la voir telle qu'elle était à présent, blanche comme un linge, les cheveux retombant en une masse sombre, sans vie. Ses yeux autrefois pétillants d'audace étaient maintenant creusés et las. Elle n'était plus que l'ombre d'elle-même, une coquille vide — ne restaient que les ténèbres.

— Petite cueilleuse de fraises, murmura-t-elle, apporte-moi tes baies, tout juste récoltées, juteuses et sucrées.

— Bien sûr, Tullik, dis-je en roulant le dessin et en le cachant dans l'armoire. J'y vais de ce pas.

Elle se recroquevilla dans son lit et porta les mains à ses oreilles, comme si le son de ma voix la blessait. Son teint tirait sur le vert.

— Tullik ? Est-ce que tout va bien ?

— Plus tard, plus tard... Nous parlerons plus tard.

Elle resta dans cet état quelques semaines encore. Elle me demandait des fraises chaque jour et je lui en trouvais, bien que la saison touchât à sa fin et que la récolte ne fût plus aussi abondante. Quand elle avait mangé, je voyais resurgir des traces de la Tullik d'autrefois.

— Comment sais-tu où les trouver ? me demanda-t-elle un jour. Tu as dû ramasser toutes les fraises de Borre et d'Åsgårdstrand.

— La nature est généreuse.

— Et cruelle. N'est-elle pas cruelle, elle qui nous donne pareille force d'aimer ? Elle qui nous enchaîne à des âmes qui ne supportent pas d'être entravées ?

Elle ne prononça pas le nom de Munch mais posa sur l'armoire son regard vide, effrayé.

Je lui pris le bol des mains et retournai à la cuisine. En passant devant le salon, je surpris une conversation entre l'amiral et Fru Ihlen.

— A Gaustad ? protestait Julie, la voix brisée.

— Il le faudra bien, si son état ne s'améliore pas, répondit l'amiral. Et s'il empire, il n'y aura rien que nous puissions faire. Pense à toi, ma chérie — pense à tes nerfs. Nous ne pouvons pas revivre cela. J'ai bien cru que cette histoire entre Milly et cet artiste allait nous perdre tous.

— Tullik n'est pas comme sa sœur.

— Non, répliqua l'amiral. Elle n'a pas sa force.

Le dimanche, je courus à nouveau chez Munch, poussée par le besoin de peindre et de retrouver la paix de l'atelier.

La porte était fermée à clé ; il se trouvait dans la maison. En attendant qu'il sorte, je m'assis sur les marches, les bras enserrant mes genoux. Mais quand la porte s'ouvrit enfin, c'est une femme qui apparut sur le seuil.

— Oh ! s'exclama-t-elle. Tu as de la visite, Munch.

Je m'attendais à ce qu'elle me chasse, mais elle choisit de s'asseoir à mes côtés.

— Bonjour, dit-elle. Qui es-tu, petit ange ? Veux-tu une tasse de café ?

Elle avait la voix rauque mais tendre, un visage ouvert et bienveillant, et de beaux yeux tranquilles.

Un petit homme brun, coiffé d'une casquette, sortit à sa suite.

— Qui est cet ange ? demanda-t-il à son tour. Munch, Oda a trouvé un ange à ta porte.

— Comment cela ? Tombé du ciel ? Oh ! Johanne ! C'est toi. Salue donc mes amis, Oda et Jappe. Tu es venue pour peindre ?

— Et pour vous parler.

— Une autre femme peintre ! s'émerveilla Oda en m'aidant à me redresser. Grâce à Dieu ! Nous sommes trop peu.

Je sus d'instinct qu'il s'agissait d'Oda Krohg, la femme de Christian, le fameux peintre. Je ne savais pas qui était l'homme, Jappe.

— Tu ne veux pas partager notre repas, Johanne ? s'enquit Munch.

— Je préférerais aller à l'atelier, répondis-je en balayant du regard les maisons et les jardins avoisinants.

— Je comprends. Jappe, apporte du vin. Je vous rejoins dans une minute.

Jappe et Oda s'avancèrent vers la table du jardin tandis que je suivais Munch dans l'atelier.

— Tu as l'air épuisée, dit-il en refermant la porte. Qu'y a-t-il ?

Je ne parvenais pas à soutenir son regard.

— C'est Tullik, n'est-ce pas ? Que s'est-il passé ?

— Elle ne quitte pas sa chambre et ne mange presque rien, seulement des fraises. Elle ne lit pas. Sa famille l'empêche de sortir toute seule, mais elle refuse que je l'accompagne. Elle dépérit, elle a perdu tout son éclat. J'ai parfois même du mal à comprendre ce qu'elle dit. Fru Ihlen et l'amiral parlent de l'envoyer à Gaustad.

Munch resta silencieux. Puis il m'entraîna vers le chevalet sur lequel reposait toujours le tableau.

— Tu dois le lui apporter. Elle saura. Elle comprendra.

Je regardai la peinture et frissonnai. Le personnage abstrait, ni homme ni femme, était squelettique ; sa tête, un crâne aux orbites vides et enfoncées. Il portait les mains à son visage, recouvrant ses oreilles, et semblait hurler de sa bouche grande ouverte. Cela me fit l'effet d'un coup de poing à l'estomac et je voulus m'enfuir. Effrayée, je voyais Tullik à travers cette image. Le ciel rouge orangé rappelait la flamme de ses cheveux, l'angoisse qui se lisait sur ce visage reflétait la sienne, et les traits verts qui soulignaient le nez et la bouche évoquaient son teint maladif. Tullik avait plaqué les mains sur ses oreilles, comme le personnage du tableau. Même le tourbillon menaçant à l'arrière-plan donnait le sentiment d'un désastre imminent, inéluctable, comme l'ouragan dont Julie Ihlen avait pressenti la venue.

— C'est elle, m'écriai-je en reculant d'un pas et en me retournant vers lui. C'est Tullik.

Le gémissement qui sortait du tableau montait en puissance.

— Il crie, lui aussi.

— C'est la nature qui crie, répondit-il. As-tu déjà ressenti ce cri rouge sang, si vaste, si écrasant ? C'est lui qui vient nous dévorer le cœur. C'est ce sentiment de perte dû à la séparation. Et pourtant nous sommes unis. Chaque chose est reliée dans la nature ; nous ne faisons qu'un. Tu dois le lui donner et dire que je comprends, lui dire que c'est *Le Cri*.

Il s'apprêtait à l'enlever du chevalet quand je l'arrêtai d'un geste.

— Je ne peux pas le prendre tout de suite. C'est dimanche, je dors chez moi ce soir. Je passerai le chercher demain matin.

— Je ne fermerai pas la porte, alors. Maintenant, tu peux peindre si tu le souhaites.

Il s'empara d'une autre toile posée à terre et l'emporta dehors avec son paquet de journaux et ses tubes de peinture.

Le Cri me regardait de ses grands yeux blancs. Ses hurlements torturés m'effrayaient tout autant qu'ils m'attiraient, comme si quelque chose au plus profond de moi leur répondait secrètement. Je me bouchai les oreilles pour étouffer le bruit, puis je me penchai pour l'inspecter de plus près.

Munch avait utilisé de la tempera à l'œuf pour que la peinture sèche plus vite — j'avais aperçu des tubes dans l'atelier. Par-dessus, il avait tracé de grands traits de couleur au crayon et à la craie : bleu et vert sur la mer, orange et rouge dans le ciel, blanc et jaune pour creuser le visage squelettique du personnage hurlant. Certaines parties du carton étaient restées vierges — inachevées, dirait-il — comme pour laisser voir l'envers du décor. Le tableau dépeignait sa propre genèse ; comme la nature, il possédait une force évidente, indéniable. Et ressentir cette force, c'était éprouver la terreur d'être séparé de l'essence de notre être, la terreur de la séparation des âmes, la terreur de vivre dans un monde où il n'y aurait plus ni sens ni amour. C'était une œuvre tourmentée, terrifiante, et qui pourtant reliait les êtres. Elle nous unissait tous. Peut-être pourrait-elle aider Tullik à guérir ? Peut-être trouverait-elle du réconfort à savoir que Munch avait voyagé lui aussi jusqu'aux confins de la folie ?

*
* *

Cette fois encore, je ne parvins pas à trouver le sommeil. Andreas ne cessait de se pencher par-dessus le rebord de sa couchette pour me poser une foule de questions auxquelles je ne souhaitais pas répondre.

— C'est vrai ce qu'on dit de Mlle Tullik, alors ? Elle est fiancée au peintre ? Est-elle folle, elle aussi ? Est-ce qu'elle te parle de lui ? Que va-t-il lui arriver ?

— Je n'en sais rien, répétais-je inlassablement, comme pour m'en convaincre. Je ne sais rien du tout. Il est temps de dormir.

Mais quand je fermais les yeux, je voyais surgir le visage terrifiant du personnage du *Cri*, avec ses yeux vides et le gouffre insondable de sa bouche. Je ne parvenais pas à chasser l'image de mon esprit, ni à soulager la sensation d'étouffement qui m'écrasait la poitrine.

Dès que je sentis les premiers rayons de soleil sur mon visage, je me levai et m'habillai discrètement. Je me cognai le pied sur le plancher inégal, toujours traître, bien qu'Andreas et moi l'ayons recouvert d'un tapis.

Mère était réveillée mais encore au lit lorsque j'entrai au salon.

— Tu es bien matinale, constata-t-elle.

— Il y a beaucoup à faire aujourd'hui. Nous devons tout nettoyer maintenant que la fin de la saison approche.

— Les Heyerdahl repartent la semaine prochaine, mais le cerisier de l'Hôtel Central aura peut-être encore des fruits. Veille à leur en apporter un bol. Il a encore le temps de faire un tableau, tu sais.

— Bien, Mère.

Je m'échappai de la maison et partis dans la direction opposée de chez Munch pour déjouer ses soupçons.

Dès que j'eus dépassé les cabanes de pêcheurs, j'empruntai un raccourci pour rejoindre Nygårdsgaten, rebroussant chemin vers la maison du peintre.

Je m'arrêtai au portillon : l'image de ce ciel rouge sang et de cette bouche béante avait de nouveau envahi mon esprit. Je compris que je n'avais cessé d'y penser toute la nuit et que *Le Cri* me hantait déjà.

Les hurlements reprirent dès que je me glissai en direction de l'atelier. Ils s'infiltraient dans mon corps. Je songeai soudain à mon père, à son besoin de silence ; il n'aurait pu regarder ce tableau, trop dérangeant, trop bruyant. Le fait de penser à lui me fit voir chaque détail sous un jour nouveau : les gouttelettes de rosée qui brillaient dans l'herbe matinale, la forme et la taille des tableaux éparpillés au gré du jardin, les murs rouge foncé de l'atelier, la porte blanche délavée à la peinture écaillée.

Saisissant la poignée, j'ouvris la porte d'un petit coup d'épaule et entrai à pas prudents, une main contre le mur. Le tableau était là où Munch l'avait laissé, sur le chevalet. Je l'approchai très doucement, comme le font les paysans avec un cheval qui n'a pas encore été débourré. Surtout, ne pas faire de mouvement brusque, ne pas montrer de signe de peur, ne pas le regarder dans les yeux. Je laissai flotter mon regard et quand ma vision se troubla, je pus me concentrer sur l'angle inférieur du tableau. En me raccrochant au corps noir et torturé du personnage, j'espérais éviter d'apercevoir son visage. Mais je dus bientôt céder à sa volonté : il m'obligea à lever les yeux, m'envahissant de son angoisse. Je croisai son regard étrange. Il s'en dégageait une détresse profonde que j'aurais aimé fuir ; mais il n'y avait nulle échappatoire, car sa douleur était aussi la mienne. Je retournai à la silhouette aux longues mains et je me demandai soudain si elle ne se protégeait pas du bruit. Peut-être n'était-ce pas elle qui poussait un cri, mais le paysage alentour ? Est-ce ce que Munch avait voulu dire quand il avait affirmé : « C'est la nature » ? Je me plongeai dans les lignes sinueuses du fjord, du rivage et du ciel : rouge, bleu, vert, jaune. Des couleurs primaires qui se mêlaient et s'entremêlaient pour produire ce cri primitif, venu du fond des temps.

Je soulevai le tableau et le calai sous mon bras, bien

serré contre moi pour étouffer ses cris. Il n'était pas grand : seulement trente ou trente-cinq centimètres sur soixante. Peint sur du carton, il était plus léger et facile à transporter qu'une toile. Mais *Le Cri* était le tableau le plus difficile que j'aie jamais eu à faire passer en contrebande ; les circonstances avaient bien changé. Tullik était enfermée dans sa chambre ; Caroline avait chargé Ragna de me surveiller et cette dernière se montrait plus inquisitrice que jamais : elle s'attardait inutilement dans les pièces et utilisait la fenêtre de la cuisine comme poste de vigie pour regarder ce que je faisais dans le jardin. Impossible de lui échapper. J'allais devoir cacher le tableau jusqu'à la nuit tombée et le transporter à l'intérieur une fois Ragna au lit. Il était inimaginable de me laisser surprendre : les conséquences seraient dramatiques.

Munch n'était pas encore levé. Je refermai la porte de l'atelier derrière moi et me dirigeai vers Nygårdsgaten, me hâtant vers l'orée de la forêt de Fjugstad. Je n'avais fait qu'obéir aux instructions de Munch, mais j'avais la sensation d'être une voleuse. Tous les autres tableaux nous avaient été donnés en main propre : seul celui-ci avait été arraché directement à l'atelier du peintre. Mais ce n'était pas la seule raison : les émotions du *Cri* étaient si intenses, si profondes, que j'avais l'impression de voler des sentiments, voire l'âme du peintre.

Il m'était impossible de transporter le tableau à la maison dans l'immédiat. Je m'écartai donc du chemin pour m'enfoncer parmi les fougères et les broussailles, écartant feuilles et branchages d'une main et serrant le tableau contre moi de l'autre. J'atteignis enfin les rochers où Thomas et moi nous étions embrassés le soir du bal. Je m'accroupis dans la mousse et réussis à le glisser entre deux rocs.

— Tu vas devoir rester là jusqu'à la nuit, murmurai-je. Je reviendrai te chercher.

Le cri ne fit que redoubler d'intensité lorsque je m'éloignai. J'avais la sensation d'abandonner un enfant.

*
* *

J'y retournai au milieu de la nuit. La lune veillait sur moi, haute et pleine, illuminant le chemin par endroits, entre les arbres qui se balançaient doucement. Je me faufilai hors de la maison avec précaution, pieds nus et en chemise de nuit. Je me glissai d'abord dans la salle à manger pour prendre une nappe dans le buffet, puis j'attendis à la porte de service. Je ne tournai la poignée que lorsque deux coups sonnèrent à l'horloge, dans l'espoir de passer inaperçue. Dès que j'eus atteint l'autre côté de la rue, je me mis à courir. Je devais faire vite et rapporter le tableau à la maison avant que personne ne s'éveille.

Il faisait froid dans la forêt, c'en était fini des douces nuits d'été. L'air n'était pas encore mordant comme il le serait en hiver, mais il s'était déjà fait piquant, annonçant l'arrivée de l'automne.

Tout paraissait terne au clair de lune. Les feuilles incolores formaient une masse confuse. Les rochers ressemblaient dans l'ombre à des pierres tombales, blocs gris-blanc se détachant sur le noir des broussailles. Et puis je l'aperçus : un feu rouge orangé — la flamme de Tullik —, incandescent dans le ciel tourmenté du *Cri*.

— Tu m'as attendue, dis-je en m'adressant à lui pour calmer mes nerfs. C'est bien. Je te tiens.

Je l'extirpai de sa cachette et le recouvris de la nappe.

— Je suis obligée de t'envelopper là-dedans, pour qu'ils ne te voient pas.

Un grondement sourd résonna dans ma poitrine, et ma respiration se fit plus rapide, plus hachée. *Le Cri* était en colère, il refusait d'être caché.

— Je te montrerai à Tullik, le rassurai-je. Dès demain matin, c'est promis.

Je serrai le tableau contre moi pour mieux l'envelopper dans l'étoffe, puis le plaçai sous mon bras avant de m'élancer en direction de la maison.

Je fus soulagée de ne déceler aucun changement. Il

n'y avait nulle trace de vie et les pièces étaient toujours plongées dans le noir. Dans la cuisine, Henriette m'accueillit avec un long miaulement avant de me tourner autour d'un air suspicieux, comme si elle percevait les ondes sonores qui s'échappaient du tableau. J'en ressentais moi-même les réverbérations dans tout mon corps. J'avais été bien naïve de penser que je pouvais infiltrer un cri sans éveiller l'attention.

J'avais appris à me déplacer dans Solbakken avec fluidité et rapidité, volant d'un point à l'autre à petits pas silencieux. Je visai d'abord le pilier de la rampe et jetai un coup d'œil à l'horloge : il était presque 2 h 45. Le balancier semblait battre la cadence pour mesurer mes mouvements. Je retins mon souffle et m'élançai vers les marches. Mon prochain repère était la fenêtre dans la cage d'escalier. Quand je l'eus atteint, je me retournai pour vérifier qu'il n'y avait personne derrière moi. Ne restait plus que ma chambre. Je m'apprêtais à bondir à nouveau quand j'entendis le grincement d'une porte.

Le sang se mit à battre dans mes tempes ; le tableau criait, je ne parvenais pas à localiser la source du bruit. Je ne savais même pas de quelle direction il venait : dessus, dessous, ou derrière moi. Je posai *Le Cri* contre le mur et m'en écartai. Je compris alors qu'il y avait deux sons bien distincts : d'un côté, des bruits de pas dans le couloir du rez-de-chaussée ; de l'autre, la porte d'une chambre. La seule personne qui pouvait être à l'étage inférieur était Ragna. Je jetai un coup d'œil par-dessus la rambarde et l'aperçus qui s'approchait des marches. Je pris *Le Cri* entre mes bras et courus jusqu'à ma chambre sans même prendre le temps de regarder quelle porte s'était entrouverte ni qui avait pu me voir.

Je jetai le tableau sous le lit de Milly et me précipitai sous les couvertures. Mes pieds étaient sales ; j'évitai qu'ils ne touchent les draps, les soulevant à quelques centimètres du matelas dans une position plutôt inconfortable. Je pris de petites goulées d'air pour m'obliger à ralentir ma respiration, mais j'entendis les pas de Ragna qui s'approchaient dans l'escalier. Depuis mon lit, je vis bouger la poignée de la porte. Je m'agrippai aux draps. Un coup d'œil sur le côté et j'aperçus un coin de la nappe dépasser par terre : *Le Cri* pointait le bout de son nez. La porte s'ouvrit. Je fis glisser le dessus-de-lit à l'aide de mes genoux, dans l'espoir qu'il tombe au sol avant que Ragna n'ait pu voir quoi que ce soit.

Alors qu'elle s'apprêtait à entrer dans la pièce, je l'entendis chuchoter peu discrètement.

— J'ai entendu un bruit, dit-elle.

— C'était moi, entendis-je Tullik lui répondre. Tu peux retourner en bas.

— Ne devrais-je pas vous aider à regagner votre lit, mademoiselle Tullik ?

J'entendais presque son regard noir, rivé sur Tullik, étinceler de colère. Elle savait de toute évidence que c'était moi qu'elle avait entendue dans l'escalier.

— Non. Va-t'en.

Tullik attendit que Ragna s'éloigne avant d'entrer dans ma chambre.

— Johanne ? Tu es réveillée ?

— Tullik, répondis-je en jetant vivement mes pieds sales hors du lit. Dieu merci, c'était toi. Tout va bien ?

Ses yeux paraissaient plus clairs, plus brillants, dans la pièce baignée de clair de lune.

— J'ai entendu un gémissement, une plainte. J'ai cru que tu pleurais.

— Non.

— Johanne, tu as la peau glacée, dit-elle en me touchant le bras et en s'asseyant à mes côtés. Où étais-tu ?

— Dans la forêt. J'ai un tableau pour toi.

— Munch est-il ici ? Est-il venu ?

— A sa manière. Il m'a dit que tu saurais, que tu comprendrais.

— Montre-le-moi, murmura-t-elle. Où est-il ?

Je m'agenouillai pour sortir *Le Cri* de sa cachette.

J'écartai les coins de la nappe ; elle glissa à terre et je serrai contre moi le personnage hurlant. Puis, lentement, je le retournai vers elle.

A sa vue, Tullik ouvrit grand la bouche et porta instinctivement les mains à ses oreilles. Elle était l'exact reflet du tableau.

— Regarde ces coups de pinceau, articula-t-elle.

Elle caressa du doigt les caillots de peinture bleue dans les eaux mélancoliques du fjord.

— Le ciel s'embrase. Nous avons peur… peur de tout ce qui nous entoure… peur de ce monde. Car si l'on nous sépare, que reste-t-il, si ce n'est la douleur ? Nos âmes crient. D'un cri sans fin, sans fond.

Elle s'effondra sur le lit.

— Je dois aller le retrouver, dit-elle, le visage animé mais lucide.

— Tullik, tu es sûre ?

— C'est très clair à présent. Je dois aller le voir.

— Mais tes parents vont…

— Mes parents n'ont pas à le savoir.

— Ils vont bien s'en rendre compte. C'est trop dangereux. Ragna surveille nos moindres faits et gestes.

— Je trouverai un prétexte.

Elle saisit le tableau et caressa du doigt le O béant de la bouche. Elle l'entendait, elle aussi.

— Prends soin de bien le cacher, suppliai-je quand elle quitta la pièce.

Elle ne répondit pas.

Le matin m'arracha à des visions de cauchemar, ciels rouge sang, tourbillons vertigineux, bateaux sans voiles entraînés par le courant vers les profondeurs bleu nuit du fjord.

Fru Berg tambourinait à ma porte.

— Johanne, tu es en retard, glapit-elle en entrant dans la pièce. Que diable fais-tu ? Debout, debout !

Je sentis ses mains épaisses me secouer par les épaules.

— Johanne, allons ! Le petit déjeuner !

— Je suis désolée, murmurai-je en me redressant dans le lit, un peu perdue. J'étais en train de faire un cauchemar si terrible…

— Eh bien si tu ne te dépêches pas un peu, le rêve risque de devenir réalité ! Allons, ma fille !

En route vers la sortie, elle glissa sur la nappe qui traînait toujours par terre.

— Bonté divine, qu'est-ce que cela fait ici ?

— C'était pour la buanderie, vous pouvez l'emporter. Je l'ai montée par erreur hier soir.

Elle la ramassa et la serra contre sa poitrine.

— Allez, on se dépêche ! dit-elle avant de se dandiner vers la sortie.

Ragna semblait hors d'elle quand je me présentai dans la cuisine. Ses épaules pointues se contractaient nerveusement et ses yeux, brillants de colère, suivaient le moindre de mes mouvements. Elle savait qu'il s'en était fallu de peu pour qu'elle me surprenne la veille, et enrageait à l'idée que j'aie pu lui glisser entre les doigts. Elle passa la matinée à brûler volontairement ses soupes et ses sauces, noircissant le fond des casseroles, de manière à ce que l'on soit obligé de frotter avec acharnement pour les récupérer.

Elle les empila avec délice, bien consciente que c'était à moi que la corvée de les récurer reviendrait. En milieu de matinée, quand j'eus fini de faire la poussière et les sols, je sortis nettoyer saucières et soupières dans un bac en acier du côté du poulailler. Pour le remplir d'eau chaude, je devais transporter une grande marmite à double anse depuis la cuisine. La tâche était éreintante. J'eus bientôt le dos cassé en deux à force de me pencher pour frotter les ustensiles et, épuisée par le manque de sommeil, je me retrouvai au bord des larmes. Mais je n'avais aucun regret, car j'avais vu cette petite étincelle s'allumer dans le regard de Tullik.

Je sortais une poêle de l'eau quand un hurlement s'échappa de la chambre de Tullik. Pourpre. Blanc. La fenêtre était ouverte et le cri si soudain, si aigu, que j'en lâchai ma casserole. Puis le hurlement prit forme et je distinguai mon nom.

— Johanne ! Johanne !

Je ne reconnus pas la voix immédiatement car je ne l'avais jamais connue que douce et calme. C'était Fru Ihlen qui appelait au secours.

J'abandonnai ma vaisselle et, les mains trempées, montai les marches quatre à quatre jusqu'à la chambre de Tullik.

— Johanne ! criait Fru Ihlen. Ah, Dieu merci, tu es là ! Tu dois nous aider.

Elle était entourée de Ragna et de Fru Berg qui gardaient les yeux baissés, comme si quelqu'un venait de passer de vie à trépas. Tullik était assise sur son lit, les bras croisés sur la poitrine. Un son continu, oppressant, appesantissait l'atmosphère.

Mon excursion dans la forêt et tous mes efforts pour dissimuler *Le Cri* avaient été vains.

Tullik l'avait impudemment accroché au beau milieu du mur.

— Tu dois enlever cette horrible chose, me dit Fru Ihlen en pointant du doigt le tableau qui la scandalisait. Je ne peux même pas la toucher. Où as-tu trouvé cette saleté, Tullik ?

— Edvard, répondit-elle avec défi.

Fru Ihlen posa sur moi ses yeux clairs.

— Johanne, tu dois enlever cette abomination et l'emporter pour la brûler.

— Non ! hurla Tullik.

— Emporte-la, ordonna Julie.

D'un geste, elle demanda à Fru Berg et Ragna de maîtriser Tullik.

Celle-ci tenta de s'emparer du tableau mais les deux

femmes se précipitèrent sur elle et la forcèrent à rester sur le lit.

— Johanne, non ! Je t'en supplie, ne l'emporte pas ! Ne me prive pas de lui.

— Ne fais pas attention à elle, dit Fru Ihlen. C'est pour son bien.

Je me mis à genoux sur le lit et, suivant les ordres de Julie, j'attrapai le tableau.

— Non, Johanne, s'écria Tullik. Tu es mon amie. Tu comprends, n'est-ce pas ? C'est lui, il est là, avec moi… C'est notre douleur, notre peine. Ne me l'arrache pas !

— Ne l'écoute pas, répéta Julie. Décroche-le.

Ragna et Fru Berg resserrèrent leur emprise ; les bras entravés, Tullik se mit à donner des coups de pied en tous sens. Elle m'atteignit à l'estomac quand je me penchai vers le tableau.

— Johanne ! cria-t-elle. S'il te plaît !

Mes bras retombèrent.

Julie me toucha à l'épaule puis saisit les jambes de Tullik.

— S'il te plaît, Johanne. Il faut qu'il disparaisse, et vite.

Je fis un geste puis m'arrêtai. Je ne pouvais pas arracher *Le Cri* à Tullik. Ce serait comme lui voler un morceau de son âme.

— Pour l'amour du ciel ! cria Ragna pour couvrir les hurlements de Tullik. Emporte ce maudit tableau !

— Plus vite, Johanne, renchérit Julie. Sors-le d'ici.

Je m'approchai et décrochai *Le Cri* sans un regard pour Tullik. Je ne voulais plus être le témoin de sa peine et j'avais honte de l'avoir trahie. Je sortis en courant, sans ajouter un mot, suivie de Fru Ihlen.

— Ce tableau… si inhumain, si monstrueux… Une chose pareille ne devrait pas exister. Brûle-le, déclara-t-elle d'un ton solennel. Ne rentre pas avant de l'avoir détruit.

16

Naturel

Fermons les yeux, ouvrons et affinons nos oreilles, et du souffle le plus ténu jusqu'au bruit le plus sauvage, du son le plus simple à l'harmonie la plus haute, du cri passionné le plus violent à la parole raisonnable la plus douce, c'est toujours la nature qui parle, et révèle son existence, sa force, sa vie.

Traité des couleurs,
JOHANN WOLFGANG VON GOETHE.

Le Cri et moi étions à nouveau seuls dans les bois. Cette fois-ci, il n'y avait pas d'étoffe pour le recouvrir et le tableau était exposé, selon son désir. Fru Ihlen m'avait donné une bouteille d'essence de térébenthine et une boîte d'allumettes mais je ne comptais pas m'en servir, et dès que je fus sous le couvert des arbres, je les jetai dans un buisson. Regardant à nouveau le visage du *Cri*, je me mis à verser, sans même savoir pourquoi, des larmes bleu pâle.

— Je ne vais pas te brûler, dis-je en contemplant le visage désespéré aux yeux caves. Je vais te protéger.

Mais comment ?

— Je ne peux pas te ramener chez Munch, poursuivis-je en séchant mes larmes. Il croira qu'elle n'en a pas voulu, et il veut que tu sois avec Tullik. Il faut juste que je te mette à l'abri quelque temps, jusqu'à ce qu'elle puisse te reprendre.

Je courus jusqu'aux rochers et glissai le tableau dans l'interstice qui l'avait abrité la nuit précédente. Il me fallait trouver un lieu sûr mais pour cela, j'avais besoin d'aide. Qui pourrais-je mettre dans la confidence ?

Je levai le visage vers le ciel et fermai les yeux. Les mains tendues, les paumes ouvertes, je me mis à tourner sur moi-même, implorant silencieusement la forêt de me venir en aide. Ce n'est que lorsque je trébuchai sur une branche tombée à terre que la réponse me parvint. Je quittai la forêt en laissant *Le Cri* seul.

Je traversai Åsgårdstrand à la hâte et courus droit à notre maisonnette de pêcheur. Je jetai un coup d'œil, aussi bien dehors que dedans, pour vérifier qu'il n'y avait personne. Puis je me dépêchai de gagner la jetée où se trouvait mon frère.

— Andreas ! Andreas !

Mes cris attirèrent l'attention des pêcheurs assis le long de la promenade.

— Tu es bien pressée, Johanne, m'interpella l'un d'eux.

Il s'agissait du père de Thomas, occupé à enfiler des vers sur des hameçons.

— Avez-vous vu Andreas, Herr Askeland ?

— Je l'ai vu derrière le hangar à bateau, ce matin, dit-il. Il pêchait avec ses amis.

Je courus comme une flèche jusqu'au hangar à l'extrémité de la plage et trouvai Andreas, accompagné de ses amis Markus et Petter, à l'arrière du bâtiment. Il était assis sur le rebord du mur.

— Andreas ! m'écriai-je en tâchant de reprendre mon souffle. J'ai besoin de ton aide.

— Je suis en train de pêcher, répondit-il en agitant sa canne sous mes yeux.

— C'est important.

— La pêche aussi, répliqua-t-il sans bouger.

— Dépêche-toi, veux-tu !

Il tendit sa ligne à Petter.

— J'espère que tu auras plus de succès que moi, maugréa-t-il en enjambant son ami et en réajustant sa casquette.

— Où est Mère ?

— Qu'est-ce que j'en sais ? J'ai passé toute la matinée ici.

— J'ai besoin que tu te rendes à l'atelier de Père. Demande-lui de te donner un bout de tissu ou une vieille voile qu'il n'utilise plus.

— Pour quoi faire ?

— Fais ce que je te dis. Et rapporte un marteau et des clous.

— Pourquoi ne lui demandes-tu pas toi-même ?

— Je suis censée être au travail, non ? Je ne veux pas qu'il me pose de questions. Va mettre le marteau et les clous dans notre chambre et rejoins-moi dans les bois avec la voile. Ne dis rien à personne. Il faut qu'on se dépêche, tant que Mère n'est pas là.

Je l'incitai à m'obéir d'un regard sévère puis me dirigeai vers la forêt.

Quand Andreas vint enfin me retrouver, j'avais déjà récupéré *Le Cri* dans sa cachette et l'avais dissimulé parmi les bouleaux qui bordaient la ferme des Nielsen. Accroupie derrière les arbres, je surveillais le chemin. Quand mon frère apparut, je jaillis de ma cachette, le prenant par surprise.

— Qu'est-ce que tu fais là ? s'exclama-t-il en faisant un bond de côté, lâchant la voile.

— Pardon, chuchotai-je. Il ne faut pas qu'on nous voie, nous devons agir vite.

— Mon Dieu, Johanne, dit-il, soudain très pâle. Tu n'as pas tué quelqu'un, quand même ?

— Imbécile ! C'est toi que je vais tuer si tu souffles un seul mot de cette affaire.

— Bon, bon ! Qu'est-ce qu'on doit faire, alors ?

— Suis-moi.

Je l'entraînai dans les taillis, loin du sentier.

— Etale la voile par terre, dis-je en l'aidant à la déplier.

— Ce n'est pas vraiment une voile, c'est juste une chute de toile. Je lui ai raconté que je me construisais un radeau.

— Parfait. Maintenant, on va envelopper un tableau là-dedans.

Je sortis *Le Cri* de derrière les buissons et l'allongeai sur la voile.

— Dieu du ciel ! s'écria Andreas en portant la main à sa bouche. C'est le fou, n'est-ce pas ?

— C'est l'œuvre de Munch, oui, dis-je en faisant semblant d'ignorer le choc que provoquait la silhouette squelettique hurlant devant ce paysage inquiétant. Il faut que je la cache.

— Pourquoi ? Où l'as-tu trouvée ?

— Ne pose pas de questions, aide-moi simplement à la recouvrir.

Nous enveloppâmes *Le Cri* dans le carré de chanvre, repliant soigneusement sur lui l'étoffe au tissage serré.

— Il va falloir le transporter jusqu'à la maison, annonçai-je en le prenant dans mes bras et en le calant contre ma hanche. Si l'on nous pose la moindre question, on dira que c'est une étoffe destinée à Père. C'est une bonne excuse, non ?

— Sans doute.

Sur le chemin du retour, Andreas resta à mes côtés en cachant du mieux qu'il le pouvait la toile de voile pliée en quatre.

— Parfait, elle n'est toujours pas rentrée, constatai-je à notre arrivée au cabanon. Portons-le dans la chambre.

Nous posâmes le tableau sur le lit du dessous.

— Et maintenant ? demanda Andreas. Il n'est pas franchement caché, là.

— On va enfin s'attaquer à ce plancher. Tu as le marteau et les clous ?

Andreas les récupéra sur le lit du haut et les posa par terre.

— C'est parti, lançai-je en repoussant le tapis. Aide-moi à enlever les planches branlantes.

C'était un travail pénible et fatigant. Les lattes étaient vieilles et épaisses, et il nous fallait les soulever une à une pour les empiler au pied du lit. En dessous se trouvait un espace creux peu profond, rempli de poussière, souillé par la vermine et les rats.

— Et de cinq, fit Andreas quand nous approchâmes du mur opposé. Plus qu'une. Il va tenir ?

Je tâtai l'espace entre les solives.

— Peut-être en le tournant de côté, avançai-je en désignant le mur du fond.

Nous soulevâmes *Le Cri* et le déposâmes au creux du plancher. Le morceau de voile se plissa lorsque le tableau glissa sous la poutre centrale. Je me penchai pour le lisser tandis qu'Andreas finissait d'installer l'œuvre dans sa cache.

— Ça y est ! Il y est ! se réjouit-il.

Puis il me regarda d'un air désorienté.

— Que t'arrive-t-il ?

Je m'étais remise à pleurer ; un ruisseau bleu coulait le long de mes joues.

— Je ne sais pas, répondis-je. C'est si triste. Il ne veut pas être recouvert ainsi, je le sais. J'ai l'impression d'enterrer quelque chose qui ne serait pas mort.

— Johanne, c'est un *tableau*. Un stupide, un affreux tableau. Allons, il nous reste encore à tout remettre en place.

Une à une, nous replaçâmes les planches, en les clouant correctement cette fois, pour qu'elles ne bougent plus. Nous nous apprêtions à poser la dernière quand notre mère rentra à la maison. Elle surgit comme une tornade, surprise de nous découvrir là.

— Qu'est-ce qu'il se passe, ici ? s'écria-t-elle en nous découvrant à genoux.

— Nous étions en train de réparer le plancher,

répondis-je. Certaines planches se détachaient et nous n'arrêtions pas de nous prendre les pieds dedans.

— Pourquoi n'es-tu pas chez les Ihlen ?

— On m'a envoyée faire une course.

— Eh bien, occupe-t'en, alors, dit-elle en me fusillant du regard. Ne gâche pas le temps de Fru Ihlen avec le plancher de ta chambre. Tout de même, Johanne.

— C'est ma faute, c'est moi qui lui ai demandé de m'aider, lança Andreas pour venir à ma rescousse. Je peux finir tout seul, tu devrais retourner au travail.

— Quitte à être là, dit ma mère, la bouche si pincée que ses lèvres semblaient scellées, tu pourrais apporter des fruits aux Heyerdahl. Je t'ai dit qu'ils partaient la semaine prochaine ?

— Oui, Mère, répondis-je en me glissant devant elle. Cloue la planche, Andreas, que cela soit bien solide. Nous ne buterons plus dessus.

— Tu m'as entendue, Johanne ? Cueille des cerises pour Herr Heyerdahl.

— Je serai de retour demain, je le ferai à ce moment-là.

Si les Ihlen n'avaient pas eu besoin de moi, Mère m'aurait fait payer mon insolence. Elle se contenta d'un grognement et d'un coup entre les omoplates.

— Nettoie-moi tout cela, Andreas, gronda-t-elle. Regarde toute cette poussière.

Je le laissai finir le travail sous le regard suspicieux de ma mère. Mon frère et moi choisissions rarement de passer du temps ensemble : je savais que notre comportement éveillerait les soupçons de ma mère, mais je doutais qu'elle s'intéresse au plancher autrement que pour le laver. Jamais elle ne se demanderait ce qui pouvait se cacher en dessous.

Le samedi, Fru Ihlen me laissa rentrer tôt chez moi. Je retournai à Åsgårdstrand et tins ma promesse de cueillir des cerises pour les Heyerdahl. Un bal allait se tenir au

Grand Hôtel ce soir-là. C'était le dernier de la saison, mais je ne comptais pas m'y rendre — pas sans Tullik. Herr Heyerdahl évoqua le sujet quand il m'accueillit dans ma propre maison.

— Merveilleux ! Des cerises ! Christine, regarde ce que Johanne nous a apporté. Entre, je t'en prie, s'exclama-t-il. Christine est plongée dans sa malle, à la recherche d'une tenue. Il y a un bal ce soir au Grand Hôtel. Tu y seras ?

— Non, je ne pense pas, dis-je en m'avançant au beau milieu du désordre créé par les Heyerdahl : une avalanche de toiles, de chevalets, de palettes, d'éclats de peinture, de chiffons et de bâches de protection.

Mère allait s'en donner à cœur joie pour nettoyer tout cela après leur départ.

— Mais c'est le dernier bal de la saison, s'étonna Herr Heyerdahl.

— Je vous pose les cerises sur le banc, répliquai-je. Elles seront bonnes pendant un jour ou deux, pas plus.

— Alors nous les mangerons ce soir avant le bal. Tu es certaine de ne pas vouloir y aller ?

— Pas sans Tullik.

Les mots m'avaient échappé, il était trop tard pour les rattraper.

— Mlle Ihlen ? Oui, Edvard m'a dit qu'elle avait disparu. Comment va-t-elle ?

— Sa famille refuse qu'elle le voie.

Soudain je ne me préoccupai plus de savoir ce que les gens savaient, ou si j'en révélais trop.

— Il faut qu'elle oublie Munch, tu dois le lui dire.

— C'est impossible. Sans lui, Tullik n'est plus Tullik.

— Edvard n'est pas fait pour l'amour, Johanne. Ce ne sont pas les femmes qu'il aime, mais son art. Il est marié à l'Art.

— Elle le sait.

— Il ne vit que pour cela. Cela lui prend toutes ses forces, toute son âme.

— Je crois qu'elle l'a compris, dis-je, écrasée de tristesse.

— Alors elle comprendra que la seule façon de l'aimer vraiment est de le laisser partir. Tu sais qu'il prévoit de se rendre en Allemagne ? Il partira bientôt, comme nous tous. Nous vous laisserons en paix et vous pourrez reprendre le cours tranquille de vos vies.

Tullik serait-elle jamais en paix ? Et comment pourrait-elle retrouver une vie normale, maintenant que tout semblait fini ?

— Quand va-t-il partir ? demandai-je.

— Je ne sais pas. Bientôt. Il a reçu l'invitation d'un de ses admirateurs qui veut organiser une exposition à Berlin. C'est une vraie chance pour lui. A Kristiania, il ne vend rien.

— Il n'aime pas vendre ses tableaux. Tullik dit qu'il les considère comme ses enfants.

Herr Heyerdahl partit d'un grand rire sonore, soutenant sa bedaine à deux mains.

— Comme ses enfants... C'est vrai, je suppose. Pauvre Edvard, soupira-t-il en regardant par la fenêtre ses propres enfants, en chair et en os, qui jouaient au jardin.

— Il faut que j'y aille, annonçai-je, me sentant froissée sans trop savoir pourquoi. Mère a besoin de mon aide.

— J'imagine que vous serez ravis de retrouver votre maison la semaine prochaine.

Je cachai mon désaccord sous un sourire et le quittai, soulagée que les cerises n'aient pas provoqué la poussée d'inspiration que ma mère appelait de ses vœux ; soulagée que nul autre portrait ne vienne me figer dans le temps.

Le soir, une fois le dîner terminé, la table débarrassée et les restes rangés, je sentis la main de mon père se poser sur mon épaule.

— Johanne, j'ai entendu dire qu'il y avait un bal ce

soir, le dernier de la saison, dit-il doucement. Tu pourrais t'y rendre, t'amuser un peu.

Je me sentais vide et n'étais pas d'humeur à danser.

— Je n'ai pas besoin d'y aller, Père, répondis-je.

— Qui parle de *besoin* ? Les gens vont danser parce qu'ils en ont envie, pas parce qu'ils en ont besoin. Tu n'as pas *envie* de sortir un peu d'ici ?

Avec un clin d'œil et un mouvement de tête, il indiqua ma mère qui somnolait sur une chaise près de la cuisinière.

— J'imagine qu'un peu d'air frais ne me ferait pas de mal.

— Alors file, ma chérie.

Il s'écarta et me désigna la porte d'un geste un peu théâtral.

Je défis mon tablier et le posai sur une chaise.

— Merci, Père, dis-je en l'embrassant avant de disparaître.

Je trouvai Thomas en train de m'attendre de l'autre côté de la rue, assis sur la coque renversée d'un bateau. J'ignorais depuis combien de temps il patientait. Il avait trouvé un joli galet aux rayures ocre et le nettoyait en le frottant avec ses pouces. Il savait que j'aimais ces pierres, assez rares sur la plage.

— Il y a un bal ce soir, déclara-t-il, tout sourire. Tu t'en souviens ? J'espérais que tu viendrais.

Il se leva et s'approcha pour me prendre dans ses bras.

— Je ne suis pas d'humeur à danser ce soir, répondis-je en le repoussant gentiment. Pas sans Tullik.

— Cela ne te ferait pas de mal de passer un peu de temps sans elle. Et moi, je ne te suffis pas ?

Ma gorge se noua, et je ne trouvai rien à répondre.

— Je ne te suffis pas ? répéta-t-il, le regard attristé.

L'image de Tullik surgit dans mon esprit, avec ses bras qui m'entouraient, la flamme de ses cheveux, le velours parfumé de sa voix. Rouge et rubis, eau vive qui caracole, allègre. L'ivresse du grenat, la sensualité d'un bordeaux intense. Cette liberté que m'avaient apportée les couleurs. Et puis de nouveau, Thomas, devant moi. Etait-ce assez pour moi ? Me suffisait-il ? Allait-il me voler mes couleurs ?

— Ne te fatigue pas, lâcha-t-il. Je ne peux pas t'offrir ce que Munch, et Mlle Ihlen, et tous ces gens de Kristiania t'apportent. Je ne suis qu'un pêcheur, après tout.

Il me tourna le dos et jeta le galet sur la plage, si fort et si loin que je ne l'entendis pas retomber. Il renifla et secoua la tête avant de s'éloigner.

— Thomas, s'il te plaît, je…

La phrase resta en suspens, comme si elle manquait trop de conviction pour pouvoir s'échapper de mes lèvres. Je voulais qu'il revienne sur ses pas, mais dans quel but ? J'étais incapable de le dire. Un nuage de magenta l'accompagnait. Des volutes écarlates s'échappaient de sa poitrine et créaient autour de lui un halo rougeâtre. Mais il leva la main sans se retourner et soudain tout devint gris. Cette main grande et forte, qui m'avait si souvent étreinte, était devenue un mur, un point final. Elle ne m'invitait pas à le suivre mais à faire demi-tour.

A le quitter.

Les jours d'été allaient décroissant, et la lune se faisait impatiente. Elle sortait de plus en plus tôt parader dans le ciel, se l'appropriant dès l'instant où le soleil disparaissait à l'horizon. C'est donc baignée de sa lumière jaune pâle que je traversai les monticules herbeux, répondant, comme toujours, à l'appel de la mer.

Je suivais les galets sans même regarder où je mettais les pieds. Les vagues venaient se briser sur la grève à un rythme cadencé, brassant un mélange odorant d'algues et d'iode dont le parfum s'évaporait ensuite dans la fraîcheur du soir. J'accordais ma respiration au flux et au reflux des eaux, comme si je ne faisais qu'un avec la mer. C'était l'un de ces soirs où j'aurais pu marcher sans fin le long du rivage d'Åsgårdstrand. Je me voyais déjà m'aventurer jusqu'à Borre, Horten, et plus loin Holmestrand. Puis la côte amorcerait un virage, entraînant mes pas vers Svelvik et Drammen. Tôt ou tard, je verrais surgir Kristiania au loin. Encouragée par le doux clapotis des vagues, je pourrais ainsi gagner la Suède, pas après pas, sans jamais me lasser.

De temps à autre, je devais me rappeler à moi-même de ne pas trop m'éloigner. Je m'en fis la remarque à la lisière du bois, là où la côte s'incurvait en un U bordé d'arbres à l'intérieur des terres. Mes bottines s'enfonçaient dans le sable et les galets, mais je connaissais le chemin, même dans le noir.

Je me retournai et vis les lumières d'Åsgårdstrand scintiller derrière moi : les guirlandes de lanternes derrière le Grand Hôtel, la lumière aux fenêtres des salons où les estivants dansaient et où Christian et ses amis attaquaient de nouveaux airs. Je repensai à la façon dont Thomas m'avait fait tourner dans ses bras à m'en étourdir, le soir de ma rencontre avec Tullik. N'était-ce pas il y a des années déjà ?

Une petite jetée en pierre s'avançait dans le fjord à l'extrémité du fer à cheval. Une main invisible me frôla les épaules et me poussa dans cette direction. J'obéis sans un mot. Ce n'est qu'à mi-parcours que j'aperçus Munch. Il était assis au bout de la jetée, tourné vers Borre, les bras entourant ses genoux. Nul besoin de voir son visage pour savoir qu'il s'agissait de lui.

Quand je fus suffisamment proche, je m'assis sans un mot à ses côtés. Il sentait ma présence, savait que c'était moi. Nous étions, comme autrefois, assis non loin l'un de l'autre, ensemble mais séparés. Le clair de lune jouait dans ses cheveux et la brise venait les rabattre sur son visage. Il regardait vers Borre d'un air douloureux qui me transperçait le cœur.

Nous restâmes ainsi, absorbés par la nature alentour : la mer qui venait mourir à nos pieds, le vent qui frôlait nos cheveux et nos vêtements, les grands pins dont les branches se tendaient vers nous sans jamais parvenir à combler le fossé qui nous séparait d'eux. Le temps s'écoulait comme dans un rêve. Dans ce silence, Munch m'était moins énigmatique ; je commençais à le comprendre, comme le bourgeon finit par s'épanouir. Dans les bras de l'univers, nous n'étions plus deux êtres lointains, mais deux éléments de la nature, deux cœurs qui se parlaient, sans un mot. Sa tristesse, son tumulte intérieur circulaient entre nous, comme des couleurs jaillies d'un tube de peinture. *Je ne peux rien pour toi, Munch*, me dis-je. Et je commençais à comprendre que personne, pas même Tullik, ne pourrait jamais l'aider.

Il faisait froid sur les rochers et j'avais les jambes engourdies.

— Je vais repartir, annonça-t-il en brisant notre silence. Je retourne en Allemagne pour une exposition.

— Quand partez-vous ?

— Bientôt. Peut-être dès la semaine prochaine.

— Le lui direz-vous ?

Il baissa la tête et se passa la main dans les cheveux.

— J'irai lui faire mes adieux.

Un petit vent glacial se glissa dans mon cou. Je resserrai le châle autour de mes épaules.

— D'après toi, Johanne, vaut-il mieux rêver d'un bonheur possible, réalisable, ou bien d'un bonheur purement imaginaire ? Mon talent ne laisse de place à rien d'autre. Et puis j'ai cette maladie, ce tempérament hérités de mes parents : la fragilité physique de ma mère, la nervosité et l'anxiété de mon père. Tullik saurait-elle supporter tout cela ? Car je ne souhaite pas en guérir. Si je me débarrassais de ma maladie, qu'arriverait-il à mon talent ? Ma sœur Inger dit que travailler est la meilleure chose que nous puissions faire. C'est ce qui nous nourrit, nous donne de la force. J'ai toujours fait passer le travail avant tout — elle ne ferait que se mettre en travers de ma route, n'est-ce pas ? Et pourrais-je supporter la compagnie des femmes, avec leurs romans sentimentaux, leurs bavardages et leurs fêtes ? La solitude les effraie-t-elles donc tant que cela ? Elles paradent bras dessus bras dessous sur l'avenue Karl Johan pendant que les hommes se rendent au club… Ils sont tous tellement occupés. Mais à quoi ? Que leur restera-t-il de cette agitation, à l'heure de rendre des comptes ? Nous savons pourtant que c'est seuls que nous empruntons la vallée de l'ombre de la mort… Seuls que nous avançons, à tâtons, dans le noir. Nous devrions suivre ceux qui sont lumière, qui nous montrent le chemin. Mais que faisons-nous ? Nous les persécutons. Les gens ignorent la lumière, ils préfèrent l'obscurité.

Face à ce flot de paroles, je ne sus que répondre, mais je compris que pour lui, l'amour d'une femme passerait toujours après son œuvre. Sa vie serait consacrée à son art.

— J'ai manqué plusieurs fois mourir, enfant, continua-t-il. J'ai frôlé la mort de si près que j'ai senti ses doigts glacés me parcourir l'échine et j'en ai frissonné jusqu'au plus profond de mon être. Parfois, j'ai eu peur qu'elle ne m'emporte, et parfois, je l'ai appelée de mes vœux. Mais une fois guéri, j'ai compris que la mort reviendrait me voir, et qu'il me faudrait alors lui faire face et lui prouver qu'elle ne m'avait pas épargné en vain.

— Et cette preuve, c'est votre art.

— Exactement.

Le vent se leva de nouveau et l'enserra dans son étreinte. Mes jambes étaient ankylosées par le froid ; je me levai pour les dégourdir.

— Il faut que je rentre, annonçai-je. Il se fait tard.

— Je t'accompagne, répondit-il en se tournant vers moi.

— Non, ce n'est pas la peine. Je connais le chemin.

— Moi aussi. Le chemin du retour ne pose de problème à personne.

Son regard était sombre et sa voix douce comme un chant d'oiseau.

— L'incertitude surgit lorsqu'il faut aller de l'avant, conclut-il.

Je le laissai seul, assis sur la jetée, et retournai chez moi glacée jusqu'aux os, le nez et les joues rougis par le froid. Mère dormait et Père marmonna quelques propos incohérents depuis son lit quand il entendit la porte se refermer. Je lui chuchotai un mensonge : oui, j'étais allée danser. Oui, je m'étais bien amusée. Je me glissai dans la chambre où Andreas dormait profondément. Le plancher ne grinçait plus ; je sentis les lattes bien lisses sous mes pieds tandis que je me déshabillai. Je me couchai et fermai les yeux, priant pour m'endormir rapidement. Mais je n'entendis que la plainte lancinante du *Cri* qui s'élevait depuis sa cachette.

17

Noir

Nous pouvons, en y contraignant notre imagination, faire naître en nous dans l'obscurité les images les plus claires.

Traité des couleurs,
JOHANN WOLFGANG VON GOETHE.

L'orage éclata le lundi soir, après dîner. Nous avions d'abord cru qu'il s'éloignerait : l'air était chargé d'électricité, illuminé de brefs éclairs et grondait tel un estomac affamé. Fru Berg courait en tous sens dans la maison avec ses paniers de linge, affolée.

— C'est mauvais signe, me glissa-t-elle lorsqu'elle me croisa dans l'escalier. Quelque chose se prépare, nous n'allons pas y couper. Dieu est en colère.

Appuyée contre les barreaux de la rampe entre lesquels Henriette venait se faufiler, je m'effaçai pour faire place à Fru Berg. Elle écarta l'animal du pied.

— Ouste, le chat ! s'écria-t-elle avant de se diriger lourdement vers la cuisine, toute à son angoisse.

Tullik avait passé l'après-midi à dormir. Après un bref instant de lucidité à la vue du *Cri*, elle avait replongé dans son monde de ténèbres, cet enchevêtrement confus dominé par la panique. Elle s'était tant éloignée du quotidien de sa famille que je craignais que ses parents ne résistent guère plus longtemps à l'appel de Gaustad.

Nul ne s'en inquiétait plus que moi. J'avais l'impression que Tullik s'enfonçait irrémédiablement dans cette morne existence, cette demi-vie ponctuée de hurlements de douleur la nuit et de phases de léthargie et de somnolence le jour.

Elle, si débordante de vie autrefois, n'était plus que l'ombre d'elle-même. Elle me faisait penser au spectre gris et informe qui hantait Laura Munch sur le tableau. Pas plus que la sœur du peintre, elle ne pouvait échapper à ses démons.

Il régnait dans la chambre de Tullik une atmosphère étouffante et j'ouvris la fenêtre sur un ciel grondant. Les éclairs surgissaient telles des langues de serpent à travers les nuages gris ardoise, poursuivis par le roulement menaçant du tonnerre.

— Que se passe-t-il ? demanda Tullik, hébétée.

— L'orage menace, Fru Berg est terrifiée, elle craint que Dieu ne soit en colère. Moi, je crois qu'une bonne tempête rafraîchira l'atmosphère. Veux-tu descendre dîner ? lui demandai-je en observant du coin de l'œil le morceau de pain que je lui avais apporté un peu plus tôt et qui se desséchait.

— Je n'ai pas faim.

— Que puis-je faire pour toi ?

Je lui avais pris la main.

— Va dans l'armoire, et apporte-le-moi, Johanne, murmura-t-elle.

— Mais…

— J'ai besoin de lui, coupa-t-elle en se redressant.

Je jetai un coup d'œil sur le palier pour vérifier qu'il n'y avait personne puis refermai silencieusement la porte. J'ôtai délicatement le double-fond de l'armoire et arrachai une à une les punaises bien accrochées, jusqu'à ce que le tissu glisse et que les dessins me tombent entre les bras, au milieu des vêtements de Tullik. Je les sortis un à un et les lui présentai comme s'il s'agissait de robes.

— Il est là, dis-je. Edvard est là, dans chacune de ses œuvres.

Les yeux de Tullik, grands ouverts, étaient comme deux lunes dans la pénombre. Je lui montrai *Sirène* puis le portrait émouvant de la rencontre entre l'homme et la femme sur la plage. Tullik me demanda de les étaler par terre et se mit à danser autour, comme électrisée par l'énergie sombre de la tempête. Elle faisait une sirène enchanteresse, émergeant des eaux indigo dominées par la lune qui se répandait sur l'eau en une ligne tremblante ; ses jambes semblaient se mouvoir comme une queue de poisson venue fouetter les vagues.

J'admirai sa magnifique chevelure qui coulait par-dessus son épaule jusqu'à la mer, se mêlant indistinctement aux flots. L'autre épaule était dégagée, exposant sa poitrine, ses hanches, ses cuisses, exactement comme en ce jour où elle s'était montrée si provocante, si impudente, si téméraire.

Je lui montrai *La Voix*, écho de cet instant où elle s'était tenue devant Munch dans la forêt de Fjugstad, les mains dans le dos, le visage levé vers lui. Je me rappelai ma fascination pour la ferveur de leurs baisers, l'appétit réciproque, vorace, qu'ils avaient l'un pour l'autre.

— Il m'aime, déclara-t-elle soudain, virevoltante.

— Bien sûr qu'il t'aime.

— Je dois le rejoindre.

Ses yeux brillaient de nouveau. J'y voyais luire un éclat dangereux, mais me trouvai plus soulagée qu'alarmée.

Les Ihlen étaient montés se coucher depuis longtemps quand les premières gouttes se mirent à tomber. Peut-être avaient-ils déjà trouvé le sommeil. Je me tenais à la fenêtre, en robe de chambre, fascinée par le spectacle de la tempête. La nature révélait sa toute-puissance, sa force grandiose, comme pour nous rappeler que nous n'étions que de simples jouets entre ses mains. Les cieux s'ouvrirent sur un véritable déluge et la pluie se mit à marteler la fenêtre comme pour s'inviter de force. L'eau déborda bientôt des gouttières, qui vomissaient des cascades le long des façades.

Le ciel se déchirait à chaque instant et la maison tremblait sous les coups de tonnerre. J'imaginais Fru Berg terrée chez elle, convaincue que nous nous étions attiré le courroux divin. Un éclair illumina un instant l'église ; je pus distinguer les solives qui dépassaient du toit et la porte épaisse qui luttait de toutes ses forces contre la sauvagerie de son assaillant. Je me demandai combien de fois le bâtiment avait affronté pareille tempête au cours des siècles. L'église semblait garder son calme, dans l'assurance que Dieu n'attaquerait pas le lieu même où l'on venait Le célébrer.

Les coups de tonnerre continuaient de résonner inlassablement, ébranlant Solbakken de la cave au grenier. Une fenêtre restée ouverte grinçait de peur. Une porte claquait au rez-de-chaussée. Les poules de Tullik, peu rassurées, caquetaient fébrilement dans leur cage. L'orage devait tonner comme un millier de Fru Berg menaçant de les faire passer à la casserole pour le dîner de l'amiral. Chaque grondement était plus féroce que le précédent et la violence de la tempête allait *crescendo*. Je sentis monter le niveau de la mer en même temps qu'une rumeur mystérieuse grondait sourdement dans ma poitrine. Je décidai de regagner mon lit.

Entre les coups de tonnerre et les éclairs, je tendais l'oreille pour détecter du mouvement dans la chambre de Tullik, mais je n'entendais rien, pas un murmure, et sans savoir pourquoi, cela m'inquiétait. Un silence lourd de menace pesait sur l'atmosphère déjà chargée d'électricité. La tempête faisait toujours rage et je tentai de repousser l'idée d'un nouveau danger, m'obligeant à respirer profondément pour calmer mes nerfs. Une heure passa, peut-être deux ; je dormis d'un sommeil agité, rythmé par les caprices de l'orage.

Le fracas d'un coup de tonnerre me fit me dresser brusquement dans mon lit, les yeux grands ouverts, le cœur battant à tout rompre, un sentiment d'urgence pulsant dans mes veines. Une pluie torrentielle tapait au carreau avec impatience. Je bondis de mon lit et me retrouvai au milieu de ma chambre, l'esprit confus, me demandant ce que je faisais debout dans le froid et la nuit, terrifiée. Puis le tambourinement de la pluie contre la fenêtre sembla se diviser en deux syllabes, répétées inlassablement. *Tull-ik, Tull-ik, Tull-ik.*

Je courus jusqu'à sa chambre.

— Tullik, chuchotai-je. Tu dors ?

La pièce était plongée dans l'obscurité et la pluie avait formé une flaque sur le rebord de la fenêtre ouverte ; des gouttes suintaient contre le mur.

— Tullik !

Je m'avançai vers le lit, sans parvenir à distinguer sa forme dans le noir. Je tâtonnai, les bras tendus, mais ne rencontrai que les draps. Je fouillai, soulevai, arrachai les couvertures, les jetai à terre et regardai partout, vérifiant le sol, le fauteuil près de la fenêtre, le lit encore une fois : Tullik avait disparu.

Je sortis dans le couloir et tendis l'oreille, la tête penchée par-dessus la rambarde. Peut-être s'était-elle rendue à la cuisine, ne trouvant pas le sommeil ? Je tentai d'oublier le fracas de la pluie et du tonnerre, mais il ne semblait pas y avoir le moindre mouvement au rez-de-chaussée.

— Non, balbutiai-je. Non, Tullik. Qu'as-tu fait ?

Je courus à nouveau vers ma chambre où je m'habillai en toute hâte, laçant mon corset à la va-vite en manquant des œillets et des boucles. Je saisis mon châle et nouai un fichu sur ma tête, avant de me précipiter dehors, prête à affronter les éléments.

La nuit était d'un noir d'encre. Je pris au passage la lanterne dans la remise, mais elle se révéla peu utile sous cette pluie et ne fit qu'augmenter les ombres sur mon chemin. La pluie courait en vagues sur le sol inondé ; la route était une rivière, les champs un marécage. Mes bottines furent trempées avant même que je n'atteigne la forêt. Des torrents d'eau continuaient à se déverser du ciel à travers les branchages, les arbres n'offrant guère de protection. La lanterne se balançait à mes côtés et je me hâtai le long du chemin boueux et glissant.

Une nouvelle série de coups de tonnerre éclata au-dessus de ma tête. Le bruit était si fort que je ne pus m'empêcher de pousser un cri. Je bondis sous un arbre. Les branches courbaient l'échine sous le poids de la pluie et pointaient vers moi leurs doigts noirs et humides. A mon passage, elles me frôlaient le visage et gémissaient sous les poussées du vent qui menaçait de les rompre. Je me souvins de ce que Tullik m'avait raconté sur les trolls et les huldrefolks, ces ombres qui se glissaient comme des fantômes parmi les arbres. Ses histoires m'avaient paru fantasques, mais je me surprenais maintenant à y croire. L'apparition d'un troll ou d'un clan de huldrefolks n'aurait pas détonné dans la tempête, et mon imagination commença à me faire voir des spectres et des monstres effrayants tapis sous les feuillages battus par les forces de l'orage.

Même le bruit rassurant de la mer était noyé sous ces trombes d'eau. Je tendis l'oreille, mais les vagues avaient abandonné leur rythme rassurant ; elles s'écrasaient désormais violemment contre les rochers, et roulaient au loin dans un grondement menaçant.

Mes pieds dérapaient sur le sol détrempé, martelé par cette pluie infernale qui ne semblait donner aucun signe de faiblesse. L'eau ruisselait sur mon visage, s'infiltrait dans ma bouche ouverte et coulait le long de mon menton, me donnant l'impression de nager en pleine mer. Je secouais la tête et battais des cils pour chasser la pluie qui m'aveuglait, en pure perte.

J'arrivai épuisée à la ferme des Nielsen. Je m'effondrai

contre le mur et retirai mon fichu pour m'en essuyer le visage, maculé de taches de boue. Mes cheveux étaient trempés. Je les essorai comme un torchon puis rassemblai les mèches en un rapide chignon.

Par cette nuit de tempête, Åsgårdstrand était déserte. Les rues étaient vides, abandonnées aux fantômes. Les fenêtres béaient sur l'obscurité. J'entendais le bruit métallique des portillons qui claquaient. Les arbres, impuissants, courbaient honteusement la tête par-dessus les barrières. Nygårdsgaten n'était plus qu'un cloaque débordant, charriant brindilles, cailloux et crottin détrempé. Je sautais entre les flaques, privilégiant le milieu de la route pour éviter les sillons fangeux creusés par les chariots. J'entendis les pleurs du bébé des Andersen quand je passai devant notre maison, et je songeai à tous ces enfants qui ne dormaient pas ce soir, tremblants et apeurés, trouvant refuge dans le lit de leurs parents, et qui seraient, comme moi, effrayés à l'idée de ces trolls et huldrefolks au creux de la pénombre. Je songeai aussi à Andreas, et je me demandai s'il entendait les hurlements du *Cri* par-dessus les roulements du tonnerre.

Arrivée devant chez Munch, je trouvai le portail déjà ouvert : il était plaqué contre le mur de la maison, vaincu, comme arraché à ses gonds. Les volets sur le côté étaient fermés, m'empêchant de voir à l'intérieur. Je notai que les tableaux étaient restés dehors, exposés à la violence des éléments. Peut-être Munch s'en réjouissait-il ? Peut-être pensait-il que la pluie leur était vitale, comme à la croissance des plantes ? Dans le noir, je ne distinguai que la phosphorescence de la robe d'Inger, sur le tableau qui la représentait à la plage, assise sur des rochers.

Je grimpai à la hâte les marches à l'arrière de la maison, alors que le tonnerre me poursuivait de sa condamnation haineuse. Je frappai à la porte à grands coups de poing, mais personne ne vint ouvrir. Une bougie enfoncée dans le goulot d'une bouteille laissait voir une flamme vacillante derrière le rideau de gouttelettes qui laquait les carreaux.

Je redescendis et tambourinai à la vitre.

— Tullik ! lançai-je. C'est moi, Johanne. Ouvre-moi !

Le rebord de la fenêtre m'arrivait à la hauteur des épaules. En me dressant sur la pointe des pieds, je pouvais tout juste regarder à l'intérieur ; mais la pluie obscurcissait tout et mis à part la lumière vacillante de la chandelle, le reste de la maisonnette était plongée dans l'obscurité.

— Tullik ! criai-je de toutes mes forces. Tu es là ?

Ne recevant pas de réponse, je commençai à paniquer. Où pouvait-elle bien être ? Il fallait que je parvienne à entrer. Je cherchai dans le jardin ce qui pourrait me servir de marchepied. Je trouvai bien quelques grosses pierres, mais mes mains glissaient sur leur surface mouillée et aucune n'était assez robuste pour supporter mon poids. Soudain, j'aperçus le banc de jardin sur lequel Tullik et Munch s'étaient assis le premier soir, quand je l'avais trouvée avec lui, un verre à la main. A ma première tentative, le banc se souleva à peine et je dus m'arc-bouter et m'aider de mes genoux pour le faire bouger. Enfin, je le saisis et le traînai jusqu'à la fenêtre. Ses pieds labourèrent le sol détrempé et laissèrent deux sillons de boue dans l'herbe. Je parvins à l'approcher de la maison et l'adossai contre le mur.

— Tullik ! criai-je à nouveau. C'est moi, Johanne. Tu es là ?

Je levai les yeux et attendis quelques instants, mais aucune réponse ne me parvint.

Levant ma lanterne, je grimpai sur le banc et me penchai vers la fenêtre.

Je ne vis d'abord rien que des ombres mouvantes derrière la flamme chancelante de la bougie. J'essuyai les gouttes de pluie et collai mon nez au carreau, les mains en visière, ce qui me permit bientôt de distinguer des formes.

Je réprimai un cri quand j'aperçus Tullik. Un court instant, je la crus morte.

Elle était étendue sur le lit, le bras droit ballant, comme désolidarisé de son corps. Ses cheveux s'étalaient en vagues auburn autour de sa tête ; ils se déversaient sur le matelas et retombaient jusqu'au sol, qu'ils frôlaient de leurs pointes. Son corsage était ouvert sur sa poitrine dénudée. Sous son jupon, l'une de ses jambes était tendue, l'autre repliée au niveau du genou. Elle avait les yeux clos, mais quand j'étudiai mieux son visage, je vis qu'elle n'était ni souffrante ni inerte, seulement d'une sérénité d'ange ou de déesse. Ses joues étaient roses, ses lèvres légèrement entrouvertes ; ses paupières étaient baissées sous la douce courbe des sourcils. Jamais encore je ne l'avais vue si apaisée, libérée de toute envie, de toute question, de toute souffrance.

— Tullik, murmurai-je, hésitante.

Munch était assis sur une chaise à côté du lit, torse nu. Son carnet de croquis sur les genoux, il dessinait Tullik à grands coups de fusain, un œil constamment sur elle, lui parlant à voix basse. Une bouteille de vin vide et deux verres étaient posés sur la table au pied du lit. Tullik et Munch n'entendaient ni la pluie, ni le tonnerre, ni mes cris : ils étaient seuls au monde. Au beau milieu des hurlements rageurs de cette tempête monstrueuse, les deux amants avaient trouvé la paix.

A voir Tullik si sereine, j'hésitai à troubler son repos. Mais il tombait toujours une pluie diluvienne et j'étais glacée : je savais que j'allais attraper froid si je passais la nuit à l'attendre. Et puis il y aurait au matin toutes ces questions auxquelles il me faudrait répondre : *Où avait-elle disparu ? Que faisait-elle dehors par une nuit pareille ?* Cette fois, je ne pourrais lui être d'aucun secours. Caroline saurait parfaitement où elle s'était rendue et Tullik serait bannie. Elle ne reverrait jamais Edvard. Il fallait que je la ramène à la maison avant le lever du soleil.

Je ramassai un caillou et donnai de petits coups sur la vitre jusqu'à ce qu'ils me remarquent. Munch fut le premier à réagir. Il regarda par-dessus son épaule pour découvrir la source de ce martèlement de pic-vert, et je frappai de plus belle pour attirer son attention.

Il posa le carnet de dessins sur le lit et Tullik sortit de sa torpeur, reboutonnant son corsage.

— C'est moi ! criai-je à travers la vitre. Johanne !

Munch alla ouvrir la porte de derrière.

— Johanne, que fais-tu dehors par un temps pareil ? s'exclama-t-il en enfilant sa chemise et en me faisant entrer dans la maison. Regarde-toi ! Tu es trempée jusqu'à la moelle. Entre donc, grands dieux !

— Je dois ramener Tullik à la maison avant qu'on ne s'aperçoive de son absence, expliquai-je.

— Johanne chérie ! fit Tullik d'une voix alanguie, comme si nous nous trouvions dans une soirée mondaine à Kristiania.

— Tullik, je m'inquiétais pour toi. Si ta famille se rend compte que tu as disparu, ils vont…

— Peu importe ! Rien ne m'arrêtera.

Munch me tendit une serviette et je m'essuyai le visage.

— Mais si jamais ils décidaient de t'envoyer à…

— Ils ne peuvent rien me faire, trancha-t-elle d'un ton catégorique.

— Tu connais les sentiments de Caroline à ce sujet, et ceux de tes parents.

Tullik se dirigea indolemment vers Munch, qui s'était rassis. Elle grimpa sur ses genoux et glissa les bras autour de son cou, lui inclinant doucement la tête, qu'il abandonna contre sa poitrine. Ses cheveux enveloppaient leur étreinte d'ondulations rousses. Tullik le pressa contre elle et il passa les bras autour de sa taille, comme un enfant. Elle se pencha sur lui et lui embrassa le cou, tendrement, murmurant des mots doux que je n'entendais pas. Je voulus détourner les yeux, mais ne pouvais m'arracher au spectacle des deux amants enlacés.

— Très bien, tu peux me ramener à la maison si tu le souhaites, Johanne, déclara-t-elle enfin. Plus rien ne sera comme avant.

Elle prit le visage de Munch entre ses mains et releva doucement sa mâchoire puissante, passant son pouce sur ses lèvres.

— N'est-ce pas, chéri ?

Il ne lui avait pas dit. Pour l'Allemagne, pour son départ. Il ne lui en avait pas parlé.

— Tullik, nous devons y aller, tranchai-je, furieuse de le voir si détaché, comme ce jour au jardin, avec Ragna et Caroline, où il ne l'avait pas défendue, où il n'avait rien fait pour la protéger.

Il avait l'intention de partir et elle serait dévastée. Mais Munch avait son art, son seul et unique amour. C'était tout ce qui lui importait.

— Prends ce dessin, Tullik, lui dit-il en arrachant une page de son carnet. J'ai aussi une autre toile pour toi, un paysage. Je l'ai appelé *Clair de lune*.

Il traversa la pièce et s'empara d'un tableau carré qui représentait la mer, d'un turquoise pâle, sous une colonne de lune phallique. Ce tableau, ce dessin étaient des morceaux de lui, les seuls qu'il pouvait donner, les seuls qu'elle pouvait garder.

— Regarde, Johanne, lança Tullik. C'est Åsgårdstrand de nuit, paisible et magnifique.

Elle se perdit dans cette scène et j'en profitai pour la guider vers la rue. Nous reprîmes le chemin de la forêt sous la tempête, mais elle semblait indifférente aux inondations et aux cataractes qui se déversaient du ciel, comme si l'eau lui faisait du bien ; comme si le traitement que Munch réservait à ses œuvres lui convenait aussi. Nous transportâmes les toiles de Munch jusqu'à la maison. Elle sautait dans les flaques, insensible à la pluie qui glissait sur elle.

— Je crois qu'il va me demander en mariage, dit-elle. J'en suis même certaine.

J'aurais aimé pouvoir la contredire, lui annoncer la vérité : qu'il repartait bientôt, en direction de l'Allemagne. Mais avais-je le droit de détruire son bonheur ? C'était la première fois depuis des semaines que je la voyais en paix. Je la laissai espérer.

— Nous devrions nous marier dans l'église de Borre, réfléchit-elle. Il n'aimera pas l'idée d'une cérémonie à Kristiania.

— Dépêchons-nous de rentrer. Je ne voudrais pas que tu prennes froid.

Le tonnerre s'était enfin tu et avait laissé place à une bruine persistante qui ne semblait pas près de faiblir. La lanterne se contentait de nous offrir une illusion de réconfort au creux de l'obscurité.

A la hauteur de l'église, la route refaisait surface après l'assaut de l'orage. Des îlots émergeaient çà et là ; l'eau s'était retirée pour s'enfoncer dans les fossés ou dans la terre. Le sol resterait trempé pendant plusieurs jours.

Nous longeâmes la maison en évitant les torrents qui débordaient des gouttières. Mes vêtements trempés me collaient à la peau. J'étais prise de frissons. Bleu de glace. La tête me tournait. Devant la porte, à l'arrière de la maison, le tableau m'échappa. *Clair de lune* tomba avec fracas. J'agrippai le bras de Tullik.

— Emmène-moi à l'intérieur, Tullik, suppliai-je.

Les ténèbres m'enveloppèrent. Mes jambes se dérobèrent sous moi et je m'effondrai.

18

Bordeaux

La couleur se fixe sur les corps de façon plus ou moins durable, soit superficiellement, soit en les imprégnant.

Traité des couleurs,
JOHANN WOLFGANG VON GOETHE.

Je me réveillai sous une couverture, sur le sol de la cuisine. Mal de tête. Rouge violacé. Douleur fiévreuse aux tempes. Je tentai de me lever. Pulsations aux oreilles. Mes cheveux étaient encore humides, mes vêtements glacés. *Toc toc toc* quelque part. Je crus d'abord que c'était dans ma tête — mais non, cela venait d'ailleurs. On cognait à la porte de derrière. Je me redressai, réarrangeai mes cheveux. Saisis au portemanteau un tablier propre. On ne cognait plus.

Curieuse, je sortis dans le petit matin brumeux. La pluie avait cessé, mais l'on ne s'en rendait guère compte, avec ce plic-ploc continu et le bruit de l'eau vive jaillissant de toutes parts. La maison semblait fuir de partout. Au fond du jardin, les plantes baissaient la tête. Le bosquet de lilas était méconnaissable : le centre s'était affaissé, et il ressemblait à un cœur écrasé à la pointe arrondie.

La pluie avait fait des dégâts considérables dans le poulailler. Ingrid et Dorothea, que je pouvais à présent identifier d'un simple coup d'œil, s'étaient réfugiées dans un coin, piégées par une grande flaque. De l'eau se déversait là où le toit avait ployé sous la violence de l'orage. La paille était écrasée et détrempée, et les autres poules picoraient d'un air misérable, se demandant où elles pourraient bien pondre leurs œufs.

— Eh bien, mesdames, il ne nous reste plus qu'à nous retrousser les manches, leur annonçai-je en saisissant le balai.

Je balayai l'eau vers le côté de la cage, là où le sol était inégal et la pente suffisante pour permettre à l'eau de pluie de s'écouler. Puis je soulevai le toit pour vider la mare qui s'y était formée. Je m'apprêtais à aller chercher de la paille fraîche dans la remise quand j'entendis un bruit de sabots sur la route qui longeait la maison.

Je me retournai et tentai de percer le brouillard. Qui cela pouvait-il bien être ? Il était trop tôt pour que ce soit Fru Berg et elle n'arrivait jamais en voiture. Je posai le balai contre le poulailler et jetai un coup d'œil sur le côté de la maison. Un homme approchait, marchant à côté d'un grand cheval noir qu'il tenait par les rênes. Je vis qu'il portait un uniforme de la Marine : une casquette à visière et une veste bleue avec des boutons et des galons argentés qui brillaient dans la brume. L'on devinait difficilement sa silhouette.

— Qui va là ? demandai-je, agrippée à la cage.

— Il y a quelqu'un ? dit-il, avec un accent suédois prononcé.

— Oui, par ici. Je suis la servante, Johanne.

— Excusez-moi de vous importuner à cette heure. Notre navire a été jeté en baie de Horten par la tempête, et nous sommes arrivés plus tôt que prévu.

Je pris l'homme pour un ami de l'amiral.

— Puis-je vous aider, monsieur ?

— Je suis officier de marine, au service du prince Carl de Suède. Son Altesse Royale et quatre de ses officiers souhaiteraient dîner chez l'amiral Ihlen ce soir. Son Altesse Royale demande également la permission de passer la nuit ici, si vous n'y voyez pas d'inconvénient. Pourriez-vous arranger cela avec votre maîtresse ?

Mon cœur battait à tout rompre. J'eus l'impression qu'on allait m'arrêter pour un crime que je n'avais pas commis. Avais-je bien entendu « Son Altesse Royale ? »

— Voulez-vous entrer ? J'allais allumer un feu.

— Je vous en serais infiniment reconnaissant, acquiesça-t-il en cherchant un endroit où attacher son cheval.

Je restai là, stupéfiée, incapable de trouver les mots pour lui venir en aide. Il passa les rênes autour du piquet de la clôture, et tapota l'encolure de sa monture avant de se tourner vers moi.

— Laissez-moi vous conduire au salon, lui dis-je.

Il me suivit à travers la maison et j'écoutai le cliquetis de ses bottes sur les tapis et le parquet. Je ne pensais qu'à une chose, Tullik et son tableau. L'avait-on surprise cette nuit ? Avait-elle pu cacher les dessins ?

— Je vais préparer du café et prévenir ma maîtresse, annonçai-je.

Je m'éclipsai avec une petite révérence et je courus à l'étage pour frapper vigoureusement à la porte de la chambre des Ihlen.

— Mon Dieu, Johanne, s'exclama Fru Ihlen, l'air ensommeillé et les cheveux en papillotes. Que t'arrive-t-il ?

— Pardonnez-moi, Fru Ihlen, mais il y a un homme en bas, un officier de marine. Il dit qu'il vient du vaisseau du prince Carl de Suède et que le prince et quatre de ses hommes souhaiteraient venir dîner chez vous et passer la nuit à Solbakken, si vous l'y autorisez.

Les yeux de Julie s'écarquillèrent. Elle me regarda avec horreur, comme si je lui avais jeté un seau d'eau froide au visage.

— Le prince Carl ? Ici ?

— Son aide vous attend au salon.

Elle prit une grande inspiration.

— Va lui dire que nous l'invitons à se joindre à nous

pour le petit déjeuner. Fais du café et cours réveiller Ragna. Je préviens l'amiral et les filles.

— Oui, Fru Ihlen.

Je dévalai l'escalier et me précipitai dans la cuisine, où j'allumai le fourneau et mis de l'eau à chauffer. Ragna était déjà debout. Elle se glissa silencieusement derrière moi, enfilant son tablier.

— Quelle est cette agitation ?

Je lui fis face, tournant et retournant nerveusement mon torchon entre mes mains.

— Et pourquoi tes cheveux sont-ils mouillés ? s'enquit-elle, son regard perçant s'arrêtant sur le moindre détail. Tes vêtements aussi sont humides.

— Le prince de Suède et quatre de ses hommes vont venir dîner. Le prince passera la nuit ici, l'un de ses officiers va partager le petit déjeuner de la famille. Il faut lui porter du café au salon.

Ragna se mordilla l'intérieur des lèvres, comme un rongeur qui s'attaque à une corde. Elle avait le regard fixé sur une tache au sol, mais en réalité des centaines de menus défilaient dans sa tête. Je l'avais déjà vue à l'œuvre. Elle était capable de transformer quelques restes en véritable festin et j'admirais son ingéniosité. Elle était aussi à l'aise aux fourneaux que je l'étais en forêt, lorsque je cherchais des baies.

— J'irai à Gannestad chercher des poulets, commença-t-elle, les yeux toujours rivés à terre comme si elle fomentait un crime. Je partirai après le petit déjeuner. Toi, tu te rendras au presbytère et tu demanderas du saumon, du lait et de la crème. Cueille autant de fruits que tu peux au jardin ; il reste de la rhubarbe et des pommes, j'en ferai une tarte. Rapporte-moi tout cela aussi vite que possible.

Un claquement de porte à l'arrière de la maison nous signala l'arrivée de Fru Berg.

— A qui est la jument ? demanda-t-elle, incrédule.

— Nous allons recevoir un invité royal, répondit Ragna, le prince Carl de Suède.

— Quoi ? Ici ? A Solbakken ? Mon pauvre cœur ! s'exclama-t-elle en portant la main à la poitrine. Vous plaisantez, n'est-ce pas ?

— C'est la vérité, dis-je, l'un de ses hommes est déjà là, il reste pour le petit déjeuner. Ils seront cinq ce soir au dîner, en incluant le prince, qui passera aussi la nuit ici.

— Miséricorde ! s'écria Fru Berg, comme si la visite du prince était une épreuve que lui envoyait le Tout-Puissant.

Elle se mit à s'agiter en tous sens, bredouillant quelque chose à propos de détergents et de cire à bois.

— Reprenez-vous, Benedikte, lui intima Fru Ihlen qui venait d'entrer d'un pas assuré dans la cuisine, parfaitement maîtresse d'elle-même. Johanne, chère enfant, nous allons devoir te demander de dormir chez toi ce soir ; le prince occupera la chambre de Milly. Il faut sortir la porcelaine fine, et l'argenterie qui doit être impeccable. Vous battrez les tapis, et je veux des fleurs fraîches dans le salon et la salle à manger. Je vais envoyer Caroline chercher du linge de maison chez ma sœur à Horten ; c'est elle qui a hérité des plus belles pièces, ce que nous avons ici à Solbakken ne fera guère l'affaire. Pour ce qui est des verres… utilisez ceux en cristal. Ils se trouvent dans le buffet, sur l'étagère du haut. Johanne, tu les frotteras jusqu'à ce qu'ils étincellent. Dès que le petit déjeuner sera terminé, je veux que vous vous mettiez toutes au travail.

Nous acquiesçâmes en silence.

— Apporte un plateau avec trois tasses, Johanne, demanda-t-elle enfin. Nous prendrons le café au salon.

La journée fila dans un tourbillon d'excitation et de panique. Nous rassemblâmes les plus beaux objets de la maison et passâmes notre temps à balayer, polir, frotter, laver et faire reluire. Fru Ihlen fendait les flots de nos préparatifs comme un paquebot qui par gros temps épouse le rythme des lames, supervisant l'ensemble d'une main tout à la fois douce et ferme. Lorsqu'elle-même renversa une bouteille de désinfectant dans le bureau de l'amiral, répandant une puissante odeur d'acide phénique dans la maison, elle se contenta de fermer la porte et d'ouvrir toutes les fenêtres, en me demandant d'apporter un bouquet de fleurs odorantes. Je coupai des brins de lavande et en remplis les vases disposés ici et là.

Avec toute cette agitation, je dus attendre le milieu de la matinée pour revoir Tullik. Elle n'avait pas quitté sa chambre et ne s'était pas présentée au petit déjeuner. Quand Caroline emprunta la carriole pour se rendre à Horten, je montai les marches quatre à quatre jusqu'à sa chambre.

— Johanne, comment te sens-tu ? demanda-t-elle.

— Que s'est-il passé ?

— Tu t'es écroulée, tu as eu un malaise. J'ai entendu des bruits au rez-de-chaussée, et comme je ne pouvais pas te transporter, je t'ai laissée là. Je t'ai enveloppée dans une couverture, et j'ai caché le tableau dans ma chambre.

— Tant mieux. C'est bien, Tullik.

— Tu es malade ?

— Je n'ai pas le temps d'être malade. Le prince de Suède vient passer la soirée ici. Il faut que tu te prépares.

— Un prince… et alors ? Quelle importance ?

— C'est important pour ta famille.

— Cela ne représente rien pour moi. J'ai Edvard, et bientôt je serai sa femme. Il va demander ma main d'un jour à l'autre. T'ai-je déjà dit qu'il comptait m'épouser ?

— Oui, Tullik. Mais il faut que je me dépêche. Tu ferais bien de t'habiller.

Caroline rentra de Horten chargée des trésors qui s'étaient transmis de génération en génération chez les Nicolaysen, la famille de Julie.

— Tante Bolette a bien voulu nous prêter la nappe

brodée, annonça-t-elle à sa mère avec qui elle préparait la salle à manger. Et quand grand-mère Aars a entendu parler de la visite du prince, elle m'a donné un service de verres à vin que sa propre mère avait reçu en cadeau de mariage ! J'étais terrifiée à l'idée de les transporter. Ils sont dans la malle, bien enveloppés, mais le moindre cahot aurait pu leur être fatal.

Tout au long de la journée, Ragna tenta de trouver l'occasion d'approcher Caroline. Chaque fois qu'elle semblait sur le point d'y arriver, mon estomac se contractait. Si Tullik était dénoncée, si les Ihlen découvraient qu'elle avait revu Munch, je savais qu'on l'éloignerait de Solbakken et qu'on l'enverrait vivre chez la grand-mère Aars ou la tante Bolette. Loin de Munch, avant tout. La famille de Tullik ne pouvait pas savoir qu'il s'apprêtait à repartir et que la menace qu'il représentait disparaîtrait bientôt.

Heureusement, Caroline était trop occupée à transformer la maison en véritable palace pour se laisser importuner par Ragna et ignora toutes ses tentatives. Recevoir un prince royal ne manquerait pas d'élever sa position au sein de la bonne société de Kristiania et lui permettrait d'atteindre des sommets jusque-là inimaginables. C'était un rêve devenu réalité pour Caroline et tout se devait d'être parfait.

— De quoi allons-nous parler ? demanda-t-elle à Julie tout en déballant les coupes de la grand-mère Aars.

— Je pensais peut-être évoquer le travail que nous accomplissons au sein de notre groupe de protection des animaux. Peut-être pourrait-il nous apporter son soutien ?

— Penses-tu vraiment qu'il voudra parler d'animaux ? s'écria Caroline, horrifiée.

— Pourquoi pas ? Sans doute aussi de sujets liés à la Marine, la politique : l'indépendance de la Norvège, peut-être. La question des relations avec la Suède est délicate, mais je suis sûre que ton père s'en sortira très bien. Il a déjà rencontré le prince Carl, tu sais.

— Alors il ne voudra pas discuter de la vie au palais ?

— Le prince Carl est un officier de la Marine nationale, ma chérie. Je suis sûre qu'il sera ravi d'échanger ses impressions avec ton père.

— Et moi, alors ?

— Toi et Tullik, vous garderez le silence et vous n'interviendrez que lorsque l'on vous adressera la parole. Le reste du temps, vous vous montrerez polies et courtoises.

— Tullik en est incapable. Elle n'en fera qu'à sa tête.

— Elle sait très bien se tenir si besoin est, et aujourd'hui, je retrouve ma fille : elle est plus vive, plus joyeuse. Je suis sûre qu'elle sera tout à fait charmante.

Julie sourit, apaisée.

Nous nous attendions à voir arriver un homme un peu raide, engoncé dans un uniforme empesé, tout en saluts réglementaires et en protocoles figés ; mais l'homme qui se présenta à Solbakken était bien différent.

Les invités, ponctuels, arrivèrent alors que les derniers coups venaient de sonner à horloge de l'entrée. Fru Berg, Ragna et moi étions bien alignées sous le porche, impeccablement vêtues de bonnets et de tabliers blancs. Fru Berg en avait dompté avec acharnement le moindre pli rebelle, à coups de fer à repasser et de jets de vapeur. Je me tenais aussi raide que ma tenue, bien droite, la poitrine redressée, les jambes légèrement écartées, les mains dans le dos.

Le drapeau national flottait fièrement au mât de la maison quand les deux premiers hommes se présentèrent à cheval. L'un d'eux était le messager qui était venu me trouver au jardin plus tôt dans la journée. Les deux autres se trouvaient avec le prince dans une voiture qui s'approchait maintenant du portail où l'attendaient les Ihlen. Julie et l'amiral étaient postés d'un côté de l'allée, Tullik et Caroline de l'autre. Naturellement, la nouvelle de la visite royale s'était répandue, et une petite foule s'était assemblée au bord de la route. J'aperçus Isabel et sa mère parmi un groupe de voisins, ainsi que le pasteur. Tous rayonnaient de fierté à l'idée qu'un membre de la famille royale vienne visiter leur tranquille bourgade. La dernière fois qu'une tête couronnée avait foulé le sol de Borre, il devait s'agir d'un des rois vikings enterrés près du rivage.

Le prince Carl portait, tout comme ses hommes, un uniforme bleu clair et une casquette. Sa veste à larges épaulettes était ornée de galons et de boutons dorés. Une rangée de médailles brillait sur sa poitrine. Il avait le teint sanguin, le nez long et droit, et une moustache noire à pointes. Il paraissait gêné, comme s'il se croyait indigne de l'attention que les gens lui portaient : il agita la main, autant pour disperser les spectateurs que pour les saluer, puis il sauta à terre, franchit le portail grand ouvert et sourit aux quatre membres de la famille Ihlen. En homme courtois, il baisa la main de Julie puis de ses filles, avant de saluer l'amiral d'une simple poignée de main et d'une tape sur l'épaule.

— Nils, comme c'est aimable à vous de me recevoir ainsi sans préavis, s'exclama-t-il. J'espère ne pas abuser de votre hospitalité.

— Vous me voyez ravi et honoré de votre visite, répondit l'amiral.

Sous mon uniforme rigide, mon cœur bondit de fierté à la vue de la famille dont j'étais devenue la servante.

Ils rentrèrent dans la maison et je retournai au travail, sans prêter attention à mon front brûlant ni aux frissons glacés qui n'avaient fait qu'empirer au fur et à mesure de la journée.

Tullik était très élégante dans une robe de bal d'un bordeaux lumineux. Ses cheveux avaient été tirés en arrière, roulés et attachés à l'aide d'épingles en or qui étincelaient à la lumière des bougies. L'on avait installé des rallonges pour pouvoir accueillir les Ihlen et leurs invités. Le prince siégeait à une extrémité de la table et l'amiral à l'autre, à la place habituellement occupée par Fru Ihlen. Fru Berg, Ragna et moi les servions en silence. Je me concentrais pour débarrasser les assiettes au bon moment et remplir chaque verre à demi vide.

Sauf celui de Tullik.

Tous les regards étaient fixés sur le prince et j'étais la seule à remarquer les quantités de vin qu'elle buvait. Elle s'emparait elle-même de la carafe et se servait verre après verre. Entre deux plats, je lui pris sa coupe pour la rapporter à la cuisine. Mais à mon retour, je vis qu'elle avait réussi à s'en procurer une autre, qu'elle avait remplie à ras bord.

La conversation coulait, fluide comme un pas de valse. Caroline était bien déterminée à se montrer sous son meilleur jour. Elle parla politique et évoqua le sujet de la constitution avec tout le tact nécessaire. Souhaitions-nous prendre notre indépendance vis-à-vis de la Suède ? Bien sûr, mais il fallait le faire de manière pacifique. Oui, affirma-t-elle, la Norvège serait le premier pays à gagner son indépendance par le biais de négociations, sans recours à la guerre : des guerres, il y en avait trop eu. Sur ce sujet, je ne pouvais la contredire.

Ce n'est que lorsque la soirée toucha à sa fin que Tullik attira l'attention sur elle.

— Dites-moi, prince Carl, quels sont les peintres les plus en vue en Suède ?

Le prince se tourna vers Tullik et lui sourit.

— Anders Zorn est un artiste merveilleux. Je l'ai rencontré à plusieurs occasions.

— Bien sûr, Zorn ! réagit-elle. Sa femme se prénomme Emma, n'est-ce pas ?

— Tout à fait. Le portrait qu'il a réalisé de son épouse fait partie de ses œuvres les plus remarquables.

— Emma ne venait-elle pas d'une famille aisée ? demanda Tullik, tandis que les autres conversations autour de la table s'estompaient.

— Il me semble, répondit le prince.

— Et pourtant, elle a épousé un peintre sans fortune ?

— Oui. Un homme de génie.

— Comment se fait-il que la famille d'Emma ait autorisé cette mésalliance ?

— Je ne connais pas toute l'affaire, avança le prince d'un ton patient, mais je crois qu'à l'époque de son mariage, Zorn connaissait déjà un grand succès. Il devait sans doute être capable de soutenir Emma financièrement.

Il fit un petit signe de la tête et avala une gorgée de vin. Pour tout le monde, il était clair qu'il signalait ainsi la fin de la conversation, mais Tullik insista.

— Et il aime peindre des nus, n'est-ce pas ? Des femmes plantureuses qu'il saisit au bain ou sur une barque, dans des positions pour le moins équivoques. N'est-ce pas la vérité ?

— Tullik, vraiment, est-ce indispensable ? intervint l'amiral.

— Et des gens ordinaires, des travailleurs, continua-t-elle en ignorant son père. Ne peint-il pas la vie telle qu'elle est ?

— Vous êtes une véritable critique d'art, mademoiselle Ihlen, répliqua le prince.

— Pardonnez-lui, s'interposa Caroline. Elle se laisse emporter par son sujet. Elle ne semble jamais sentir le moment où sa passion et son enthousiasme finissent par lasser son auditoire.

— Mais pas du tout, répondit le prince Carl. La culture occupe une place importante dans la vie de tout pays. Mlle Tullik a tout à fait raison.

Après le dîner, les hommes se retirèrent au salon, et Julie et ses filles montèrent vers les chambres. J'entendis Caroline réprimander Tullik en haut des marches.

— Pourquoi faut-il toujours que tu te comportes de manière aussi vulgaire et avilissante ? Tu ne sais pas te tenir, pas même devant un membre de la famille royale ! Ta vulgarité nous mènera à notre perte, Tullik.

Tullik se mit à rire.

— Je ne ferai bientôt plus partie de cette famille. Je vais épouser un peintre, comme Emma Zorn.

19

Effacement

La peinture se trouve en situation de voir détruits par le temps et de bien des façons les plus beaux ouvrages de l'esprit et de l'effort.

Traité des couleurs,
JOHANN WOLFGANG VON GOETHE.

La fraîcheur nocturne me permit enfin de respirer librement ; j'avais l'impression d'avoir passé ma journée à inhaler encore et encore le même air raréfié, fiévreux. Malgré l'intervention de Tullik, le dîner avec le prince Carl s'était bien déroulé et une fois la table débarrassée, on me renvoya chez moi.

La forêt fraîche et fertile s'était remise du passage de la tempête. L'odeur vive des aiguilles de pins embaumait l'air, et les bouleaux brillaient, comme neufs, leur écorce argentée lavée par la pluie. Le bruit familier des vagues s'immisçait entre les arbres, le long du sentier. Chaque chose avait repris sa place après le bouleversement de l'orage. Je sortis des bois purifiée, malgré mes éternuements et ce frisson dont je ne pouvais me débarrasser.

Dans la clarté ambiante, je crus entendre mon cœur frémir.

Thomas, murmurait-il.

Thomas.

Chaleureux, rassurant, familier, il me manquait. Lui, simple pêcheur, qui ne serait jamais ni prince ni peintre. Comme la mer qui m'apaisait et la forêt qui m'abritait, Thomas participait de mon attachement profond à ces lieux, à Åsgårdstrand — et j'avais l'impression de lui appartenir. Mes craintes étaient dissipées. Son amour ne me volerait pas mes couleurs. A l'instar des pigments de cadmium, il ne ferait que les rendre plus éclatantes, plus lumineuses.

Mon cœur, qui avait enfin parlé, se brisa presque en même temps. Car deux choses m'apparaissaient soudain clairement : je l'aimais, et je l'avais déjà perdu.

Mère était assise à table et cousait à la lueur d'une bougie. Une paire de lunettes rondes perchée sur le nez, elle se penchait vers la flamme, concentrée sur le coude d'une des chemises de Père. J'entendais des pleurs assourdis, sans doute le bébé des Andersen.

— Que fais-tu ici ? demanda-t-elle lorsqu'elle m'aperçut.

— Les Ihlen ont un invité de marque, il leur fallait de la place.

Je ne lui avais toujours pas dit que je dormais dans la chambre de Milly.

— J'y retournerai demain matin pour préparer le petit déjeuner, ajoutai-je.

— Je vois, dit-elle en lissant la chemise. Un « invité de marque », dis-tu ?

— Oui, Mère. Le prince Carl de Suède.

A ces mots, elle laissa tomber la chemise de Père et ôta ses lunettes.

— Comment ? Le *prince de Suède* ? Halvor !

Elle se précipita vers le lit.

— Halvor ! Réveille-toi ! Johanne a rencontré le prince de Suède !

Père grogna et protesta dans son sommeil. Mère lui arracha son bonnet de nuit et le secoua par les épaules.

— Le prince de Suède ! s'écria-t-elle. Eh bien, comment est-il ? Quel était le menu ? De quoi ont-ils parlé ?

Pour la première fois de ma vie, tout ce que je disais captivait ma mère. C'était ce qu'elle avait toujours souhaité, c'était son conte de fées à elle : la chance de rencontrer un prince. Mon histoire lui permettait de s'évader et elle se laissa totalement emporter par mon récit. Elle passa même son bras autour de mes épaules pendant que je parlais. Cela aurait dû m'agacer, mais j'éprouvais de la satisfaction à lire sur son visage, pour une fois détendu, un vrai plaisir, voire une pointe de fierté. Elle ne fut rassasiée que lorsque j'eus tout raconté dans les moindres détails, du début à la fin ; depuis l'instant où le messager avait surgi avec son cheval à travers la brume, jusqu'au moment où l'on m'avait renvoyée à la maison. Elle savourait chaque mot, comme si elle partageait le repas du prince.

— Je savais que cela te ferait du bien de travailler pour cette famille, affirma-t-elle. Même si cette histoire avec Mlle Tullik est des plus déplaisantes. Regarde ce que cela t'a apporté ! Tu as rencontré un amiral et un prince. Voilà le genre de compagnie qu'il te faut, pas ce peintre vulgaire et ses horribles amis. Je ne comprends pas comment Mlle Ihlen peut préférer des gens comme eux à des *princes*. Elle a dû perdre la tête, n'est-ce pas, Halvor ?

Père avait rabattu le drap sur ses oreilles et s'était retourné vers le mur. On entendait toujours des cris de détresse dans le lointain.

— Tu entends ? demandai-je.

— Hmm ?

— C'est le bébé ?

— Non, répliqua ma mère. Solbjørg l'a couché tôt ce soir et il n'a pas pleuré depuis.

— Il est temps que j'aille me coucher. Je crois que j'ai pris froid.

— Je vais te préparer le chauffe-lit, dit-elle en se

précipitant pour rallumer la flamme. Tu ne vas quand même pas tomber malade et manquer le petit déjeuner du prince ! Grands dieux, non !

Elle prit la bassinoire en cuivre suspendue au mur, la saisissant par son long manche, et mit de l'eau à chauffer.

— File au lit, je t'apporte cela tout de suite.

Quand j'ouvris la porte de la chambre dans laquelle Andreas dormait déjà, les cris désespérés se firent plus intenses et je compris qu'il s'agissait des gémissements du *Cri* s'échappant des interstices entre les lattes du plancher. Je le revis soudain très nettement : les longues mains pressées contre le visage squelettique, les orbites caves, le ciel rouge sang, les courbes sinueuses, nauséeuses, le mouvement de ce cri effrayant. Les couleurs envahirent mon cerveau : bleu, vert, noir, rouge et jaune intenses. Je sentais la forme mystérieuse de cet œil dans le ciel me dévisager à travers l'étoffe et les lattes du plancher et me transpercer le cœur.

Je m'allongeai. Mère me rejoignit avec le chauffe-lit et le glissa sous les draps.

— Mets-toi sur le côté, ordonna-t-elle.

Je me tournai vers le mur et elle promena la bassinoire sur le matelas avant de la laisser à mes pieds.

— Prends garde à ne pas la toucher, me glissa-t-elle. Tu te brûlerais et pas question que tu te blesses ou que tu tombes malade ! Je te veux fraîche et dispose de bonne heure pour le prince !

— Oui, Mère.

Je ramenai mes genoux contre ma poitrine et finis par m'assoupir tandis que *Le Cri* hurlait toujours, étouffé sous les planches.

Le chauffe-lit se révéla impuissant à soulager mes symptômes et je me réveillai le lendemain matin la tête prise et la goutte au nez ; je m'extirpai du lit avec peine et m'habillai lentement. Mère m'avait préparé une infusion à l'ortie. Cela faisait bien longtemps qu'elle ne s'était pas montrée aussi prévenante.

— Bois ta tisane. Ensuite, je te coifferai. Il ne faut pas que tu aies l'air mal en point.

Elle brossa mes cheveux et les rassembla en un chignon serré sur le sommet de ma tête. Les peignes et les épingles me faisaient l'effet de lames de rasoir sur mon crâne enfiévré, et je grimaçai en buvant ma tisane à petites gorgées.

— Il y a du brouillard venu de la mer, annonça-t-elle en jetant un coup d'œil à la fenêtre. Il sera vite dissipé avec un peu de soleil. Allez, tu es partie ! Prends mon châle, il est plus épais que le tien. Mets aussi ton chapeau de paille. Attends, je vais le faire tenir avec une épingle.

— Je vais au travail, Mère, pas à l'église.

— Oui, mais tu dois faire bonne impression ! répondit-elle en posant le chapeau sur ma tête. Peut-être devrais-je ajouter un ruban ? Ou une plume ?

— Je l'enlèverai dès mon arrivée dans l'arrière-cuisine, Mère. Le prince ne le verra même pas.

— Prends tout de même soin d'être bien coiffée et d'avoir les mains propres quand tu arriveras là-bas, dit-elle en me chassant de la maison. Et nous voulons tout savoir, jusqu'au moindre détail ! N'est-ce pas, Halvor ? Halvor ? Tu dors ?

Je la laissai jacasser et descendis vers la plage, où une nichée d'huîtriers pie se tenait paisiblement au bord de l'eau. Leurs becs orangés plongeaient parmi les rochers et le sable à la recherche de moules et de vers de mer. Je les sentais suivre mes mouvements de leurs yeux d'un rouge éclatant. Ils semblaient se moquer de mon chapeau, poussant des cris railleurs, comme s'ils savaient que ce n'était pas dimanche et que tout cela n'était qu'une mise en scène ridicule.

Une nappe de brouillard recouvrait la forêt et s'accrochait aux arbres en filaments cotonneux qui leur donnaient des allures de fantômes. Sur le sentier, je sentais craquer sous mes pieds les cupules tombées des chênes alentour. Les feuilles ne tarderaient pas à prendre une couleur dorée. Les corbeaux se lamentaient déjà dans les arbres, comme s'ils chantaient leurs adieux à l'été finissant. J'entendis un bruit de pas derrière moi. Faisant volte-face, je découvris Munch qui s'avançait, avec sa veste grise et son chapeau.

— Bonjour, dit-il.

— Munch ?

— Je repars, je viens lui dire au revoir. Mais voilà qu'ils reçoivent un prince. Un prince… Cela me conforte dans ma décision.

— Elle sera navrée de vous voir partir, Munch.

Je ne pouvais me résoudre à lui dire que Tullik s'attendait à une demande en mariage.

Nous traversâmes la forêt en silence, le poids des pensées de Munch ne laissant guère de place à la conversation. Son carnet de croquis sous le bras, il faisait tourner nerveusement un morceau de fusain entre ses doigts avant de le remettre dans sa poche pour l'en ressortir aussitôt. Quand nous atteignîmes l'église, il abandonna le bâtonnet et sortit un paquet de tabac.

— Quand le prince Carl repart-il ? s'enquit-il en roulant une cigarette.

— Après le petit déjeuner.

— Alors j'attendrai qu'il soit parti. Ici, sous le tilleul.

Sur le chemin de la maison, je cueillis quelques poignées de framboises près de l'église, les dernières de la saison. Elles avaient pris une teinte bleutée mais leur couleur restait uniforme et je pouvais les détacher aisément de leurs tiges ; quelques jours de plus et elles auraient été gâtées. Je ne pouvais passer devant des fruits mûrs sans les cueillir.

Je me rendis à la cuisine pour les mettre dans un récipient. Ragna était déjà debout et préparait le petit déjeuner.

— Ne traîne pas, me lança-t-elle. Allume les chandeliers et mets le couvert. Ils vont descendre à 8 heures.

Je posai les fruits sur la table et pris un tablier propre dans l'arrière-cuisine. Arrivée dans la salle à manger, je me mis à éternuer si fort que la tête m'élança et les larmes me montèrent aux yeux. Je sortis un mouchoir de ma poche pour m'essuyer le nez et appuyai mon front moite contre la vitre pour le soulager. De l'autre côté de la rue, dans le cimetière, je vis s'élever une spirale de fumée — la cigarette de Munch. Un frisson nerveux me parcourut le corps. Personne à part moi ne savait qu'il était là.

Je décidai de ne pas en parler à Tullik. Les Ihlen avaient d'autres préoccupations ; il fallait qu'elle soit fraîche et dispose à la table du petit déjeuner. Elle ne devait pas être distraite par la présence de Munch. Je mis le couvert et allumai les bougies sur le candélabre en argent magnifiquement sculpté qui faisait partie des objets prêtés par les Nicolaysen. Deux dragons soutenaient des bougies de leurs queues ; leurs gueules se rejoignaient, nez contre nez, sur la colonne centrale. En les voyant, je ne pouvais m'empêcher de songer à Tullik et Caroline, engagées dans une bataille permanente.

Lorsque l'horloge de l'entrée annonça qu'il ne nous restait plus que quinze minutes pour tout préparer, le rez-de-chaussée se mit à bruisser d'activité. Fru Ihlen et l'amiral descendirent, suivis de Tullik et de Caroline. Ils se rendirent tous les quatre au salon pour attendre le prince, qui n'apparut qu'à 8 h 15.

— Veuillez m'excuser, dit-il en se présentant au pied de l'escalier. Cette chambre est bien plus confortable qu'une couchette de bateau. Votre lit est tout simplement merveilleux, j'ai dormi comme un nouveau-né.

C'était un tel compliment que Fru Berg, qui écoutait, tout comme moi, depuis la porte de la cuisine, me donna une petite tape dans le dos.

— Tu entends cela ! chuchota-t-elle. Peut-être est-ce

encore plus confortable qu'au palais ! Et cela grâce à mes draps ! C'est ce qui a fait la différence, mon beau linge parfaitement repassé !

Le petit déjeuner se déroula selon un ballet parfaitement chorégraphié. Je fus moi-même surprise par l'aisance que j'avais acquise. Je n'aurais jamais imaginé à mon arrivée chez les Ihlen, au début de l'été, qu'avant la fin de la saison je servirais un prince. Mais je devais retenir mes éternuements et dissimuler ma fièvre lorsque je faisais le tour de la table pour déposer cafetières et paniers d'œufs au bon endroit et au bon moment.

Fru Ihlen se montra très bonne. Elle murmurait gentiment « Merci, Johanne » chaque fois que je déposais un bol ou remplissais une tasse. Je sentais que ses craintes à l'égard de Tullik s'étaient dissipées maintenant qu'elle voyait sa charmante fille discuter poliment avec le prince de Suède, comme si cela lui était parfaitement naturel.

J'étais la seule à savoir que Munch attendait.

Une fois le petit déjeuner terminé, alors que je nettoyais la table, je remarquai une foule massée devant la maison, qui s'apprêtait à accompagner en fanfare le départ du prince. La rumeur était allée bon train : les spectateurs étaient deux à trois fois plus nombreux que la veille. Le soleil matinal avait dispersé la brume et baignait le jardin de tons cuivrés ; l'herbe luisait de rosée, l'églantier brillait de son vert lumineux. A l'arrivée de la voiture, un frémissement d'excitation saisit la foule. J'entendis des « oh ! » et des « ah ! », et les conversations ne tarissaient pas, dans l'attente impatiente de l'invité royal.

La famille Ihlen fit ses adieux au prince. En guise de remerciement, celui-ci offrit à l'amiral un écrin contenant une épingle à cravate en or. Tous s'empressèrent de l'admirer, Caroline plus que quiconque, puis la famille raccompagna le prince jusqu'au portail. Fru Berg, Ragna et moi retournâmes à notre poste sous le porche, près de la table de jardin et du drapeau fièrement hissé. Le prince salua de la main sous les vivats de la foule. Je vis Isabel et sa mère agiter des mouchoirs blancs. Une petite fille dans une robe jaune courut vers la voiture et tendit au prince un bouquet de roses ; il l'accepta avec grâce, tapotant la tête de l'enfant. Elle retourna à toute vitesse vers sa mère qui la serra contre ses jupes, rayonnante de fierté.

La voiture s'éloigna et le prince disparut dans Kirkebakken, suivi par la foule en liesse. Une nuée d'enfants coururent vers la barrière, accompagnés d'un chien noir qui aboyait et remuait la queue, persuadé que tout ce monde voulait jouer. Lorsque la calèche royale eut disparu, une voix retentit dans la foule :

— Avez-vous des souvenirs pour nous, Fru Ihlen ? Quelque chose qui nous rappellerait le prince ?

Julie jeta un regard à l'amiral et écarta les mains en signe d'impuissance.

— Je sais ! s'exclama Caroline. Attendez un instant !

Elle disparut dans la maison pendant un court instant et revint en serrant quelque chose entre le pouce et l'index. Il était impossible de voir ce qu'elle rapportait.

— Qu'est-ce que c'est ? cria une femme.

— Je ne vois rien ! s'agaça une autre.

Caroline avait un sourire malicieux.

— Ce sont trois cheveux récoltés sur l'oreiller du prince, annonça-t-elle. Y a-t-il des preneurs ?

Des mains jaillirent : cinq, dix, quinze… Il y en avait trop pour pouvoir les compter.

— Très bien. Ils iront au plus offrant. Qui m'en donne deux couronnes ? Parfait. Oui. Deux couronnes et demie ? Trois ?

Les cheveux du prince furent adjugés en l'espace de quelques minutes. Tullik s'éloigna, irritée.

— Elle ne sait plus ce qu'elle fait, marmonna-t-elle.

— Venez, mes enfants, dit Fru Ihlen. Johanne a cueilli des framboises ce matin.

Caroline et Tullik suivirent leur mère vers l'arrière de la maison, tandis que l'amiral se rendait dans son bureau pour y prendre sa veste d'intérieur et une boîte de cigares.

Quand la foule se dispersa, j'aperçus une silhouette à côté du tilleul. Trop timide pour s'approcher de la maison tant qu'il y avait des gens, Munch dessinait fébrilement tout ce qu'il voyait.

— Je prendrai le café sous le porche, Johanne, déclara l'amiral lorsqu'il fut de retour.

— Oui, monsieur, répondis-je en m'empressant de regagner la cuisine.

Je remis du café sur le feu et, en attendant qu'il soit prêt, je préparai le plateau selon ses habitudes : une tasse avec sa soucoupe, une cuillère en argent, un petit sucrier et une serviette pliée.

Quand je lui apportai le tout, les villageois avaient disparu et le calme régnait à nouveau sur Solbakken. Nils Ihlen admirait sa nouvelle épingle à cravate et souriait d'un air satisfait en songeant au succès de la visite du prince. Il sortit un gros cigare et en coupa le bout avant de l'allumer, puis tira dessus plusieurs fois avant de recracher lentement la fumée.

— Quelle belle matinée ! s'exclama-t-il en s'installant confortablement sur sa chaise, tandis que je déposais le café sur la table. Merci, Johanne, ce sera tout.

Alors que je m'apprêtais à rentrer, j'entendis le loquet du portail s'ouvrir et sentis l'amiral sursauter dans mon dos. Je me retournai et vis arriver Munch, son carnet de croquis sous le bras. Il ôta son chapeau et commença à remonter l'allée. Une fois devant l'amiral, il lui tendit la main, aussi vulnérable qu'un mulot. L'amiral Ihlen manqua s'étrangler, à la fois furieux et inquiet d'attirer l'attention de la maisonnée.

— Vous ? s'écria-t-il en le saisissant par le bras et en le traînant vers le portail. Vous avez l'audace de venir jusqu'ici ?

— Je comprends que vous soyez en colère, monsieur.

— Que me voulez-vous ? Que voulez-vous à ma

famille ? A mes filles en particulier ? Pourquoi êtes-vous si déterminé à détruire leur réputation ? Elles ne sont pas comme vous. Ce sont des jeunes femmes innocentes et respectables.

— Vous avez raison, monsieur. Je ne viens que pour faire mes adieux.

La porte d'entrée était ouverte et j'entendis des bruits de pas dans l'entrée.

— Johanne, pourrais-tu nous apporter du café ?

C'était Tullik.

Je grimpai les marches et me précipitai dans la maison, claquant la porte derrière moi.

— Qu'est-ce qu'il y a ? Que se passe-t-il ? demanda Tullik qui sut voir, sous mon teint jaunâtre de malade, le rouge qui m'était monté aux joues.

— Rien, mentis-je. Ton père souhaite être seul, c'est tout.

Je reculai et posai la main contre la porte.

— Johanne ! Que caches-tu ?

— Rien.

Je cherchais tant à lui bloquer le passage que j'en oubliai la salle à manger. Elle se précipita vers la fenêtre et laissa échapper un cri de surprise.

— Il est là ! Il est venu faire sa demande en mariage. Oh ! Johanne, ça y est ! Regarde-le. N'est-ce pas très digne de sa part ? D'agir comme il se doit auprès de ma famille, de demander ainsi la permission de... Mais que fait donc mon père ? Il le tient par le bras. Johanne ? Ecarte-toi de là. Ecarte-toi ! cria-t-elle en s'échappant de la salle à manger et en me forçant à lâcher la porte. Je dois aller le retrouver !

— Non, Tullik, protestai-je. Tu ne devrais pas les interrompre.

Elle me poussa de côté avec une force décuplée par l'angoisse, appuya sur la poignée et ouvrit la porte à la volée, si fort que des éclats de bois s'en détachèrent.

— Edvard ! hurla-t-elle.

Munch était déjà sur la route.

— Où vas-tu ? Edvard !

Elle se précipita vers lui, mais l'amiral la prit de vitesse. Il lui barra le chemin et la rattrapa par le bras.

— Non, Tullik, gronda-t-il en jetant son cigare par terre.

— Edvard ! supplia Tullik.

Munch se retourna au portail et la regarda. Il porta la main à son chapeau et le souleva poliment.

— Edvard !

— Rentre à la maison, Tullik ! ordonna l'amiral qui luttait avec elle. Johanne, aide-moi, veux-tu ?

Je saisis son autre bras mais elle se dégagea, se débattant en tous sens pour tenter d'apercevoir Munch.

— Tu lui as ordonné de partir ! se récria-t-elle. Comment as-tu osé ?

— Rentre, Tullik, répondit l'amiral. Inutile de crier.

— Mais Edvard… tu l'as renvoyé ! Il a demandé ma main, n'est-ce pas ? Mais tu as refusé. Tu n'as pas hésité un instant à détruire mon bonheur !

— Ce n'est pas ce qui s'est passé, Tullik. Allons, ma chérie, rentre.

Nous parvînmes à la traîner jusqu'à la maison alors qu'elle tentait toujours de nous échapper. L'amiral l'empoigna fermement et la poussa à l'intérieur.

Avant qu'il ne claque la porte, j'aperçus Munch de l'autre côté de la route. Il prit une cigarette, l'alluma, tourna enfin la tête, puis s'en alla.

20

Ombre

La couleur elle-même est ombre… et tout comme elle a une affinité avec l'ombre, elle va se mélanger à elle dès que les conditions nécessaires seront réunies.

Traité des couleurs,
JOHANN WOLFGANG VON GOETHE.

L'obscurité nous engloutit. Mon front brûlait, je suffoquais dans l'air épais.

— Oublie-le, dit l'amiral Ihlen. Je t'en supplie, oublie toute cette affaire, Tullik.

— Nous étions sur le point de nous marier !

— Ce n'est pas ce qu'il m'a dit, je te le promets. Il m'a annoncé qu'il repartait en Allemagne.

— Tu mens !

— C'est la vérité. Il quitte le pays.

Tullik luttait contre l'emprise de son père.

— Lâche-moi ! hurla-t-elle. Je dois aller le retrouver. Il n'est pas trop tard !

— Non, Tullik. Tu dois chasser ce peintre de ton esprit.

— Mais je l'aime !

— Tullik, arrête avec ces enfantillages, dit l'amiral en fermant la porte à double tour. Pourquoi t'es-tu mis ces idées de mariage en tête ? Tu ne peux pas épouser cet homme, ma chérie. Quel genre de vie mènerais-tu ?

Tullik ne répondit pas avec des mots. Elle laissa échapper un sanglot épouvantable et s'écroula, plaquant les mains sur son ventre puis sur sa poitrine, comme si elle tentait de s'échapper de ses vêtements, de sa peau, de sa chair, d'elle-même. Le sang se retira soudain de son visage. Venu du fond de sa gorge surgit alors un cri perçant.

Elle était possédée, dévorée de l'intérieur. La bouche déformée, les lèvres étirées, elle hurlait. Son âme, arrachée d'un coup sec, se déchirait sur les lambeaux de souvenirs douloureux qu'elle accrochait au passage. Elle avait le souffle coupé. Son cœur, disséqué sous mes yeux, volait en éclats. Et ce cri primitif, venu du fond des âges — irrépressible, infini. Une douleur indicible enfiévrait son regard, faisait ployer son dos, convulsait ses traits.

Tant de violence, surgie du tréfonds de son cœur : cela prit Tullik de court, tout comme nous. Je me précipitai vers elle et lui saisis le bras, mais elle me repoussa avec force. L'amiral s'était agenouillé pour tenter de la calmer. Julie et Caroline arrivèrent en courant, Fru Berg et Ragna sur leurs talons.

La souffrance de Tullik était stupéfiante. Pétrifiante. Elle prenait conscience, au plus profond d'elle-même, qu'il lui faudrait vivre sans lui à jamais. Tous ces fils tressés qui les avaient reliés se déchiraient, s'arrachaient, maintenant qu'on lui volait son âme. Sa source d'énergie, sa source de vie — tout cela s'éteignait, s'affadissait. Elle était désormais vide, orpheline. Je lus la douleur dans ses yeux, si intense qu'elle empêchait les larmes. Ne restait qu'un cri aride, nu. Un cri de deuil. Un cri de manque.

Effrayées, Julie et Caroline échangèrent un regard, ne sachant que dire ni que faire tandis que Tullik continuait à hurler. Sa voix devenait rauque, elle hoquetait, suppliait, invoquait plaintivement son nom : « Edvard, Edvard, Edvard ». J'étais bouleversée par la brutalité de ce spectacle. On eût dit un animal qu'on menait à l'abattoir. Tullik, enragée, se débattait contre un mal invisible — contre ce monstre qui l'avait privée de l'essence de son être. Elle gémissait, déchirant l'air de ses ongles, vengeresse, haineuse.

L'amiral la souleva mais elle le repoussa. Griffant, lacérant son visage. Son cri glaçait le sang. Son père tenta de toutes ses forces de la retenir, mais elle se défendit, démoniaque, démente. Elle le martelait de ses poings, s'arrachait des poignées de cheveux. Cherchait à s'échapper d'elle-même.

Je crus que cela ne s'arrêterait jamais. Elle tremblait, se tordait, misérable, désespérée. Son âme s'embrasa à mesure que le cri qui la torturait prenait forme sous nos yeux. Le son perçant, insensé, ondulait en vagues acérées, barbares, féroces.

Quand elle commença enfin à faiblir, Tullik se recroquevilla, vidée de toute force. Des cris aigus continuaient de la déchirer par intermittence, comme les dernières répliques d'un séisme. Puis ce nom, encore, précipité : « Edvard, Edvard, Edvard », qu'elle répétait, échevelée, hagarde. Des bulles de salive perlaient sur ses lèvres, son nez coulait, ses joues étaient en feu, son front luisait de sueur.

Julie criait dans ma direction. Terrorisée. Je voyais son visage et ses lèvres se mouvoir, mais je n'entendais rien. Puis l'amiral me saisit par le bras. Il m'ordonna d'aller chercher le docteur. Horten. Horten. Le docteur, à Horten. Caroline pleurait. Fru Berg sanglotait. Et Ragna me dévisageait. De son regard noir.

Horten, Horten. Le docteur, à Horten. Cours, Johanne, cours !

Je m'élançai vers la porte d'un pas chancelant. Horrifiée, je pris la fuite.

Je courus si vite que je ne sentais plus mes jambes. J'avançais sans but. Droit devant. La poitrine oppressée, la vue brouillée. Et toujours les cris perçants, terrifiants de Tullik, qui résonnaient à mes oreilles. J'avais un goût de sang dans la bouche. Le goût des cris, du *Cri* de Tullik.

Je m'arrêtai peu avant le presbytère, pliée en deux, tremblante, les mains pressées sur les genoux. Une vague de nausée au creux de l'estomac, pulsant dans mes veines. J'étais en nage, parcourue de frissons glacés. Il me fallait trouver Isabel. *Horten. Horten. Le docteur, à Horten.* Je levai la tête et m'essuyai le front avec ma manche. Des gouttes de transpiration sinuaient à la pliure de mes genoux. Le cri continuait de tourner en boucle dans mon crâne, inlassablement, comme un essaim furieux.

Le soleil illuminait le presbytère d'une lumière crue, si aveuglante qu'il était impossible de regarder directement la façade. Je détournai les yeux. Le soleil dans mon dos, j'aperçus Munch sur le sentier qui menait à la forêt. Le peintre coupa à travers champs en direction du rivage ; il ne fumait plus maintenant, il marchait, simplement. Les mains dans les poches. Son carnet de croquis sous le bras. Il avançait, un pied devant l'autre, concentré sur ses pas, puis il s'arrêta à la lisière du champ, là où le terrain plongeait vers les vagues. Le regard porté vers le large, il resta immobile. Solitaire. Hanté. Seul.

Je me raclai la gorge et m'élançai pour faire le tour du presbytère. Je me précipitai dans la laiterie, sans une pensée pour les clientes qui se trouvaient au comptoir ni pour la petite fille qui se tenait derrière elles, un panier à œufs à la main.

Isabel me regardait d'un air effaré derrière sa caisse, comme si une bête sauvage avait bondi devant elle.

— Johanne ?

— Horten ! m'écriai-je. Horten ! Le docteur, à Horten !

— Tu cherches le docteur Karlsen, mon enfant ? demanda la mère d'Isabel en s'approchant de moi pour tenter de me calmer. Aide-la à monter en voiture, Isabel, ordonna-t-elle alors que les clientes, bouche bée, reculaient contre le mur.

Elles m'installèrent à l'arrière du chariot avec lequel

elles livraient le lait, et Isabel s'assit à mes côtés en me soutenant de son bras. Je voulus leur expliquer ce qui s'était passé, mais je ne pus que répéter : « Le Cri, Le Cri. Le Cri de Tullik. »

— Je ne comprends pas, chère enfant, s'inquiéta la mère d'Isabel. Est-ce que la grippe de Tullik a empiré ? Est-ce pour Tullik Ihlen que nous devons aller chercher le docteur Karlsen ?

J'acquiesçai alors que le chariot se mettait en mouvement. Puis je m'affaissai à nouveau. Isabel se pencha vers sa mère, qui faisait claquer le fouet vigoureusement, comme si nous avions une armée à nos trousses.

— Mère, je crois que Johanne est malade, lui dit-elle. Nous devrions demander au docteur de l'examiner elle aussi.

Je n'entendis pas la réponse de Fru Ellefsen. Je délirais, hantée par les hurlements de Tullik. Les secousses du chariot se répercutaient jusque dans mes os et je tremblais de froid. A notre arrivée à Horten, la fièvre m'avait déjà plongée dans un monde d'hallucinations terrifiantes — des cris, des ciels rouge sang, des tourbillons, des yeux caves, un regard vide.

Je me réveillai sur la couchette du lit superposé dans notre cabane de pêcheur. Deux jours s'étaient écoulés. Père était assis à mes pieds, en train de lire son journal, penché pour bénéficier de la faible lumière qui s'échappait de la fenêtre. C'était sans doute la fin de journée. On entendait au loin le cri des mouettes.

J'observai Père pendant quelques instants, persuadée qu'une forme squelettique allait bondir vers moi par-dessus son épaule, la gueule béante, la gorge agitée de râles, incapable d'expulser la tumeur qui lui dévorait les entrailles. Je tendis l'oreille, dans l'attente de ces hurlements qui se feraient stridents, hystériques, pour ensuite mourir en longs gémissements lugubres. J'étudiai mon père, dans la crainte de voir son visage s'empourprer et ses yeux s'enflammer, sa tête se tordre, se fondre en un magma informe, incandescent. Telles étaient les visions d'horreur qui peuplaient mes rêves.

Lorsqu'il me vit éveillée, il jeta le journal à terre et se rapprocha de moi, prenant mes mains dans les siennes.

— Te revoilà, ma fille chérie ! s'exclama-t-il. Tu nous as fait tellement peur. Je cours chercher ta mère et je te porte une tasse de thé.

— Non, Père. Reste encore un peu avec moi.

J'émergeai doucement de mes visions de cauchemar, vérifiant les poches de mon père pour voir si elles ne cachaient pas des doigts décharnés, soulevant mes draps pour y chercher les traces qu'aurait laissées ce feu rouge orangé en s'y déversant. Je reniflai pour détecter le mélange suffocant de peinture à l'huile et de térébenthine dont les vapeurs avaient hanté mes visions. Mais l'air était pur, et mon père parfaitement normal. Les seuls cris qui retentissaient étaient ceux des mouettes.

Je baissai les yeux vers le plancher.

— Tu entends quelque chose, Père ? demandai-je.

— Non, ma chérie, répondit-il, attentif aux bruits alentour. Juste les mouettes sur la jetée.

Je me laissai retomber sur l'oreiller.

Le Cri s'était enfin tu.

Père et Mère retardèrent notre retour à la maison, car mon état de santé rendait le déplacement difficile. Herr Heyerdahl s'arrêta pour nous déposer les clés avant de repartir pour Kristiania. La vue de sa silhouette massive sur le seuil réjouit ma mère presque autant que lorsqu'il était arrivé chez nous.

— Elle va de mieux en mieux, annonça-t-elle, n'ayant pas renoncé à l'espoir qu'il veuille me peindre sur mon lit de malade.

Peut-être ma frêle silhouette émaciée allait-elle faire revenir la mode des portraits de jeunes filles à l'agonie ?

— Johanne !

Herr Heyerdahl ne parlait pas : il tonitruait, et mon nom carillonna comme une cloche d'église.

— J'ai entendu dire que tu avais été malade, dit-il en entrant dans la pièce et en tirant une chaise près du lit. Je t'ai apporté quelque chose.

Il me tendit un bouquet de fleurs des champs : trèfles mauves, asters bleus, liseron blanc.

— Oh ! elles sont magnifiques ! s'exclama ma mère. Je vais les mettre dans l'eau.

Elle fit tout un vacarme dans la cuisine en se lançant à la recherche d'un vase plus élégant que la carafe en céramique ébréchée que nous utilisions à table.

— Comment vas-tu ? demanda Herr Heyerdahl.

— Je ne me sens pas très bien, répondis-je. J'ai une sensation de vide, de froid.

— C'est ce que nous ressentons tous à la fin de la saison.

Je me penchai vers lui pour chuchoter :

— Et Munch ? Où est-il ?

— Oh ! il est parti. Il s'est rendu en Allemagne, à Berlin, pour son exposition.

— Alors il n'est plus là ?

— Nous devons tous repartir à un moment ou à un autre, acquiesça-t-il.

— Et Tullik ? L'a-t-elle vu avant son départ ?

— Non, Johanne.

Son visage s'était assombri, ses yeux se voilèrent.

— J'ai bien peur que non. Tiens, il m'a donné ceci. Prends-la, s'il te plaît, dit-il en me tendant une clé rouillée. C'est pour l'atelier. Il voulait que ce soit toi qui l'aies. Tu ferais sans doute bien de la cacher.

Je pris la clé. J'étais en train de la glisser sous mon oreiller quand ma mère revint dans la pièce, après avoir enfoncé les fleurs dans un grand verre à bière.

— Elles sont superbes, n'est-ce pas ?

Elle les posa sur le rebord de la fenêtre et nous les regardâmes d'un air plein de pitié et de regret, comme si ce n'était pas simplement les dernières fleurs de la saison, mais les dernières à jamais embellir le monde. J'étudiai l'étoile bleue de l'aster, la large corolle blanche du liseron et la tête mauve du trèfle des prés, gagnée par leur mélancolie. Mais soudain je songeai qu'elles nourrissaient les larves, qui deviendraient des papillons. Peut-être n'était-ce pas la fin de l'été, mais les prémices de l'automne ?

— Vous prendrez bien le thé avec nous, Herr Heyerdahl ? demanda ma mère d'une voix sucrée.

— Merci beaucoup, mais je dois y aller, répondit-il. Christine et les enfants m'attendent sur la jetée.

Il posa une main sur mon front.

— Tu n'as plus de fièvre. Je crois qu'elle est hors de danger, Sara.

— Dieu soit loué ! s'exclama ma mère. Elle nous a fait une de ces frayeurs !

— Je suis sûr qu'elle va se rétablir complètement une fois qu'elle sera de retour chez vous. Voici la clé. Encore merci pour votre hospitalité. Je crains que les lieux, en l'état, ne correspondent guère à vos exigences, pas après le passage de mes tubes de peinture, de mes chevalets et de mes garnements !

— Ne vous excusez pas, répondit ma mère. C'est toujours un plaisir de vous recevoir. Nous espérons vous revoir l'année prochaine.

Herr Heyerdahl souleva son chapeau en parfait gentleman et quitta le cabanon.

Je contemplai à nouveau les fleurs. Les tiges étaient serrées les unes contre les autres dans le vase, formant des traits vert et jaune aux variations harmonieuses. La lumière du matin coulait à flots dans ma chambre, illuminant les pétales qu'elle laquait de tons chauds. L'ombre mouvante des passants devant la fenêtre donnait aux fleurs une teinte plus sombre : du mauve à l'indigo, du bleu au noir, du blanc au gris. Puis l'obscurité gagna la pièce quand un homme vint coller son nez au carreau, les mains en visière.

Quel goujat ! pensai-je. Mais en l'examinant de plus près, je reconnus Thomas.

— Entre ! m'exclamai-je en lui faisant signe de me rejoindre.

— Elle est toujours très faible, entendis-je ma mère déclarer depuis le seuil de la porte.

— Laisse-le entrer ! criai-je d'une voix cassée.

— Juste quelques minutes, alors.

Thomas surgit dans la pièce, apportant avec lui une gerbe de soleil matinal. Il avait le visage éclatant et les joues roses. Ses yeux bruns brillaient comme deux belles châtaignes.

— Johanne !

Il se tenait près du lit, la casquette à la main.

— Assieds-toi, dis-je en lui désignant la chaise que venait de quitter Herr Heyerdahl.

— J'étais si inquiet. Nous nous sommes fait beaucoup de souci pour toi.

— Sois tranquille. Je serai bientôt sur pied. Mère ne me laissera pas longtemps jouer les fainéantes.

Je regardai ses longs cils papillonner. Il y avait en lui quelque chose d'apaisant. Il tendit le bras et prit ma main dans sa grande paume solide, ravivant un léger fourmillement, une sensation de chaleur. J'entendis une petite voix me susurrer quelque chose. Ce n'était pas un cri impérieux, mais un murmure discret — le premier signe qu'avec le temps, quelque chose grandirait. Peut-être les fleurs perdaient-elles leurs pétales, peut-être les arbres se dénudaient-ils, mais c'était là le seul moyen pour qu'ils renaissent, plus magnifiques, plus resplendissants encore, à la saison prochaine.

— Alors, ce périple…, dit Thomas. Le Danemark, la France, et puis l'Egypte… veux-tu toujours venir ?

— Oui, Thomas, dis-je avec un sourire. Je t'accompagne.

— Et nous rentrerons au pays couverts d'or et de bijoux et on nous appellera « le roi et la reine d'Åsgårdstrand. »

— Exactement. Le roi et la reine d'Åsgårdstrand.

Dès que ma mère entendit résonner mon rire, elle se précipita dans la pièce, la mine sévère.

— Johanne a besoin de repos, maintenant, Thomas. Si tu veux bien nous laisser.

— Bien sûr, Fru Lien. Vous avez raison, il faut qu'elle se repose.

Il se leva et remit sa casquette.

— Nous avons rapporté une cargaison de lieu noir. Si vous voulez, je peux aller vous en chercher.

Thomas était d'un naturel si affable que ma mère avait du mal à se montrer autoritaire. Un sourire frémissait déjà au coin de ses lèvres.

— Merci, répondit-elle. Ce serait bien aimable de ta part.

Il n'était certes ni prince ni amiral, mais Mère ne pouvait dissimuler son plaisir : voir Thomas me faire la cour avait bien des avantages. Un simple pêcheur pouvait faire un très bon gendre.

— Tu es trop jeune pour te marier, dit-elle quand il eut quitté la maison. Il est peut-être charmant, mais c'est trop tôt.

— Oui, Mère. Je le sais. Je ne veux pas me marier, pas encore.

— Bien. Tu dois être sûre que tu as trouvé le bon. Regarde un peu ce qui est arrivé à Mlle Ihlen quand elle s'est entichée de ce peintre.

— Tullik ! m'exclamai-je, fouettée par l'effet de ce nom sur mes lèvres. Est-ce qu'elle va mieux ? As-tu reçu des nouvelles de Solbakken ? Fru Berg t'a-t-elle rendu visite ?

— Fru Ellefsen et sa fille Isabel t'ont déposée ici, la nuit où Mlle Ihlen est tombée malade. Elles ont dit que le docteur Karlsen leur avait ordonné de te ramener au plus vite. Il l'aurait fait lui-même, s'il n'avait pas dû repartir aussitôt pour Horten avec Mlle Ihlen.

— Tullik est à Horten ?

— Non, Johanne.

— Alors, où est-elle ? demandai-je en revoyant soudain l'air malheureux qu'avait pris Herr Heyerdahl quand je lui avais demandé des nouvelles de Tullik.

Mère secoua la tête.

— Où est-elle ? suppliai-je en me redressant.

— Nous ne voulions pas te contrarier, regarde dans quel état tu te mets. Tu dois te reposer. Fru Ihlen a dit qu'ils pouvaient se passer de tes services, maintenant que la saison est terminée. Tu n'as pas besoin d'y retourner. Ni de penser aux Ihlen ou de t'inquiéter pour eux.

— Dis-moi ! Dis-moi, Mère ! C'est mon amie, m'écriai-je en m'accrochant à son bras. Où est Tullik ?

Elle s'assit sur le lit.

— Très bien. Mais allonge-toi, Johanne, tu es encore très faible.

A contrecœur, je m'adossai aux oreillers.

Mère n'y alla pas par quatre chemins.

— Elle a été internée à l'asile, à Gaustad. Le docteur Karlsen pense que c'est ce qu'il y a de mieux pour elle. Sa famille également.

Mes pires cauchemars se réalisaient.

— Gaustad ? A Ekeberg ?

— Oui. C'est un établissement pour femmes, elle y sera soignée par des professionnels. Fru Berg dit que les Ihlen ne savaient plus quoi faire. Ils ne lui étaient plus d'aucun secours.

— Elle va y être enfermée ? Dans une cellule ?

— Je ne sais pas comment cela se passe dans ce genre d'endroits. Mais elle y restera jusqu'à ce qu'elle aille mieux.

Gaustad. C'était là que la sœur de Munch, Laura, se débattait contre l'emprise de la folie, muette, perdue dans les recoins les plus sombres de son esprit. Je songeai à Laura, au tableau qui la représentait, à la façon dont Tullik avait dit qu'elle pourrait lui ressembler. Munch avait ajouté la silhouette de Tullik au dessin, l'avait mêlée à celle de sa sœur au gré de son fusain. C'était lui qui les avait réunies et voilà que toutes deux se retrouvaient enfermées, face à ces ombres qui les effrayaient tant.

21

Harmonie

Lorsqu'on combine ces spécifications contraires, les propriétés de part et d'autre ne se neutralisent pas ; mais lorsqu'elles sont amenées au point d'équilibre et qu'on n'en identifie aucune particulièrement, le mélange revêt à nouveau pour l'œil un caractère spécifique, il apparaît comme une unité devant laquelle nous ne pensons pas à une composition.

Traité des couleurs,
JOHANN WOLFGANG VON GOETHE.

Le retour à la maison m'ôta un poids mais se montra vite étouffant. J'étais convalescente : l'on n'attendait ni n'exigeait rien de moi. Libérée des contraintes du travail, je pouvais occuper mes journées à ma guise. Mais je me retrouvais enfermée à la maison avec mes parents et Andreas pour seule compagnie, ce qui n'était guère propice à mon rétablissement. Je me traînais d'une pièce à l'autre et agaçais ma mère. Il n'y avait que dans le jardin que j'étais vraiment heureuse et je passais des heures entières dehors, enveloppée dans des couvertures. Je finis par convaincre ma mère que peindre me ferait le plus grand bien. L'idée l'alarma, mais mon père m'acheta une boîte de peinture à l'huile et deux pinceaux en crin. Après cela, plus rien ne m'arrêta.

Octobre était presque là. Le jardin changeait déjà, mais l'on voyait encore fleurir des asters orangés, et le rosier près de la remise était splendide, avec ses énormes fleurs fuchsia aux pétales de soie. J'en fis mon sujet, jour après jour. Munch avait raison : je le voyais grandir et changer, selon mon humeur ou l'heure de la journée. L'intérieur reflétait l'extérieur. Les jours où Thomas me rendait visite, et certains après-midi ensoleillés, les roses semblaient opulentes, leurs pétales comme autant de grandes taches de couleur tracées avec mon pinceau le plus épais. D'autres jours, quand je ne parvenais pas à chasser Tullik de mon esprit, le rosier se faisait plus petit, plus sombre, avec des fleurs lie-de-vin et des feuilles marc-de-café. Ces jours-là, je ne voyais que des ombres.

Parfois mon cœur était si lourd que je ne pouvais plus peindre. Je restais assise sur ma chaise, dans le jardin, les yeux clos, à écouter les bruits de la nature. Les mots de Goethe formaient comme une mélodie dans ma tête : *Ainsi la nature fait-elle descendre ses paroles jusqu'à d'autres sens connus, méconnus, inconnus ; ainsi se parle-t-elle à elle-même et nous parle-t-elle par mille phénomènes.* Le poète avait raison. Elle était partout : dans les cris perçants des oiseaux qui s'apprêtaient à partir pour d'autres horizons et qui fendaient le ciel de leurs grands V ; dans le bruissement accru de la brise entre les arbres, qui venait cueillir les feuilles une à une ; dans le tambourinage occasionnel du pic-vert sur le bois et dans le pas furtif de l'écureuil. Même dans un jardin si tranquille, la nature nous parlait, si nous voulions bien l'écouter.

C'est par un de ces matins où je me tenais seule, les yeux clos, que j'entendis un son étrange, qui me déconcerta. C'était dimanche, et tous, sans exception, s'étaient rendus à l'église. Mais des pas se mirent à claquer sur la route, durs et pressés. Je perçus une respiration saccadée, une plainte assourdie. Et puis mon nom que l'on balbutiait : « Jo-han-ne. Jo-han-ne. Jo-han-ne. »

J'ouvris les yeux et sautai de ma chaise en repoussant les couvertures qui tombèrent en tas dans l'herbe. Il y avait une femme à la barrière. Elle était vêtue de bordeaux et ses cheveux roux flottaient autour de ses épaules.

— Tullik ? m'écriai-je. Tullik ? C'est bien toi ?

— Johanne ! Tu dois me suivre au plus vite !

— Tullik ! Tu es de retour !

Je courus vers elle, les larmes aux yeux.

Elle me serra dans ses bras et nous restâmes ainsi enlacées, en pleurs.

— Tu dois me suivre, répéta-t-elle. Tu dois venir à Solbakken avec moi. Je n'ai pas le temps de t'expliquer. Viens !

Les mots sortaient précipitamment de sa bouche et elle avait un regard intense, presque dément. S'était-elle échappée de Gaustad ? Etait-elle toujours sous l'emprise de la folie ? Peu m'importait. Je ne pouvais que la suivre. Son ton urgent m'incitait à courir aussi vite que possible, malgré la faiblesse de mes jambes. Elle m'entraîna hors du jardin, et nous dévalâmes la colline, en larmes, tremblantes, à bout de souffle. Mes jambes me semblaient aussi fragiles que des tiges, tout juste capables de supporter mon poids, pourtant léger. Un goût de sang me monta à la bouche : c'était trop tôt, j'allais trop vite, je n'avais plus de forces. Quand nous atteignîmes la forêt de Fjugstad, je m'appuyai contre un arbre pour vomir.

Tullik courait devant moi. Il lui fallut plusieurs minutes avant de comprendre que je n'étais plus à ses côtés.

— Dépêche-toi, Johanne ! cria-t-elle, quand elle me vit pliée en deux.

Elle voyait que j'étais souffrante mais ne fit pas un geste pour m'aider. Elle semblait clouée sur place, prisonnière de son monde, incapable de faire un mouvement.

— Johanne ! Allons, plus vite !

— Tullik, je t'en supplie ! Je ne me sens pas bien. Je dois me reposer.

— Nous n'avons pas le temps.

— Mais mon Dieu, qu'y a-t-il de si important, Tullik ? dis-je en crachant des filets de salive.

Elle revint sur ses pas à contrecœur :

— Il faut que tu te dépêches. C'est Ragna.

— Quoi ? Que se passe-t-il ?

— Johanne, elle a trouvé tous les tableaux, tous, jusqu'au dernier. Elles ont vidé mon armoire. Mère a donné l'ordre à Ragna de les brûler après la messe. Elles en ont fait un grand tas dans le jardin.

— Non ! protestai-je en m'essuyant la bouche. Elles ne peuvent pas faire cela !

— Tu dois m'aider à les en empêcher. Je me suis échappée de l'église, j'ai dit que j'avais soif. Personne ne m'a retenue, mais ils seront bientôt de retour. Johanne, je t'en supplie, dépêche-toi !

Elle me tira à nouveau par le bras et sans trop savoir comment, je me mis à courir. Mon esprit s'enflammait sous l'effet de la colère et de la peur. *Brûler les tableaux ? Tous ? Le travail de Munch, détruit !*

Nous traversâmes la forêt à la vitesse de l'éclair et en sortîmes l'une comme l'autre dans un état pitoyable. Des petits groupes de paroissiens s'attardaient dans le cimetière : la messe était terminée. Je ne sentais plus mes jambes, et une vague de nausée et de terreur soulevait ma poitrine. La maison apparut devant moi, avec ses fenêtres qui m'espionnaient et me jugeaient comme autrefois. J'étais à nouveau une étrangère.

Une odeur de fumée et d'essence de térébenthine me prit à la gorge.

Nous arrivions trop tard.

Tullik sanglotait.

Nous courûmes vers le jardin, dépassant les poules de Tullik, paniquées, qui gloussaient et battaient des ailes en tous sens.

A l'arrière de la maison, le carnage avait déjà commencé. Les tableaux avaient été entassés là où se tenaient autrefois la table blanche et les chaises. Quelques dessins gisaient sur le sol. On voyait partout l'image de Tullik. Ragna et Fru Berg tenaient d'autres œuvres à la main, des esquisses, des rouleaux de papier. J'en découvrais certaines : il y avait là de petits dessins et des tableaux que Munch avait dû donner à Tullik à chacune de leurs rencontres. Ragna nous vit approcher et jeta l'un d'eux dans les flammes qui commençaient à lécher la base du bûcher sacrificiel.

— Arrêtez ! hurla Tullik.

Elle se précipita en avant et plongea les mains dans le feu sans hésiter. Fru Berg lui saisit les bras pour la tirer en arrière.

Ragna jeta un tableau, puis un autre encore. Je me ruai vers le feu. Je me mis à tourner autour des flammèches qui s'attaquaient aux dessins de Munch. La colonne de lune. Les cheveux de Tullik. Tullik dans les bois. Tullik sur la plage. La toile se tordait sur son cadre, des traces noires apparaissaient de tous côtés. Les tableaux se racornissaient, agonisaient, les bords carbonisés, enveloppés d'une fumée épaisse. Le feu bondissait, dévorant. Tullik, à genoux, laissait échapper un cri de bête.

Impuissante, je vis *Clair de lune* s'embraser sous mes yeux. Une traînée noire se répandit de droite à gauche en quelques instants, anéantissant la mer calme, le reflet de la lune, la plage, les arbres. Puis j'aperçus le couple sur la plage. Je tendis la main mais en quelques secondes seulement, ce moment chargé d'émotion — la tension du désir, saisie avec tant de talent — disparut à jamais.

Sans réfléchir, j'empoignai Ragna. D'abord par les épaules, puis à la gorge.

— Pourquoi ? hurlai-je en enfonçant mes doigts dans son cou décharné. Pourquoi ? Alors qu'elle est si fragile, si tourmentée ? Que cherches-tu à lui faire ?

La bouche de Ragna s'arrondit, ses yeux noirs s'écarquillèrent, à tel point que je pus voir de fines lignes rouges jaillir dans le blanc de ses yeux.

Je la secouai sans pitié, stupéfaite de me découvrir

tant de force. Ses os, sous mes mains fébriles, étaient aussi fragiles que ceux d'un oiseau. J'aurais pu serrer jusqu'à les briser. L'envie ne m'en manquait pas.

— Je ne fais que suivre les ordres de Fru Ihlen, articula-t-elle.

Son visage exprimait la rancœur et la haine. Même avec mes mains autour de son cou, elle tentait encore de jeter un autre tableau au feu.

— Tout cela parce que tu n'as jamais connu l'amour, m'écriai-je. Tout cela parce que ton fiancé t'a abandonnée pour quelqu'un de mieux !

— Johanne ! cria Fru Berg en tentant de m'éloigner de Ragna. Ça suffit !

J'avais serré si fort que mes ongles avaient laissé des traces rouges sur la peau de Ragna. Elle échappa à mon emprise et se précipita vers les tableaux restants pour les jeter dans les flammes qui rugissaient, désormais incontrôlables.

Le dernier tableau à brûler fut celui de la belle sirène. Une douleur intense m'étreignit la poitrine quand je vis des cercles noirs gagner le clair de lune, la peau dorée de la créature, ses yeux envoûtants. Les flammes dévorèrent la toile avec un appétit vorace. Quelques instants plus tard, elle avait disparu.

Tullik rampait près du feu, incapable de se relever. Incapable de regarder ce spectacle. Des cendres légères, vestiges des tableaux, s'élevaient dans les airs. Je les suivais du regard, les yeux asséchés, blessés par l'intensité du feu. Elles s'envolaient toujours plus haut, vers une fenêtre sur le côté de la maison. Là, je vis Caroline, les bras croisés sur la poitrine, l'air satisfait.

Quand tout eut disparu, Ragna applaudit lentement, avec une joie sinistre. Puis elle sortit discrètement quelque chose de la poche de son tablier.

— Non ! hurlai-je. Pas ça. C'est à moi !

Elle ne daigna même pas me regarder. Calmement, elle lança le livre dans les flammes. Je vis la couverture noircir et le nom de Goethe s'effacer de la tranche, avant que le feu ne s'attaque aux pages elles-mêmes, dévorant les couleurs qui s'y trouvaient et les dessins secrets que j'avais si longtemps chéris.

— Non ! soufflai-je. Comment peux-tu…

— Ce n'était qu'un ramassis d'âneries, coupa Fru Berg. Allons, Johanne, écarte-toi du feu.

Je courus vers Tullik qui était toujours à terre et gémissait, une touffe d'herbe roussie à la main, se traînant autour du feu comme si elle était blessée.

— Debout, Tullik, dis-je en l'agrippant par la taille et en l'aidant à se mettre à genoux. Prends appui sur moi.

Elle me regardait avec des yeux brouillés de larmes. Je la forçai à se relever en glissant mes mains sous ses bras.

— Je t'emmène loin d'ici. Il n'y a plus rien à faire.

Nous toussions toutes les deux à cause des vapeurs irrespirables qui émanaient du brasier, un mélange écœurant de fumée et de térébenthine. Nous avions le cœur arraché de la poitrine, à vif, dévoré par les flammes. Une partie de nous-mêmes s'était envolée avec les tableaux. Je jetai un dernier coup d'œil à Ragna et à Fru Berg qui tisonnaient le feu, comme si elles regardaient flamber un simple tas de feuilles mortes. Pour elles, c'était une vulgaire corvée du ménage d'automne, au même titre que le nettoyage des sols et la lessive. Il fallait qu'elles se débarrassent de ces œuvres nauséabondes jusqu'à anéantir toute trace de leur auteur si grossier.

Tullik et moi nous éloignâmes en chancelant. Nous n'étions plus que l'ombre de nous-mêmes. Je ne savais où aller ni que faire, mais je me dirigeai instinctivement vers la mer. Nous longeâmes le rivage, tremblantes, jusqu'à la petite jetée où je m'étais tenue en silence aux côtés de Munch. Nous nous assîmes au même endroit, silencieuses, abasourdies, comme assommées. Nous nous tenions le dos voûté, les pieds au-dessus des vagues, et mon corps était si engourdi que je ne sentais même pas la main de Tullik que je tenais pourtant dans la mienne.

Il s'écoula un très long moment avant que je ne reprenne mes esprits. Une vague se brisa contre les rochers et m'aspergea le visage d'écume, me rappelant que je me trouvais ici, sur cette jetée, avec Tullik, et que nous avions survécu à une terrible catastrophe.

— Tout va bien ? demandai-je en me tournant vers elle.

Elle continuait de fixer la mer, le regard glacé, éteint. Seules les mèches de cheveux que le vent venait rabattre sur son visage se mouvaient encore un peu.

Je passai mon bras sur ses épaules.

— Tullik, dis-moi que tu vas bien.

— Je ne suis pas folle, si c'est cela qui t'inquiète, répondit-elle en contemplant ses pieds.

— Ce n'est pas ce que je voulais dire.

Je la forçai à se tourner vers moi, cherchant dans ses yeux une étincelle, un éclat de la Tullik d'autrefois.

— Ils t'ont vraiment envoyée à Gaustad ?

— Oui. Mais pas très longtemps. Ils savaient que je n'avais pas perdu l'esprit, que j'étais simplement brisée par les événements. Les médecins ne voulaient pas de moi. Etrangement, cela m'a fait du bien d'être seule. Tout paraît plus clair quand tu es enfermée.

— Même de force ? Même contre ton gré ?

— Tant que tu ne tambourines pas sur la porte en implorant qu'on te libère… C'est là la véritable souffrance, Johanne. Le pire, ce n'est pas d'être désœuvrée, ni même emprisonnée : c'est ce cri continu, ces supplications, cet espoir d'échapper à une situation contre laquelle tu ne peux rien faire.

Elle réarrangea sa robe comme si elle s'apprêtait à se lever, mais se jeta soudain à mon cou. Nous nous étreignîmes.

— Ma chère, très chère Johanne, murmura-t-elle, tu as été si bonne pour moi. Nous resterons amies, toi et moi, à jamais.

— Oui, à jamais.

— Edvard est parti pour l'Allemagne, dit-elle en

relâchant son étreinte. Libre de poursuivre son chemin, de se consacrer à son art. Il le doit. Mon père m'a dit la vérité, il n'a pas demandé ma main. Je peux l'accepter, maintenant. Je sais qu'il lui faut sa liberté pour peindre. Il ne peut en être autrement. Et maintenant, tous ses tableaux ont disparu et je dois l'accepter également.

— Ils n'ont pas *tous* disparu. Il en reste un.

Elle leva la tête et me regarda de ses beaux yeux empreints de tristesse.

— Que veux-tu dire ?

— *Le Cri*, répondis-je. Celui que tu avais accroché au mur.

— Mère t'avait ordonné de l'emporter pour le brûler.

— Je l'ai bien emporté, mais je ne l'ai pas détruit. Je l'ai caché.

— Où est-il ?

— Dans ma chambre, sous le plancher, dans les vieilles cabanes de pêcheurs. Il y est toujours.

— Est-ce que quelqu'un sait qu'il est là ?

— Seulement mon frère. Mais il a juré le secret. Il ne dira rien à personne.

— Tu as caché le tableau ? s'étonna-t-elle, un léger sourire au coin des lèvres.

— Je crois que les maisons de pêcheurs sont encore vides. Je peux aller le chercher, si tu veux.

— Non, laisse-le là où il est. Tu peux le garder. Il ne sera jamais en sécurité avec moi. Si quelqu'un le trouvait, il serait brûlé.

— Mais Tullik, il l'a peint pour…

— C'est trop douloureux, Johanne. Chaque fois que je le regarderai, je ne ferai que replonger dans ce trou noir, ce sentiment de solitude, cette anxiété terrible. Je ne veux pas m'attarder sur notre séparation : Edvard et moi serons ensemble pour toujours, dans une autre dimension, au-delà de l'océan, au-delà du ciel, et pourtant au cœur même des éléments. Nous ne sommes pas séparés. Il l'a toujours dit, et je le comprends désormais.

Je levai les yeux vers les nuages et regardai les formes cotonneuses — jaunes, bleues, grises — filer à travers le ciel. Je tâchai de voir la lumière telle qu'*il* la voyait, de trouver le soleil pour voir où il tombait.

— Nous quittons Solbakken demain matin, annonça Tullik. Je vais devoir te dire au revoir maintenant, Johanne. Il est temps que je rentre.

— Tullik, m'exclamai-je en me levant. Ma chère Tullik.

Nous nous enlaçâmes.

Je voulais ranimer sa flamme, voir la joie revenir dans son cœur, la retrouver telle qu'elle était au début de l'été, éclaboussant le monde de sa vitalité. Mais les arbres à présent perdaient leurs feuilles. La saison des adieux était là et l'éclat de Tullik s'était envolé. Elle semblait lasse, jusque dans notre étreinte. Elle me caressa la joue.

— J'écrirai, promit-elle, quand je serai à Kristiania.

— Et moi je t'attendrai ici, jusqu'à la saison prochaine.

— Envoie-moi tes dessins, demanda-t-elle enfin, alors que nous prenions le chemin de la forêt.

Non loin de nous, le ruisseau coulait sous le pont. Des feuilles d'érable aux teintes rouille tourbillonnaient dans l'eau, emportées par le courant en cercles ocre et roux en direction de la mer.

Je déposai un baiser sur sa joue.

— Au revoir, mon amie, lui dis-je.

Elle partit à pied vers Borre, où l'attendaient Julie et Nils Ihlen. Ils prendraient demain le bateau à Horten et bientôt elle retrouverait sa vie de jeune femme de Kristiania, belle et privilégiée, mais toujours indomptable.

Je cheminai à travers la forêt sous la haute voûte des arbres. Le sentier tapissé de feuilles mortes était doux sous mes pieds. La lumière de fin d'après-midi se frayait un chemin à travers les branchages et baignait la scène d'un splendide éclat doré ; le soleil entrecoupait de lignes ambrées les ombres du chemin et donnait aux feuilles de beaux reflets fauves.

Je ne rentrai pas directement chez moi. Je marchai

d'abord jusqu'à la jetée, dépassant le cabanon de pêcheur où se cachait *Le Cri*. « Repose-toi, murmurai-je devant la fenêtre. Elle est avec toi. Vous n'êtes pas séparés. »

Les mouettes traversaient le ciel, s'élevant, plongeant, se laissant porter au gré du vent. Elles poussaient des cris, perchées sur les mâts des bateaux ou les piquets de clôture, comme pour acclamer le retour d'une reine après de lointaines expéditions — le retour de la reine d'Åsgårdstrand.

Et c'est en reine que je traversai le jardin de Munch, sans crainte d'y entrer, ni même d'y être vue. Le jardin semblait bien vide sans ses tableaux que je ne pouvais m'empêcher de chercher du regard. Je me les représentai à leur place habituelle : Jacob, qui surveillait le pavillon des bains, assis dans son fauteuil ; la femme enceinte avec son panier de cerises ; Inger sur la plage ; Laura et son ombre. Eux aussi avaient atteint la fin d'un cycle, eux aussi étaient partis pour d'autres horizons.

La maison était vide désormais, la porte close. Je posai la main contre le mur couleur moutarde. Le bois était chaud au soleil et je restai quelques instants à écouter les cris des oiseaux. « A bientôt, Munch, murmurai-je. Je chercherai la lumière. »

Et c'est ainsi que je retournai vers la maison sur la colline, où les fleurs tardives des pois de senteur m'accueillirent à la barrière. Je caressai du bout des doigts leurs pétales rose pâle et respirai leur doux parfum, profond et enivrant. La main sur le portillon, je m'apprêtai à revenir au tableau. Un pas de plus et je serais à nouveau la Cueilleuse de fraises, cette enfant aux yeux bleus et aux cheveux blonds en désordre. Je lui ouvris grand les bras, heureuse de retrouver son innocence et sa simplicité. J'endossai une fois encore ce rôle que je connaissais si bien. Elle et moi ne ferions qu'une, pour une année peut-être, ou bien jusqu'à la saison nouvelle.

ÅSGÅRDSTRAND
1947

Épilogue

Rêves

J'avance paisiblement dans mes rêves, qui sont ma vie — il n'y a qu'ainsi que je puis vivre.

Journaux intimes,
EDVARD MUNCH.

Je suis assise seule dans mon coin. Les sièges sont durs, plus pratiques que confortables. Inger est au premier rang. Sa silhouette enrobée déborde de la chaise pliante. Elle ne se plaint pas. Elle porte un foulard à pois noué autour du cou, incongru par une si belle journée, et un chapeau noir qu'elle rajuste, révélant une masse de cheveux blancs. Elle se retourne, me remarque et me sourit.

Il y a un chœur d'hommes à côté de l'atelier, sur deux rangées de hauteurs inégales. A l'arrière de la maison, le maire, August Christensen, se tient sur les marches, la clé à la main. Il est radieux, plein d'espoir et d'optimisme, comme beaucoup d'entre nous. La maisonnette va devenir un musée, figée dans le temps, telle qu'elle était du temps où il l'occupait. Lui, le plus grand artiste de notre pays. Mon ami, Edvard Munch.

Tant d'apparat ne lui aurait guère plu, lui qui vivait presque en reclus. Mais il aurait aimé le parc créé à l'emplacement de son jardin et du champ voisin. Et il aurait été heureux qu'Åsgårdstrand hérite de sa maison, plutôt qu'un propriétaire privé qui n'en aurait fait qu'à sa tête. Il a légué tout le reste à la ville d'Oslo. Cela fait des années maintenant qu'on l'appelle ainsi, mais j'ai encore du mal à m'y faire : pour moi, ce sera toujours Kristiania. Kristiania, donc, a hérité de ses tableaux, qui se comptent par milliers. Munch les conservait auprès de lui dans sa maison d'Ekely. C'étaient ses enfants. Il nous a semblé tout naturel d'hériter de sa maisonnette de pêcheur, le seul endroit où il se soit vraiment senti chez lui. Mais il n'y venait plus : les rats et les insectes y avaient élu domicile ces dernières années. On a dû retirer, au creux des poutres, d'énormes nids de fourmis charpentières. La vermine n'avait jamais dérangé Munch : il laissait les placards ouverts à l'intention des rats, n'aimant guère l'idée qu'ils souffrent de la faim en son absence.

L'orchestre joue.

Derrière moi, j'aperçois les sœurs Gjermundsen et l'une des filles de Fru Book. Elle faisait la cuisine chez lui autrefois, juste après qu'il eut acheté la maison. Son nom m'échappe, il me reviendra. Nombreux sont ceux qui ont fait le déplacement : des modèles, des femmes de ménage, des gens qui l'appréciaient. Chacun l'a connu à sa manière, au gré des rencontres, au fil du temps. Il nous a écrit, parfois envoyé de l'argent, quand ses tableaux ont commencé à se vendre. Un été, il m'a même acheté une nouvelle paire de chaussures. Il ne nous oubliait pas, nous, les petites gens d'Åsgårdstrand.

La chorale chante. Les notes s'élèvent et dansent dans les airs. Lilas, mauve, bleu, bleu, bleu. Une percée de rose. Une explosion de rouge. Ecar-late. Rouge. Cramoi-si. Rouge. Ecar-late. Rouge. Cramoi-si. Rouge.

Le rouge m'envahit et m'évoque Tullik.

Cela fait cinq ans qu'elle est morte, mais elle vit toujours en moi, comme un rêve ininterrompu. Ma chère Tullik.

Même si la demande en mariage n'a pas eu lieu, elle a été sa femme. Même s'ils n'ont plus échangé une parole, elle lui a juré fidélité en cet été 1893. A jamais.

Quand l'amiral est mort, Julie et Tullik se sont retirées à Solbakken. La santé de Tullik était fragile mais elle s'occupait de Julie et de ses poules et elle semblait plus heureuse à Borre qu'elle ne l'aurait jamais été à Kristiania. Fru Ihlen a vécu jusqu'à l'âge de quatre-vingt-deux ans. Elle a consacré sa vie à sa fille et à la défense des droits des animaux, publiant des articles dans l'*Aftenposten* et participant à la préparation du magazine de l'organisation jusqu'à sa mort. Milly et Caroline étaient mariées et vivaient loin d'ici : quand Julie est morte, j'ai été la seule, ici, à pouvoir m'occuper de Tullik.

Elle avait souvent des accès de fièvre. Dans ces cas-là, quelqu'un venait généralement me chercher, une bonne ou l'une des employées de la laiterie. Thomas étant toujours en mer, je devais laisser mes garçons chez une voisine pour aller m'occuper d'elle. C'est moi qu'elle demandait, jamais un médecin. Je restais à ses côtés la nuit entière, lui tenant la main, lui épongeant le front, tentant de la calmer… Je redevenais sa servante. Quand la crise était particulièrement forte, je restais plusieurs jours d'affilée. Je ne pouvais pas l'abandonner.

Certains matins, je l'apercevais, lui. Il se tenait dans le cimetière. Parfois, quand les rues étaient désertes, il revenait. Même après toutes ces années, à plus de soixante ans, on le reconnaissait facilement, à sa mâchoire carrée et ses beaux yeux tristes. Il allait et venait, au gré du vent, tel un bateau sans capitaine.

J'ai demandé à Tullik si elle le voyait, elle aussi.

— Parfois, quand j'ouvre ma fenêtre à l'aube.

— Tu n'as jamais voulu lui faire signe ?

— Pourquoi le ferais-je ? Il lui faut tracer sa route librement. C'est mieux ainsi. Cela ne peut pas venir de moi, n'est-ce pas ? Tu l'as dit toi-même, Johanne, on ne peut pas faire le premier pas. On ne peut qu'attendre. On le voit partout : au détour de la forêt, sur la plage, sur les sentiers. Il se renferme pendant de longues périodes, puis un beau jour, quand il vous croise, il s'épanche soudainement. Cela jaillit de lui, tu le sais. Et cela n'est possible que parce qu'il n'a pas eu la sensation qu'on tentait de le mettre en cage. Lui seul décide quand il s'arrête et quand il poursuit sa route.

Je m'étais souvent demandé s'il avait puisé de la force dans l'idée que Tullik croyait en lui, sans rien demander en échange. Au fil des années, elle semblait surgir dans ses tableaux, de loin en loin, tel un rêve obsédant. Je la reconnaissais toujours. C'était Tullik, quoi qu'on en dise. Il lui était toujours dévoué. Mais Tullik n'aurait jamais pu s'unir à un homme tel que Munch, cela les aurait tous les deux détruits. Ils bravaient les contraintes du temps et de l'espace, réunis dans une autre dimension, comme elle le disait. Ils n'étaient pas ensemble, ils ne vivaient pas dans la même maison, ils ne se voyaient pas ; mais ils étaient unis par des liens plus forts que s'ils avaient passé une vie entière sous le même toit, à partager leur quotidien.

August Christensen s'éclaircit la gorge. Il parle de liberté. Les Allemands sont repartis maintenant, et la Norvège est libre. Mes fils ont risqué leur vie dans la Résistance, à plus de quarante ans : deux hommes dans la force de l'âge, poussés par l'amour de leur patrie. Ils ont défendu cette indépendance que nous avons obtenue pacifiquement de la Suède en 1905. C'est étrange, quand j'y pense. Les collectionneurs qui ont rendu le travail de Munch si populaire étaient des Allemands, tout comme les nazis qui nous ont volé notre liberté. Hitler a traité le travail de Munch d'« art dégénéré » et l'a tourné en dérision. Mais quand les nazis ont pris le contrôle du pays, ils ont tenté d'en faire un héros pour servir leurs desseins et renforcer leur image. Ils ont voulu créer leur propre Conseil honoraire des artistes norvégiens. Cela n'intéressait pas Munch et sans son soutien, le projet est tombé à l'eau. Il n'a pas vécu assez longtemps pour voir le pays libéré. Inger était folle de rage de voir les nazis transformer son enterrement en acte de propagande. Ils se sont chargés de tout, ne laissant guère de place à Inger. Elle a eu beau protester courageusement, le cercueil de Munch a remonté l'avenue Karl Johan, couvert de croix gammées, sous un défilé de fusils.

Nous nous joignons à la chorale. Nous chantons. Nous écoutons le maire.

Un repas a lieu ensuite à l'Hôtel Victoria.

Je regarde mes mains abîmées, tachées de peinture. J'aurais dû porter des gants, mais il fait trop chaud aujourd'hui. Il y a des applaudissements, puis nous nous levons tous. Nous remontons la colline, sous une chaleur toujours plus accablante. Thomas m'attend à l'Hôtel Victoria. Devant moi, je vois Inger lui serrer la main. Il ôte sa casquette et échange quelques mots avec elle. Ce n'est peut-être pas le roi d'Åsgårdstrand, mais c'est un homme bon. Il n'est jamais allé jusqu'en Egypte, mais il a travaillé dur pour nourrir sa famille, grâce au bateau qu'il a hérité de son père. C'est une aventure en soi. Aujourd'hui, les garçons ont leur propre chalutier.

Thomas n'a jamais vraiment compris mon goût pour la peinture, mais il s'y est habitué, et il a fini par admettre que ce n'était pas quelque chose qu'il me fallait *faire*, mais plutôt quelque chose que je ne pouvais m'empêcher d'*être*. Le fait que mes tableaux commencent à se vendre y a contribué. Il n'a vu la valeur de mon art que lorsqu'il s'est matérialisé en provisions sur notre table et en habits pour les enfants. Des choses toutes simples.

L'homme que j'avais rencontré il y a tant d'années dans le jardin de Munch, Jens Thiis, s'est révélé être marchand d'art. Il est devenu depuis directeur de la Galerie nationale d'Oslo. Peu de temps après mon mariage avec Thomas, Jens a vendu à un collectionneur de Lillehammer l'un de mes tout premiers tableaux, une vue des bateaux dans le port, avec Bastøy et le fjord pour toile de fond. J'en ai vendu d'autres par la suite, et quand la petite maison de pêcheur a été mise en vente, c'est grâce à l'argent de mes tableaux que j'ai pu verser un acompte.

Thomas ne comprenait pas pourquoi ce devait être celle-ci en particulier. Mais j'étais obstinée et j'ai su lui tenir tête. A l'étage où vivaient autrefois les Andersen, il y a désormais notre cuisine et notre séjour. Tous les jours, je m'assieds dans mon fauteuil et je contemple l'immensité bleue qui remplit le cadre de la fenêtre. La vue est peut-être toujours la même, mais la nature, elle, change à chaque instant. Elle m'offre le fjord dans toutes les couleurs et les textures imaginables. Des lumières qui ne peuvent être mises en mots. Des aubes, des crépuscules spectaculaires. Au fil des jours, au gré des saisons, Åsgårdstrand ne présente jamais deux fois le même visage. La mer est ma source d'inspiration, mon bonheur — aujourd'hui comme hier.

Au rez-de-chaussée se trouvent les chambres.

J'ai eu peur tout d'abord que les garçons ne l'entendent, qu'ils en pleurent la nuit ou en fassent des cauchemars. Mais *Le Cri* semble apaisé. Il est toujours resté silencieux et jamais mes enfants ni mes petits-enfants ne l'ont évoqué. Je lui parle encore, bien sûr, quand je suis seule à la maison.

Andreas et moi sommes les seuls à savoir qu'il est là. Tullik n'a jamais jugé bon de le reprendre et Munch en a peint quatre autres versions au fil des années. A une époque où il connaissait des difficultés financières, je lui ai proposé de l'exhumer pour qu'il puisse le vendre. Il a plaisanté en disant que personne n'en voudrait jamais : l'une des versions du tableau venait d'être tournée en ridicule en Allemagne. Celle-ci était la mienne, me disait-il, et il l'appelait toujours *Le Cri de la cueilleuse de fraises*.

Voilà que sa sœur se glisse à mes côtés, un rouleau à la main. Elle le déroule délicatement car les bords en sont déchirés et le papier, un parchemin froissé, est vieilli et fragile.

— Ils l'ont trouvé dans le mur de l'atelier quand ils l'ont rénové, m'explique-t-elle.

Je le regarde et je vois Tullik. Tullik, les cheveux au vent, flottant autour de son visage. Elle est face à lui. Leurs nez se touchent presque. A l'arrière-plan, on voit les branches de pin de la forêt de Fjugstad. Au centre de l'image se trouve la colonne lumineuse de la lune, qui vient se refléter sur l'eau et créer une ligne de démarcation entre les arbres. Sa tête à lui est dans l'ombre ; on ne devine qu'un profil aux yeux creusés de noir, aux cheveux et aux épaules sombres. Quant à Tullik, elle est lumineuse. Son visage est baigné de l'éclat de la lune. Ses cheveux flottent, dorés, comme des bras tendus vers lui, qui tissent ensemble leurs deux cœurs, unis à jamais.

— Dire qu'il est resté là pendant toutes ces années, s'exclame Inger. Comment est-ce possible ? Un tableau caché ainsi ? Je suis contente qu'on l'ait trouvé.

— Oui, dis-je. Les tableaux sont faits pour être vus. D'une manière ou d'une autre, ils s'arrangent pour refaire surface.

Mais j'ai prononcé là une demi-vérité : cela ne concerne pas tous les tableaux. Pas le mien. Il repose en sécurité sous le plancher de ma cabane de pêcheur. Il s'y sent chez lui et s'y plaît, apaisé. Quand Andreas et moi mourrons, nous emporterons notre secret dans la tombe : notre *Cri* n'aura pas d'autre demeure. Les autres *Cri* seront vus, peut-être même entendus par certains. Mais pas *Le Cri de la cueilleuse de fraises.* Celui-là, on ne le trouvera jamais.

Note de l'auteur

On ne peut vivre en Norvège et ignorer Edvard Munch. Il est l'une de nos principales attractions touristiques et l'un des éléments incontournables de la vie culturelle du pays. Et pourtant, de façon à peine croyable, c'est ce que je suis parvenue à faire : j'ai vécu aux côtés de Munch pendant plus de dix ans avant de m'y intéresser vraiment. Peut-être était-il trop omniprésent pour que je le considère comme un mystère : je pensais le connaître. Le vol du *Cri* et de *La Madone* en 2004 avait déjà attiré mon attention. Mais ce n'est qu'en 2012, lorsque la vente aux enchères du *Cri* a atteint un chiffre record, que je suis vraiment sortie de ma torpeur. J'avais alors vécu en Norvège suffisamment longtemps pour éprouver à son égard une pointe de fierté, presque personnelle. La nouvelle a piqué ma curiosité. J'ai commencé à me poser des questions. *Qu'est-ce qui fait qu'un tableau se vend à cent vingt millions de dollars ? Qui était Munch ? Comment un tableau si dérangeant peut-il exercer un attrait si universel ?* Ironiquement, ce n'est que lorsque j'ai commencé à m'intéresser à lui que j'ai vraiment découvert l'énigme que représente Munch.

Ma première idée était d'écrire une véritable épopée du *Cri*, franchissant les époques, mélangeant les récits et se terminant par la vente de Sotheby's en 2012. Mais mon travail de recherche m'a vite entraînée dans une tout autre direction, bien plus proche de mon univers familier. J'ai abouti dans une charmante petite ville de bord de mer, à moins d'une heure de route de l'endroit où j'habite : Åsgårdstrand. Le coup de foudre a été immédiat. Dès que j'ai posé le pied sur la plage, j'ai su que mon histoire allait se dérouler ici. Je tenais mon sujet : Åsgårdstrand, le temps d'un été.

J'ai lu tout ce que je pouvais trouver sur la vie de Munch à Åsgårdstrand. J'ai parlé aux gens du coin, je me suis plongée dans les publications des associations d'histoire locale et j'ai assisté à tous les événements organisés autour de Munch dans la région. Très vite, je suis tombée sur les mémoires rédigés par une native de la commune, Inger Alver Gløersen, dont le beau-père avait été un ami de Munch.

Dans son livre, *Lykkehuset : Edvard Munch og Åsgårdstrand*, Gløersen consacre quelques pages à l'histoire d'une jeune fille, Regine, la fille d'un amiral, qui a vécu à Borre et connu une courte idylle avec Munch, le temps d'un été. D'après Gløersen, le peintre aurait donné au fil des semaines des tableaux à Regine, qu'elle aurait dissimulés à ses parents, furieux de cette liaison. A la fin de la saison, au moment du grand nettoyage, les tableaux auraient été trouvés et brûlés.

L'histoire m'a tout de suite inspirée et l'idée de *Car si l'on nous sépare* s'est mise à germer dans mon esprit. J'étais bien déterminée à découvrir qui était cette Regine et s'il y avait du vrai dans son histoire.

Il est de notoriété publique qu'Edvard Munch a eu une relation amoureuse avec Milly Ihlen, la fille d'un amiral qui venait passer ses étés à Borre. J'étais donc convaincue que Milly n'était autre que la Regine des souvenirs de Gløersen. Mais quelque chose me chiffonnait. Et puis je suis tombée sur la photo d'une enfant répondant au nom de Tullik Ihlen. En parcourant les listes du recensement puis en lisant le récit de la visite du prince Carl à Borre, j'ai appris une chose : Tullik n'était qu'un surnom. Son vrai nom était Regine Ihlen. L'état civil est venu le confirmer, il s'agissait de la sœur cadette de Milly. L'histoire devenait excitante : deux sœurs auraient eu une liaison avec le même artiste.

Y a-t-il un fond de vérité à l'histoire racontée par Gløersen ? Il est difficile de le savoir, mais cela semble peu probable. Munch ne mentionne personne du nom de

Tullik dans son journal (même s'il utilisait souvent des noms de code pour ses proches) et aucun des experts auxquels je me suis adressée ou dont j'ai lu le travail ne peut confirmer cette histoire. Tullik semble avoir disparu sans laisser de traces. Son nom n'apparaît guère que dans la notice nécrologique de son père et quelques vagues lettres et articles sans importance. Mais cela a suffi à attiser ma curiosité et j'ai commencé à inventer ma propre histoire à partir de ces quelques éléments.

J'ai décidé de situer le roman en 1893, l'année où Munch a peint la première version du *Cri*. J'ai dû par conséquent changer les dates de ses tableaux pour les mettre au service de mon histoire. Certains d'entre eux n'avaient pas encore été peints en 1893 : c'est le cas de *Sirène* (1896) et de *Fertilité* (1898). D'autres au contraire existaient déjà. Autre déviation de la vérité, Munch n'a pas loué sa petite maison d'Åsgårdstrand avant de l'acheter. Sa famille séjournait à « la maison de Thorine », un peu plus haut sur la même route, mais il n'a acheté sa maisonnette qu'en 1897.

Les membres de la famille Ihlen ont tous existé. L'amiral Ihlen, sa femme Julie et leurs trois filles venaient passer l'été à « Solbakken », leur maison de Borre. Elle leur avait été donnée en cadeau de mariage par les parents de Julie. Plus tard, après le décès de l'amiral et le mariage des aînées, Julie et Tullik sont venues s'y installer de façon permanente. Le recensement de 1910 indique que c'est là que vivent Tullik (fille « invalide » de la maison), Julie et une servante du nom de Ragna.

Bien qu'il s'agisse de personnages réels, leur personnalité est le fruit de mon imagination. Il reste quelques indices qui nous permettent de nous faire une idée de qui ils pouvaient être : les archives des journaux mentionnent le travail de Julie Ihlen auprès des groupes de défense des animaux, et la rubrique nécrologique de l'*Aftenposten* décrit l'amiral Nils Ihlen (officier supérieur de marine, directeur et fondateur de la compagnie d'assurance maritime norvégienne *Det Norske Veritas*) comme un homme très apprécié et respecté. Milly se produisait occasionnellement au théâtre à Oslo (Kristiania) et il ressort clairement des journaux et des tableaux de Munch qu'il était obsédé par elle, en tout cas pendant quelque temps, jusqu'à ce qu'elle lui brise le cœur.

Le peintre Hans Heyerdahl était originaire de la ville de Drammen. C'était un artiste talentueux, célèbre pour ses portraits. Il était plus âgé que Munch, mais les deux hommes se connaissaient et passaient leurs étés à Åsgårdstrand. Aujourd'hui, Heyerdahl a été un peu oublié au profit d'artistes tels que Munch et Krohg. Mais si ses tableaux n'ont pas été aussi novateurs, ils n'en restent pas moins magnifiques et donnent un riche aperçu de la vie en Norvège au XIXe siècle.

Il existe diverses hypothèses quant à l'identité de *La Cueilleuse de fraises* (*Jordbærpiken*) du tableau de Heyerdahl. Certains disent qu'il s'agit de Karen Gjermundsen, une enfant du pays, dont les sœurs, Henriette et Marthe, ont été elles aussi peintes par Heyerdahl et Munch à Åsgårdstrand. Mais les archives du musée d'art de Lillehammer suggèrent qu'il pourrait s'agir d'Albertine Sofie Olsson — connue sous le nom d'« Albertine aux beaux yeux ». C'était la fille d'un mécanicien d'Oslo, morte tragiquement à l'âge de dix-sept ans après avoir prédit sa propre fin.

Quelle que soit l'identité réelle de la petite fille du portrait, le personnage de Johanne est pure fiction. Il me fallait une voix pour porter cette histoire et j'ai imaginé ce que cette jeune fille pourrait bien nous raconter — une fille pauvre, ordinaire, introduite brusquement dans l'univers de ces peintres extraordinaires et qui se lie d'amitié avec une jeune femme de la haute société. J'ai aimé explorer ce contraste, et la possibilité qu'elle ait elle-même eu un tempérament artistique.

Quant à Edvard Munch, j'ai tenté de brosser son portrait d'une manière aussi bienveillante que possible, sans toutefois gommer ses défauts et ses excentricités. C'était un homme profondément complexe et intense, mais j'en suis venue à l'apprécier et à l'admirer en toute sincérité. Il cultivait le paradoxe et chacun le voyait différemment : les récits à son sujet varient grandement. Quand bien même nous pourrions aujourd'hui lui poser des questions sur sa vie et son œuvre, je doute que nous parvenions vraiment à le connaître. J'ai découvert que s'intéresser à Munch revenait à dévider un fil sans fin, à pénétrer les strates les plus profondes de la psyché humaine. Munch n'avait pas peur d'explorer ce qu'il appelait sa « folie » et faisait de la peinture une expérience émotionnelle. Son audace en fit l'un des pionniers du mouvement expressionniste et il a laissé derrière lui une œuvre qui continue de nous parler et de nous inspirer aujourd'hui. Quant à moi, il m'a donné l'envie d'écrire un livre dans lequel je prendrais le lecteur par la main et l'entraînerais à travers cette galerie d'émotions qu'est l'art de Munch.

Liste des œuvres

Liste des œuvres de Munch apparaissant dans le roman, sous forme de tableaux ou de scènes, par ordre d'apparition :

Le Fou (lithographie, 1908/09)
Fertilité (1898)
Soirée sur l'avenue Karl Johan (1892)
L'Homme primitif (gravure sur bois, 1905)
Vêtements étendus à Åsgårdstrand (1902)
L'Arrivée du paquebot-poste (1890)
Désespoir (1892)
Vers la forêt (gravure sur bois, 1897)
Nuit d'été. La voix (gravure sur cuivre, 1894 ; tableau, 1896)
Rouge et blanc (1899)
Inger sur la plage (1889)
Sirène (1896)
La Danse de la vie (1899)
Sirène (Homme mélancolique et sirène) (1896)
Le Cri (1893)
La Tempête (1893)
Le Lendemain (1894-95)
Vampire (1893)
Clair de lune (1895)
Attraction II (lithographie, 1896)

REMERCIEMENTS

Je tiens à remercier du fond du cœur mon agent, Bill Hamilton, un homme merveilleux qui a toujours cru en mon livre et su m'apporter son œil d'expert et son soutien indéfectible à chaque étape du processus. Mes remerciements également à Becky Brown et toute l'équipe de chez A. M. Heath.

Merci à ma brillante éditrice, Clara Farmer, et à l'ensemble du personnel de chez Chatto & Windus, qui ont su faire en sorte que la Cueilleuse de fraises se sente chez elle. Ils ont été une source intarissable de chaleur, d'enthousiasme et de professionnalisme.

Merci également à Shana Drehs et son équipe de Sourcebooks aux Etats-Unis.

Je tiens particulièrement à citer certaines des sources[1] dont je me suis inspirée pour écrire ce livre, à savoir : *Lykkehuset : Edvard Munch og Åsgårdstrand*, d'Inger Alver Gløersen ; *Den Munch Jeg Møtte*, du même auteur ; *The Private Journals of Edvard Munch*, édités et traduits par J. Gill Holland ; et enfin, ce qui représente sans nul doute la biographie définitive de Munch en anglais, *Edvard Munch, Behind the Scream*, de Sue Prideaux, qui m'a été d'un grand secours.

Pour leur immense générosité, je voudrais remercier : Tone Brunner du musée Munch à Oslo ; Gry Pettersbakken du musée d'art de Lillehammer ; et Line Berg Härström de la Maison de Munch à Åsgårdstrand.

Je suis très reconnaissante envers Niall Williams dont la rencontre représente une étape cruciale dans mon parcours d'écrivain. Merci de m'avoir inspirée, guidée, mais aussi tout simplement, merci d'écrire. Je ne pourrai

1. Ouvrages non traduits en français. (NdT)

jamais assez vous remercier, Christine Breen et toi, pour l'influence essentielle que vous avez exercée sur moi et les encouragements que vous continuez aujourd'hui à me dispenser avec votre générosité habituelle.

A ma formidable coach et merveilleuse amie Janet Whitehead, pour ses réverses inépuisables de magie ! Il n'y a pas d'autre mot pour décrire tes pouvoirs. Tu m'as ouvert de nouvelles perspectives et tu m'as surtout rappelé de ne pas oublier de m'amuser en chemin. Merci de n'avoir jamais cessé d'y croire.

Remerciements tout particuliers à Heather Hepburn, soutien indéfectible depuis plus de trente ans, et qui a lu chacune de mes tentatives sans jamais douter un instant que j'y parviendrais.

Je suis également reconnaissante aux personnes suivantes, pour leur sens de l'écoute et les encouragements qu'elles me prodiguent : Heidi Andersen, Hege Nedberg, Kjersti Dovland, Robert Bjørka, Lente Mørch Kerrison, mes parents et l'ensemble de mes amis et des membres de ma famille au Royaume-Uni.

Enfin, je dédie ce livre à Dagfinn, Sofie et Kristoffer. Lumière. Sans vous, rien ne serait possible.

Composé et édité par HarperCollins France.

Achevé d'imprimer en février 2018.

Barcelone

Dépôt légal : mars 2018.

Pour limiter l'empreinte environnementale de ses livres, HarperCollins France s'engage à n'utiliser que du papier fabriqué à partir de bois provenant de forêts gérées durablement et de manière responsable.

Imprimé en Espagne.